PRINCESA DE PAPEL

erin watt

PRINCESA DE PAPEL

SÉRIE THE ROYALS – LIVRO 1

Tradução
Regiane Winarski

essência

Copyright © Erin Watt, 2016
Copyright © Editora Planeta do Brasil, 2017
Todos os direitos reservados.
Título original: *Paper princess*

Preparação: Laura Folgueira
Revisão: Luiza Del Monaco e Valquíria Della Pozza
Diagramação: Futura
Capa: Meljean Brook
Adaptação de capa: Fabio Oliveira

CIP-BRASIL. CATALOGAÇÃO NA PUBLICAÇÃO
SINDICATO NACIONAL DOS EDITORES DE LIVROS, RJ

W157p
  Watt, Erin
    Princesa de papel / Erin Watt ; tradução Regiane Winarski. – 1. ed. –
São Paulo : Planeta, 2017.

    Tradução de: Paper princess
    ISBN 978-85-422-0887-0

    1. 1. Ficção americana. I. Winarski, Regiane. II. Título.

16-38085   CDD: 813
                                                                         CDU: 821.111(73)-3

Ao escolher este livro, você está apoiando o manejo responsável das florestas do mundo

2022
Todos os direitos desta edição reservados à
Editora Planeta do Brasil Ltda.
Rua Bela Cintra 986, 4º - andar - Consolação
São Paulo - SP CEP 01415-002.
www.planetadelivros.com.br
faleconosco@editoraplaneta.com.br

Para Margo, que tinha tanto entusiasmo por este projeto quanto nós.

Agradecimentos

Quando decidimos unir forças e criar este livro juntas, não tínhamos ideia de como seria sensacional e do quanto ficaríamos obcecadas pelos personagens e pelo mundo que criamos. Este projeto tem sido uma alegria desde o primeiro momento, mas não teríamos conseguido tirá-lo dos nossos cérebros e levá-lo até suas mãos sem a ajuda e o apoio de algumas pessoas maravilhosas:

As primeiras leitoras, Margo, Shauna e Nina, que ainda gostam de nós apesar do gancho brutal que deixamos no final da história para o próximo livro.

Nossa assessora de imprensa, Nina, pelo entusiasmo contagiante e pela torcida constante neste projeto.

Meljean Brooks, por criar um conceito de capa que encaixa tão absurdamente bem na história!

E, claro, temos uma dívida eterna com todos os blogueiros, críticos e leitores que tiraram um tempo para ler, resenhar e surtar com o livro. O apoio e o retorno de vocês fazem o processo todo valer a pena!

Capítulo 1

— Ella, você está sendo chamada na sala da diretoria — diz a professora Weir antes que eu possa entrar na sala de Álgebra e Geometria.

Olho meu relógio.

— Eu nem estou atrasada.

Falta um minuto para as nove, e esse relógio nunca está atrasado. Deve ser o objeto mais caro que tenho. Minha mãe disse que era do meu pai. Fora o esperma, foi a única coisa que ele me deixou.

— Não, não é por causa de atraso… desta vez. — O olhar normalmente rígido está um tanto suave, e minhas entranhas mandam um aviso para o meu lerdo cérebro matinal. A professora Weir é rigorosa, e é por isso que gosto dela. Ela nos trata como se estivéssemos aqui para aprender Matemática de verdade, e não uma lição de vida sobre amar o próximo ou qualquer outra merda do tipo. Portanto, se ela está me lançando um olhar solidário, quer dizer que tem alguma coisa muito errada rolando na sala da direção.

— Tudo bem. — Não tenho como dar nenhuma outra resposta. Balanço a cabeça e dou meia-volta para seguir até a diretoria.

— Mando o dever de casa por e-mail — diz a professora quando me viro. Acho que ela imagina que não vou voltar para a aula, mas não tem nada que o diretor Thompson possa jogar nas minhas costas que seja pior do que o que já encarei em outras ocasiões.

Antes de me matricular na George Washington High School para cursar o segundo ano do ensino médio, eu já havia perdido tudo o que tinha importância na minha vida. Mesmo que o senhor Thompson tenha descoberto que, tecnicamente, eu não moro no distrito escolar da GW, eu posso mentir para ganhar tempo. E, se tiver que pedir transferência, que é a pior coisa que pode acontecer comigo hoje, tudo bem, eu peço.

— E aí, Darlene?

A secretária com corte de cabelo sem graça nem levanta o olhar da revista *People*.

— Sente-se, Ella. O senhor Thompson vai receber você em um minuto.

Nós nos tratamos pelo primeiro nome, eu e Darlene. Em um mês na GW High, eu já passei tempo demais nesta sala, graças ao meu número crescente de atrasos. Mas é isso que acontece quando você trabalha à noite e só tem o prazer de se deitar nos lençóis às três da manhã, toda madrugada.

Estico o pescoço para espiar pelas persianas abertas da sala do senhor Thompson. Tem alguém sentado na cadeira do visitante, mas só consigo identificar um maxilar forte e um cabelo castanho-escuro. O oposto de mim. Sou tão loura de olhos azuis quanto dá para ser. Cortesia do doador de esperma, de acordo com a minha mãe.

O visitante do senhor Thompson me lembra um empresário de fora da cidade que dava uma grana alta para minha mãe só para ela fingir ser namorada dele por uma noite. Alguns caras gostam mais disso do que de sexo. Isso de acordo com a minha mãe, claro. Eu não tive que seguir esse caminho... ainda. Espero que isso nunca aconteça, e é por isso que preciso do meu diploma do ensino médio, para poder fazer faculdade, me formar e ser normal.

Alguns adolescentes sonham em viajar pelo mundo, ter carros velozes, casas grandes. Eu? Eu quero ter meu apartamento, uma geladeira cheia de comida e um emprego estável que pague bem, de preferência tão empolgante quanto esperar cola secar.

Os dois homens conversam sem parar. Quinze minutos se passam e eles ainda estão tagarelando.

— Ei, Darlene? Estou perdendo a aula de Álgebra e Geometria agora. Posso voltar quando o senhor Thompson não estiver ocupado?

Tento falar da forma mais gentil possível, mas os anos que vivi sem uma presença adulta de verdade na vida (minha mãe irresponsável e adorável não conta) não me permitem transmitir com facilidade a submissão necessária que os adultos preferem em pessoas que não em têm permissão legal para beber.

— Não, Ella. O senhor Thompson já vem.

Desta vez, ela está certa, porque a porta se abre e o diretor sai. O senhor Thompson tem menos de um metro e oitenta e parece ter se formado no ensino médio no ano passado. De alguma forma, consegue ter um certo ar de responsável e capaz.

Ele faz sinal para eu me aproximar.

— Senhorita Harper, entre, por favor.

Entrar? Com o Don Juan ainda lá?

— Já tem uma pessoa na sua sala. — Eu aponto para o óbvio. A situação está muito suspeita, e meus instintos estão me mandando sair daqui. Mas, se eu sair correndo, estarei abrindo mão dessa vida cuidadosa que passei meses planejando.

Thompson se vira e olha na direção do Don Juan, que se levanta da cadeira e acena com a mão grande.

— Sim, pois é, ele é o motivo de você estar aqui. Entre, por favor.

Apesar dos meus instintos, passo pelo senhor Thompson e paro assim que entro pela porta. Thompson a fecha e vira a persiana da sala para bloquear a visão. Agora estou muito nervosa.

— Senhorita Harper, faça a gentileza de se sentar. — Thompson aponta para a cadeira de onde Don Juan se levantou.

Cruzo os braços e olho para os dois com expressão de revolta. Os mares poderiam inundar a terra e eu não me sentaria.

Thompson suspira e se senta na cadeira dele, sabendo reconhecer uma causa perdida. Isso me deixa ainda menos à vontade, porque, se ele está desistindo dessa batalha, significa que tem uma maior se aproximando.

Ele pega uma pilha de papéis na mesa.

— Ella Harper, este é Callum Royal. — Ele faz uma pausa, como se isso significasse alguma coisa para mim.

Enquanto isso, Royal está me olhando como se nunca tivesse visto uma garota. Percebo que meus braços cruzados estão espremendo os peitos, então abaixo as mãos para as laterais do corpo, onde ficam caídas e desajeitadas.

— É um prazer conhecê-lo, senhor Royal. — Fica claro para todos na sala que estou pensando exatamente o oposto.

O som da minha voz o desperta da hipnose. Ele dá alguns passos e, antes que eu consiga me mexer, está com a minha mão direita presa entre as suas.

— Meu Deus, você é igual a ele. — As palavras são sussurradas de forma que só ele e eu possamos ouvir. E, como se de repente se lembrasse de onde está, ele aperta minha mão. — Por favor, me chame de Callum.

Tem um tom estranho nas palavras dele, como se fosse difícil dizê-las. Puxo a minha mão de volta, o que exige certo esforço, porque o cretino não quer soltar. É preciso o senhor Thompson pigarrear para que Royal me largue.

— O que está acontecendo? — eu pergunto. Sendo uma garota de dezessete anos em uma sala com dois adultos, meu tom sai todo errado, mas ninguém liga pra isso.

O senhor Thompson passa uma mão agitada no cabelo.

— Não sei como dizer isso, então vou ser direto. O senhor Royal me disse que ambos os seus pais estão mortos e que ele agora é seu tutor.

Eu hesito. Só por um momento. O suficiente para que o choque vire indignação.

— Porra nenhuma! — O palavrão sai antes que eu consiga segurar. — Minha mãe me inscreveu no colégio. Você tem a assinatura dela nas fichas.

Meu coração está a um milhão por minuto, porque aquela assinatura na verdade é minha. Eu a falsifiquei para manter o controle da minha vida. Apesar de eu ser menor, tive que ser a adulta da família desde os quinze anos.

A favor do senhor Thompson, tenho que dizer que ele não me repreende pelo vocabulário.

— A papelada indica que a alegação do senhor Royal é legítima. — Ele mexe nos papéis que tem nas mãos.

— É? Bom, ele está mentindo. Eu nunca vi esse cara, e, se você me deixar ir com ele, o próximo relato que vai ler será sobre uma garota da GW que desapareceu em um esquema de exploração sexual.

— Você está certa, nós não nos conhecemos — interrompe Royal. — Mas isso não muda a realidade aqui.

— Deixa eu ver. — Pulo até a mesa de Thompson e puxo os papéis das mãos dele. Passo os olhos pelas páginas, sem ler direito o que tem lá. Palavras saltam aos meus olhos, *tutor* e *falecidos* e *herança*, mas elas não significam nada. Callum Royal é um estranho. Ponto.

— Talvez, se sua mãe vier aqui, nós possamos esclarecer tudo — sugere o senhor Thompson.

— Sim, Ella, traga sua mãe e retiro meu pedido. — A voz de Royal é suave, mas ouço a firmeza. Ele sabe de alguma coisa.

Eu me viro para o diretor, que é o elo fraco aqui.

— Eu poderia criar isso no laboratório de informática do colégio. Nem precisaria de Photoshop. — Jogo a pilha de papéis na frente dele. A dúvida surge em seus olhos, então insisto na minha vantagem. — Preciso voltar para a aula. O semestre está começando, e não quero ficar atrasada.

Ele lambe os lábios com insegurança e eu olho para ele com toda a convicção que tenho no coração. Eu não tenho pai. E não tenho tutor. Se tivesse, onde esteve esse babaca durante toda a minha vida, quando minha mãe estava lutando para pagar as contas, quando estava morrendo de dor por causa do câncer, quando estava chorando na cama de hospital por me deixar sozinha? Onde ele estava *naquelas horas*?

Thompson suspira.

— Tudo bem, Ella, por que você não vai para a aula? Está claro que o senhor Royal e eu temos mais assuntos a discutir.

Royal protesta.

— Esses papéis estão todos em ordem. Você me conhece e conhece minha família. Eu não estaria apresentando isso para você se não fosse verdade. Qual seria o motivo?

— Há muitos pervertidos no mundo — eu digo com malícia. — Eles têm muitos motivos para inventar histórias.

Thompson balança a mão.

— Ella, já basta. Senhor Royal, isso é surpresa para todos nós. Quando fizermos contato com a mãe de Ella, vamos poder esclarecer tudo.

Royal não gosta do adiamento e renova o argumento do quanto é importante e de que um Royal jamais mentiria. Eu quase espero que ele fale na lenda de George Washington e a cerejeira. Enquanto os dois discutem, eu saio da sala.

— Vou ao banheiro, Darlene — minto. — Volto para a aula logo em seguida.

Ela cai com facilidade.

— Leve o tempo que precisar. Eu aviso sua professora.

Eu não vou ao banheiro. Não volto para a aula. Em vez disso, corro para a rua e pego o ônibus G até o ponto final.

De lá, é uma caminhada de trinta minutos até o apartamento que alugo por meros quinhentos dólares por mês. Tem um quarto, um banheiro velho, uma área de estar e uma cozinha com cheiro de mofo. Mas é barato e a proprietária é uma mulher disposta a aceitar dinheiro vivo sem investigar meu passado.

Não sei quem é Callum Royal, mas sei que a presença dele em Kirkwood é uma péssima notícia. Aquela papelada legal não foi criada no Photoshop. É de verdade. Mas não vou colocar minha vida nas mãos de um estranho que aparece do nada.

A minha vida é *minha*. Eu a vivo. Eu a controlo.

Tiro os livros que custaram cem dólares da mochila e a encho com roupas, artigos de higiene e minhas últimas economias, mil dólares. Merda. Preciso de dinheiro rápido para sair da cidade. Estou seriamente desfalcada. Gastei mais de dois mil para me mudar para cá, contando as passagens de ônibus e o aluguel do primeiro mês e do mês passado, além do depósito. É horrível perder o dinheiro do aluguel já pago, mas está claro que não posso ficar.

Estou fugindo de novo. É a história da minha vida. Mamãe e eu estávamos sempre fugindo. Dos namorados dela, dos chefes pervertidos, do serviço social, da pobreza. O hospital foi o único lugar onde ficamos por mais tempo, e só porque ela estava morrendo. Acho que o universo decidiu que não tenho direito de ser feliz.

Eu me sento na cama e tento não chorar de frustração, raiva e, sim, até medo. Permito-me cinco minutos de autopiedade e pego o celular. Dane-se o universo.

— Oi, George, eu estava pensando na sua proposta de trabalhar no Daddy G's — digo quando uma voz masculina atende a ligação. — Estou pronta para negociar com você.

Eu danço no *pole* do Miss Candy's, um clube pequeno onde faço strip até ficar de fio dental e adesivos nos mamilos. É um bom dinheiro, mas não muito. George anda me pedindo nas últimas semanas para passar de nível para o Daddy G's, um local com nudez completa. Resisti porque não via necessidade. Mas agora estou vendo.

Fui abençoada com o corpo da minha mãe. Pernas longas. Cintura fina. Meus peitos não são fartos e espetaculares, mas George diz que gosta dos meus seios médios e empinados porque dão ilusão de juventude. Não é ilusão, mas minha identidade diz que tenho trinta e quatro anos e que meu nome não é Ella Harper, mas Margaret Harper. Minha mãe morta. É bem sinistro se você parar para pensar, coisa que tento não fazer.

Não tem muito emprego de meio período que permita a uma garota de dezessete anos pagar suas contas. E nenhum dos que existem é legal. Vender drogas. Se prostituir. Tirar a roupa. Eu prefiro esse último.

— Caramba, garota, que notícia excelente! — exclama George. — Tenho uma vaga para hoje. Você pode ser a terceira dançarina. Coloque o uniforme de aluna de escola católica. Os caras vão adorar.

— Quanto pela noite?

— Quanto o quê?

— Grana, George. Quanto paga a noite?

— Quinhentos, mais as gorjetas que você conseguir. Se quiser fazer umas danças particulares, pago cem por cada uma.

Merda. Daria para ganhar mil pratas fácil esta noite. Enfio toda a minha ansiedade e o meu desconforto no fundo da mente. Agora não é hora para um debate moral interior. Preciso do dinheiro, e fazer strip é uma das formas mais seguras de consegui-lo.

— Estarei lá. Agende quantas puder para mim.

Capítulo 2

O Daddy G's é um buraco, mas é bem melhor do que muitas outras boates da cidade. Ok, isso é a mesma coisa que dizer: "Dê uma mordida neste frango podre. Não está tão verde e mofado como os outros". Ainda assim, dinheiro é dinheiro.

A aparição de Callum Royal na escola me corroeu o dia todo. Se eu tivesse um laptop e conexão de internet, teria procurado o sujeito no Google, mas meu computador velho está quebrado e ainda não tive dinheiro para comprar outro. E também não quis ir até a biblioteca para usar o de lá. É idiotice, mas fiquei com medo de sair do apartamento e Royal me emboscar na rua.

Quem é ele? E por que acha que é meu tutor? Mamãe nunca mencionou seu nome. Por um momento hoje cedo pensei que podia ser meu pai, mas os papéis diziam que ele também morreu. E, a não ser que minha mãe tenha mentido para mim, o nome do meu pai não era Callum. Era Steve.

Steve. Sempre achei com cara de nome inventado. Como quando a criança diz: "Me conte sobre o papai, mamãe!", e você fica na dúvida e diz o primeiro nome que vem à mente. "Ah, o nome dele era, ahn, Steve, querida."

Mas odeio pensar que mamãe mentiu. Nós sempre fomos sinceras uma com a outra.

Afasto Callum Royal da mente porque hoje é minha estreia no Daddy G's e não posso deixar um estranho qualquer de meia-idade com um terno de mil dólares me distrair. Já tem homens de meia-idade suficientes nessa joça para ocupar meus pensamentos.

A boate está lotada. Acho que a noite das estudantes católicas é uma grande atração no Daddy G's. As mesas e cabines do salão principal estão todas ocupadas, mas o andar superior onde fica o *lounge* VIP está vazio. Isso não é surpresa. Não tem muitos VIPs em Kirkwood, essa cidadezinha do Tennessee perto de Knoxville. É uma cidade operária, em que a maioria da população é de classe baixa. Quem ganha mais de quarenta mil dólares por ano é considerado podre de rico. Foi por isso que a escolhi. O aluguel é barato e o sistema de educação pública é decente.

O camarim fica nos fundos, e está cheio de vida quando entro. Mulheres seminuas olham quando passo pela porta. Algumas acenam, duas sorriem, mas voltam a atenção para as cintas-ligas ou para a maquiagem que estão passando em frente a penteadeiras.

Só uma se aproxima de mim.

— Cinderela? — pergunta ela.

Faço que sim. É o pseudônimo que uso no Miss Candy's. Pareceu adequado na época.

— Eu sou a Rose. George me pediu para te explicar como as coisas vão funcionar hoje.

Sempre tem uma mãezona em todos os clubes de strip, uma mulher mais velha que percebe que está perdendo a luta contra a gravidade e decide ser útil de outras formas. No Miss Candy's foi Tina, a loura platinada envelhecida que me acolheu debaixo das asas desde que cheguei. Aqui, é Rose, a ruiva envelhecida que cacareja em cima de mim enquanto me guia até a arara de metal com as fantasias.

Quando estico a mão para o uniforme de colegial, ela me impede.

— Não, isso é pra mais tarde. Coloque este.

Quando me dou conta, ela está me ajudando a vestir um corpete preto com fitas entrelaçadas e uma tanga preta de renda.

— Eu vou dançar usando isso? — Mal consigo respirar com o corpete, e menos ainda levar a mão à frente do corpo para desamarrar.

— Não se preocupe. — Ela ri quando repara na minha respiração entrecortada. — Só balance a bundinha e gire no *pole* do Riquinho e vai ficar tudo ótimo.

Olho para ela sem entender.

— Pensei que eu fosse subir no palco.

— George não falou? Você vai fazer uma dança particular no *lounge* VIP agora.

O quê? Mas eu acabei de chegar. Pela minha experiência no Miss Candy's, normalmente a gente dança no palco algumas vezes antes de algum cliente pedir um show particular.

— Deve ser um dos seus clientes regulares do outro clube — supõe Rose, ao notar minha surpresa. — O Riquinho entrou aqui como se fosse dono do lugar, entregou cinco notas de cem e disse pro George te mandar lá. — Ela pisca para mim. — Se você fizer tudo direito, consegue arrancar dele mais algumas notas de cem.

Ela some. Sai andando em direção a outra dançarina, enquanto fico ali me perguntando se cometi um erro.

Gosto de agir como se fosse durona, e sou mesmo, até certo ponto. Já fui pobre e passei fome. Fui criada por uma stripper. Sei dar um soco se precisar. Mas só tenho dezessete anos. Às vezes, acho que sou jovem demais para ter vivido a vida que eu tive. Às vezes, olho ao redor e penso: *Aqui não é meu lugar.*

Mas eu *estou* aqui. Estou aqui, estou sem grana, e, se quero ser a garota normal que estou tentando desesperadamente ser, preciso sair deste camarim e dançar no *pole* do senhor VIP, como Rose disse tão delicadamente.

George aparece quando saio no corredor. Ele é um homem corpulento com barba cheia e olhos gentis.

— Rose te falou do cliente? Ele está esperando.

Faço que sim e engulo em seco.

— Não tenho que fazer nada de mais, né? Só uma dança particular normal?

Ele ri.

— Faça os floreios que quiser, mas, se ele tocar em você, o Bruno vai chutá-lo para fora.

Fico aliviada de ouvir que o Daddy G's aplica a regra de não tocar na mercadoria. Dançar para homens nojentos é bem mais fácil de engolir quando as mãos nojentas deles não chegam perto de você.

— Você vai se sair bem, garota. — Ele dá um tapinha no meu braço. — E, se ele perguntar, você tem vinte e quatro, tá? Ninguém com mais de trinta trabalha aqui, lembra?

"E menor de vinte?", eu quase pergunto. Mas fico de boca bem fechada. Ele deve saber que estou mentindo sobre a idade. Metade das garotas aqui mente. E posso ter tido uma vida difícil, mas não pareço mesmo ter trinta e quatro anos. A maquiagem me ajuda a passar por vinte e um. Por pouco.

George desaparece no camarim, e respiro fundo antes de seguir pelo corredor.

Os graves opressivos da música me recebem no salão principal. A dançarina no palco acabou de desabotoar a camisa branca do uniforme, e os homens ficam loucos ao ver pela primeira vez o sutiã transparente. Notas de dólar chovem no palco. É nisso que eu me concentro. No dinheiro. Que se dane o resto.

Mesmo assim, estou muito chateada com a ideia de sair da GW High e deixar para trás todos os professores que parecem se importar com o que ensinam. Mas vou encontrar outra escola em outra cidade. Uma cidade em que Callum Royal não consiga me...

Eu paro na hora. E me viro, em pânico.

É tarde demais. Royal já atravessou o *lounge* VIP escuro, e sua mão forte envolve meu braço.

— Ella — diz ele, com voz baixa.

— Me solta. — O tom é o mais indiferente que consigo fazer, mas minha mão treme quando tento tirar a dele de mim.

Ele não me solta, pelo menos não até outra pessoa sair das sombras, um homem de terno escuro e com ombros de jogador de futebol americano.

— É proibido tocar — diz o leão de chácara, de forma ameaçadora.

Royal solta meu braço como se fosse feito de lava. Lança um olhar austero para Bruno, o leão de chácara, e se vira para mim. Seus olhos ficam grudados no meu rosto, como se ele estivesse fazendo um esforço de não olhar para as minhas poucas roupas.

— Precisamos conversar.

O bafo de uísque dele quase me derruba.

— Não tenho nada para dizer a você — respondo friamente. — Eu não conheço você.

— Sou o seu tutor.

— Você é um estranho. — Agora eu soo arrogante. — E está interferindo no meu trabalho.

Ele abre a boca. E fecha. E diz:

— Tudo bem. Comece a trabalhar, então.

O quê?

Há um brilho debochado no olhar dele quando recua na direção dos sofás macios. Ele se senta, abre um pouco as pernas, ainda debochando de mim.

— Me dê aquilo pelo que paguei.

Meu coração acelera. De jeito nenhum. Não vou dançar para esse homem.

Com o canto do olho, vejo George se aproximar dos degraus do *lounge*. Meu novo chefe me olha com expectativa.

Engulo em seco. Tenho vontade de chorar, mas não choro. Ando rebolando até Royal, com uma confiança que não sinto.

— Tudo bem. Quer que eu dance pra você, papai? Vou dançar pra você.

Lágrimas ardem nas minhas pálpebras, mas sei que não vão cair. Treinei muito para nunca chorar em público. A última vez que chorei foi no leito de morte da minha mãe, e só depois que todas as enfermeiras e todos os médicos saíram do quarto.

Callum Royal tem uma expressão de sofrimento no rosto quando paro na frente dele. Meus quadris balançam com a música, como que por instinto. Na verdade, é mesmo instinto. Dançar está no meu sangue. É parte de mim. Quando eu era menor, minha mãe conseguiu juntar dinheiro para eu fazer aulas de balé e jazz durante três anos. Depois que a grana acabou, ela passou a me ensinar. Via vídeos ou entrava em aulas no centro comunitário até ser expulsa, depois voltava para casa e me ensinava.

Eu amo dançar e danço bem, mas não sou burra de achar que vou seguir carreira com isso, a não ser que queira viver de strip. Não, minha carreira vai ser em algo prático. Administração ou Direito, algo que me proporcione uma vida confortável. Dançar é um sonho tolo de garotinha.

Quando passo as mãos na frente do corpete de forma sedutora, Royal solta um grunhido. Mas não é o grunhido que estou acostumada a ouvir. Ele não parece excitado. Parece... triste.

— Ele está se revirando no túmulo agora — diz Royal com voz rouca.

Eu o ignoro. Ele não existe para mim.

— Isso não está certo. — Ele parece engasgado.

Jogo o cabelo e empino os peitos. Consigo sentir os olhos de Bruno em mim nas sombras.

Cem dólares por uma dança de dez minutos, e eu já rebolei durante dois. Faltam oito. Eu consigo.

Mas, evidentemente, Royal não consegue. Mais uma rebolada e as duas mãos dele seguram meus quadris.

— *Não* — grunhe ele. — Steve não ia querer isso pra você.

Não tenho tempo de piscar, de registrar as palavras dele. Ele está de pé e me levanta no ar, meu tronco bate no ombro largo dele.

— Me solta! — eu grito.

Ele não está ouvindo. Só me carrega no ombro como se eu fosse uma boneca de pano, e nem a aparição repentina de Bruno consegue detê-lo.

— Sai do meu caminho! — Quando Bruno dá outro passo, Royal grita com ele. — Esta garota tem dezessete anos! É menor, eu sou o tutor dela, então, juro por Deus, se você der mais um passo, vou botar todos os policiais de Kirkwood dentro deste buraco, e você e todos esses outros pervertidos vão ser jogados na cadeia por botarem uma menor em perigo.

Bruno pode ser fortão, mas não é burro. Com o olhar abalado, ele sai da frente.

Já eu não sou tão cooperativa. Meus punhos acertam as costas de Royal, minhas unhas arranham o paletó caro.

— Me coloca no chão! — eu berro.

Ele não me coloca no chão. E ninguém o impede enquanto ele anda na direção da saída. Os homens no clube estão ocupados demais babando e gritando para o palco. Vejo um vislumbre de movimento, George chegando perto de Bruno, que sussurra furiosamente no ouvido dele, mas eles somem, e sou atingida por um sopro de ar frio.

Estamos do lado de fora, mas Callum Royal não me coloca no chão. Vejo os sapatos elegantes batendo no piso rachado do estacionamento. Ouço um tilintar de chaves, um bipe alto, sou jogada pelo ar novamente e caio no assento de couro. Estou no banco de trás de um carro. Uma porta se fecha. Um motor ganha vida.

Ah, meu Deus. Esse homem está me sequestrando.

Capítulo 3

Minha mochila!

Está com meu dinheiro e meu relógio dentro! O banco de trás da besta que Callum Royal chama de carro é mais luxuoso do que qualquer coisa em que minha bunda já tenha encostado na vida. Pena que não vou ter tempo de apreciar. Mergulho em direção à maçaneta da porta e puxo, mas a porcaria não abre.

Viro o olhar para o motorista. É um gesto absurdamente descuidado, mas não tenho escolha: pulo e seguro o ombro dele, cujo pescoço é da grossura da minha coxa.

— Dê meia-volta! Preciso voltar!

Ele nem pisca. Parece feito de tijolos. Puxo mais algumas vezes, mas tenho certeza de que, a não ser que eu enfie uma faca no pescoço do sujeito (e talvez nem assim), ele não vai fazer nada que Royal não mande.

Callum não se moveu nem um centímetro no lado do passageiro do banco de trás, e me conformo com o fato de que não vou sair do carro enquanto ele não permitir. Testo a janela só para ter certeza. Continua irritantemente fechada.

— Tranca de segurança para crianças? — eu murmuro, apesar de saber a resposta.

Ele assente de leve.

— Dentre outras coisas, mas basta dizer que você vai ficar no carro durante toda a viagem. Está procurando por isto?

Minha mochila cai no meu colo. Resisto à vontade de abri-la e verificar se ele pegou meu dinheiro e meus documentos. Sem essas duas coisas, estou completamente à mercê dele, mas não quero revelar nada enquanto não entender qual é a dele.

— Olha, moço, não sei o que você quer, mas está na cara que você tem dinheiro. Tem muitas prostitutas aqui que farão o que você quiser e não vão causar o problema com a lei que eu poderia causar. Só me deixe no próximo cruzamento, e prometo que você nunca mais vai ouvir falar de mim. Eu não vou procurar a polícia. Vou dizer para George que você era um cliente antigo, mas que acertamos nossas questões.

— Eu não estou procurando prostituta. Vim atrás de você.

— Depois dessa declaração ameaçadora, Royal tira o paletó e oferece para mim.

Parte de mim deseja que eu fosse mais ousada, mas ficar sentada aqui nesse carro elegante na frente do homem para quem dancei está me deixando constrangida e com a sensação de estar exposta. Eu daria qualquer coisa por uma calcinha de vó agora. Com relutância, coloco o paletó, ignoro a dor desconfortável que o corpete provoca em mim e seguro as lapelas com força contra o peito.

— Eu não tenho nada que você queira. — Claro que a pequena quantia em dinheiro enfiada no fundo da minha bolsa é migalha para esse cara. Dava para trocar este carro por todo o Daddy G's.

Royal ergue uma sobrancelha em uma réplica muda. Agora que ele está só de camisa, consigo ver o relógio dele, e é... idêntico ao meu. Os olhos dele seguem os meus.

— Você já viu isso antes. — Não é uma pergunta. Ele estica o pulso na minha direção. O relógio tem tiras pretas de couro simples, botões de prata e moldura de ouro 18 quilates em torno do vidro do mostrador. Os números e ponteiros brilham no escuro.

Com a boca seca, eu minto.

— Nunca vi na vida.

— É mesmo? É um relógio Oris. Suíço, feito à mão. Foi presente quando me formei na BUD/S. Meu melhor amigo, Steve O'Halloran, ganhou um relógio idêntico quando também se formou na BUD/S. Atrás, está gravado...

Non sibi sed patriae.

Eu pesquisei a frase quando tinha nove anos, depois que minha mãe me contou a história do meu nascimento. *Desculpe, filha, mas dormi com um marinheiro. Ele não me deixou nada além do primeiro nome e deste relógio.* E eu, lembrei a ela. Ela bagunçou meu cabelo de forma brincalhona e me disse que eu era o melhor de tudo. Meu coração dói por sua ausência.

— Quer dizer "não por si, mas pelo país". O relógio de Steve sumiu dezoito anos atrás. Ele disse que o perdeu, mas nunca o substituiu. Nunca usou outro relógio. — Royal dá uma risada debochada. — Era a desculpa dele para estar sempre atrasado.

Eu me pego me inclinando para a frente, querendo saber mais sobre Steve O'Halloran, que diabos é "buds" e como os dois se conheceram. Mas me dou um tapa na cara mentalmente e me recosto na porta.

— História legal, mano. Mas o que tem a ver comigo? — Olho para o Golias no banco da frente e aumento o tom de voz. — Afinal, vocês dois sequestraram uma menor, e tenho certeza de que isso é crime nos cinquenta estados.

Só Royal responde.

— É crime sequestrar qualquer pessoa independentemente da idade, mas, como sou seu tutor e você estava envolvida em atos ilegais, eu tenho meu direito de tirar você do local.

Eu dou uma gargalhada debochada.

— Não sei quem você pensa que é, mas eu tenho trinta e quatro anos. — Eu enfio a mão na mochila em busca da identidade, empurrando para o lado o relógio que é idêntico ao que Royal carrega no pulso esquerdo. — Está vendo? Margaret Harper. Idade: trinta e quatro.

Ele arranca a identidade dos meus dedos.

— Um metro e setenta. Cinquenta e nove quilos. — Ele passa os olhos pelo meu corpo. — Me pareceu mais para quarenta e cinco, mas imagino que você tenha perdido peso desde que começou a fugir.

Fugir? Como é que ele sabe disso?

Como se conseguisse ler minha expressão, ele ri.

— Eu tenho cinco filhos. Não tem nenhum truque que um deles não tenha tentado aplicar em mim, e reconheço um adolescente quando vejo, mesmo debaixo de uma tonelada de maquiagem.

Eu o olho com expressão pétrea. Esse homem, seja ele quem for, não vai arrancar nada de mim.

— Seu pai é Steve O'Halloran. — Ele se corrige: — Era. Seu pai era Steve O'Halloran.

Viro o rosto para a janela, para que esse estranho não veja a pontada de dor que surge na minha expressão antes que eu possa escondê-la. Claro que meu pai está morto. Claro.

Minha garganta parece apertada, e a sensação horrível de lágrimas surge nos meus olhos. Chorar é para bebês. Chorar é para fracos. Chorar por um pai que eu não conheci? Fraqueza.

Junto ao barulho da rua, ouço um tilintar de vidro e o som familiar de bebida sendo derramada em um copo. Royal começa a falar um momento depois.

— Seu pai e eu éramos melhores amigos. Crescemos juntos. Fizemos faculdade juntos. Decidimos nos alistar na Marinha por impulso. Acabamos entrando para os SEALs, mas nossos pais quiseram se aposentar cedo, então, em vez de continuar no serviço, nós voltamos para casa e tomamos as rédeas do negócio das nossas famílias. Construímos aviões, caso você queira saber.

Claro, eu penso com azedume.

Ele ignora meu silêncio, ou encara como aprovação para continuar.

— Cinco meses atrás, Steve morreu em um acidente de asa-delta. Mas, antes de partir... é sinistro, quase como se tivesse tido uma premonição — Royal balança a cabeça —, ele me deu uma carta e disse que talvez fosse a correspondência mais importante que já recebeu. Me disse que leríamos juntos quando ele voltasse, mas, uma semana depois, a mulher dele voltou da viagem e me informou que Steve estava morto. Deixei a carta de lado para lidar com... complicações relacionadas à morte e à viúva.

Complicações? O que isso queria dizer? A pessoa morre e pronto, não? Além do mais, ele fala *viúva* como se fosse uma palavra feia, o que me deixa imaginando como ela deve ser.

— Dois meses depois, me lembrei da carta. Quer saber o que dizia?

Que provocação horrível. Claro que eu quero saber o que a carta dizia, mas não vou dar a ele a satisfação de uma resposta. Encosto a bochecha na janela.

Vários quarteirões passam antes de Royal ceder.

— A carta era da sua mãe.

— O quê? — Viro a cabeça, chocada.

Ele não parece cheio de si por finalmente ter conseguido minha atenção, só cansado. A perda do amigo, do meu pai, está marcada por todo o rosto dele, e pela primeira vez vejo Callum Royal como o homem que ele alega ser: um pai que perdeu o melhor amigo e teve a grande surpresa da vida dele.

Mas, antes que ele possa dizer qualquer coisa, o carro para. Olho pela janela e vejo que estamos no campo. Tem uma área comprida e plana de terra, um prédio grande de um andar feito de folhas de metal e uma torre. Perto do prédio tem um avião grande com as palavras "Atlantic Aviation" na lateral. Quando Royal disse que construía aviões, não imaginei *esse* tipo de avião. Não sei o que eu esperava, mas um jato enorme com tamanho para carregar centenas de pessoas pelo mundo é que não era.

— É seu? — Tenho dificuldade em não ficar boquiaberta.

— É, mas não vamos parar.

Tiro a mão da pesada maçaneta prateada.

— O que você quer dizer?

Deixo de lado o choque de estar sendo sequestrada, da existência (e morte) do doador de esperma que ajudou a me fazer e dessa carta misteriosa, para olhar com surpresa e boquiaberta enquanto seguimos pelo portão, pelo prédio, até entrarmos no que presumo ser a pista de decolagem. Da traseira do avião, uma rampa se abre e, quando bate no chão, Golias sobe com o carro na inclinação em direção à barriga do avião.

Eu me viro para olhar pelo para-brisa traseiro enquanto a rampa se fecha com muito barulho atrás de nós. Assim que a porta do avião se tranca, as travas das portas do carro dão um estalo. E estou livre. Mais ou menos.

— Você primeiro. — Callum indica a porta que Golias está segurando aberta para mim.

Com o paletó agarrado em torno do corpo, tento recuperar a compostura. Até o avião está em condições melhores do que eu, com o corpete de stripper emprestado e os saltos desconfortáveis.

— Preciso trocar de roupa. — Fico feliz por conseguir falar de uma forma quase normal. Fui humilhada muitas vezes, e ao longo dos anos aprendi que a melhor defesa é um bom ataque. Mas estou em desvantagem agora. Não quero que ninguém, nem Golias nem o pessoal do avião, me veja com esse traje.

É a primeira vez que entro em um avião. Sempre andei de ônibus, e, em alguns momentos terríveis, peguei carona com caminhoneiros. Mas isto é gigantesco, grande o bastante para abrigar um carro. Deve haver um armário onde eu possa me trocar.

O olhar de Callum se suaviza, e ele acena bruscamente para Golias.

— Vamos esperar lá em cima. — Ele aponta para o final do aposento que parece ser uma garagem. — Aquela porta dá acesso a uma escada. Suba quando estiver pronta.

Assim que fico sozinha, troco rapidamente as roupas de stripper por minha calcinha mais confortável, uma calça jeans larga e uma regata, com uma camisa de flanela que normalmente eu deixaria aberta, mas que hoje fecho totalmente, exceto pelo botão mais alto. Sinto-me ridícula, mas pelo menos estou coberta.

Coloco a roupa de stripper na mochila e verifico se meu dinheiro está lá. Felizmente está, junto com o relógio de Steve. Meu pulso parece nu sem ele, e, como Callum já sabe da sua existência, posso muito bem usá-lo. Assim que prendo a fivela no pulso, me sinto instantaneamente melhor, mais forte. Consigo encarar o que quer que Callum Royal tenha planejado para mim.

Depois de colocar a mochila no ombro, começo a pensar enquanto ando até a porta. Eu preciso de dinheiro. Callum tem. Preciso de um lugar novo para morar, e rápido. Se eu conseguir dinheiro com ele, vou pegar um avião para o meu próximo destino e recomeçar. Eu sei fazer isso.

Eu vou ficar bem.

Tudo vai ficar bem. Se eu contar essa mentira para mim mesma repetidas vezes, vou acreditar que seja verdade... mesmo se não for.

Quando chego ao alto da escada, Callum está me esperando. Ele me apresenta ao motorista.

— Ella Harper, este é Durand Sahadi. Durand, a filha de Steven, Ella.

— É um prazer conhecer você — diz Durand com uma voz ridiculamente grave. Caramba, ele fala como o Batman. — Lamento pela sua perda.

Ele inclina a cabeça de leve, e é tão simpático que seria grosseria ignorá-lo. Tiro a mochila da frente e aperto a mão esticada.

— Obrigada.

— Eu também agradeço, Durand. — Callum dispensa o motorista e se vira para mim. — Vamos nos sentar. Quero chegar em casa. É uma hora de avião até Bayview.

— Uma hora? Você trouxe um avião para se deslocar uma hora? — eu digo.

— De carro, teria demorado seis horas, e era tempo demais. Já precisei de nove semanas e um exército de detetives para encontrar você.

Como não tenho outras opções no momento, sigo Callum na direção de um par de poltronas de couro creme macio de frente uma para a outra, com uma mesa de madeira preta elegante com detalhes prateados entre elas. Ele se senta em uma e indica para que eu me sente na outra. Já há um copo e uma garrafa na mesa, como se a equipe dele soubesse que ele não consegue ficar sem uma bebida.

Do outro lado do corredor há outro par de poltronas acolchoadas, e um sofá atrás. Será que consigo emprego como comissária de bordo dele? Este lugar é ainda mais legal do que o carro. Eu poderia morar aqui, sem dúvida.

Coloco a mochila entre os pés.

— Relógio bonito — comenta ele, secamente.

— Obrigada. Minha mãe me deu. Disse que foi a única coisa que meu pai lhe deixou, além do nome e de mim. — Não faz mais sentido mentir. Se o exército de detetives particulares dele o levou até mim em Kirkwood, ele deve saber mais sobre mim e minha mãe do que eu mesma. Parece saber muito sobre meu pai, e descubro, apesar de tudo, que estou sedenta por informações. — Onde está a carta?

— Em casa. Entrego para você quando chegarmos. — Ele estica a mão até uma pasta de couro e puxa uma pilha de dinheiro, do tipo que se vê em filmes, com uma tira branca ao redor. — Quero fazer um acordo com você, Ella.

Sei que meus olhos estão do tamanho de pires, mas não consigo evitar. Nunca vi tantas notas de cem dólares na vida.

Ele empurra a pilha por cima da superfície escura até colocá-la na minha frente. É possível que isso tudo seja um *game show* ou algum outro tipo de competição de um *reality*? Fecho a boca e tento enrijecer. Ninguém me faz de boba.

— Vamos ouvir — digo, cruzando os braços e olhando para Callum com olhos semicerrados.

— Pelo que consegui descobrir, você faz striptease para se sustentar e conseguir o diploma do ensino médio. Suponho que, depois disso, você queira ir à faculdade e parar de fazer strip, e talvez trabalhar com outra coisa. Talvez queira ser contadora ou médica ou advogada. Esse dinheiro é um gesto de boa-fé. — Ele bate nas notas. — Nesta pilha tem dez mil dólares. Para cada mês que você ficar comigo, dou uma pilha nova, em dinheiro vivo, com a mesma quantia. Se ficar comigo até se formar no ensino médio, vai receber um bônus de duzentos mil dólares. Isso vai cobrir seus estudos na faculdade, sua moradia, suas roupas e sua comida. Se você se formar, recebe outro bônus substancial.

— Qual é a pegadinha? — Minhas mãos estão coçando para pegar o dinheiro, encontrar um paraquedas e fugir das garras de Callum Royal antes que ele consiga dizer *bolsa de valores*.

Em vez disso, fico sentada, esperando ouvir que tarefa doentia vou ter que fazer para ficar com o dinheiro... e debatendo internamente quais são meus limites.

— A pegadinha é que você não lute. Não tente fugir. Você vai aceitar minha tutoria. Vai morar na minha casa. Vai tratar meus filhos como irmãos. Se fizer isso, pode ter a vida com que sonha. — Ele faz uma pausa. — A vida que Steve ia querer que você tivesse.

— E o que eu tenho que fazer para *você*? — Preciso dos termos bem explícitos.

Callum arregala os olhos, e seu rosto assume um tom esverdeado.

— Para *mim*, nada. Você é uma menina muito bonita, Ella, mas é uma menina, e eu sou um homem de quarenta e dois anos com cinco filhos. Fique tranquila, eu tenho uma namorada linda que satisfaz todas as minhas necessidades.

Eca. Eu levanto a mão.

— Tá, não preciso de mais explicações.

Callum ri com alívio antes de seu tom ficar sério de novo.

— Sei que não posso substituir seus pais, mas estarei ao seu lado para qualquer coisa que você pudesse precisar deles. Você pode ter perdido sua família, mas não está mais sozinha, Ella. Você é uma Royal agora.

Capítulo 4

Estamos pousando, mas, mesmo com o nariz encostado na janela, está escuro demais para que eu possa ver qualquer coisa. Só consigo enxergar as luzes tremeluzentes da pista de pouso, e, quando tocamos no chão, Callum não me dá tempo para examinar os arredores. Não pegamos o carro que está na barriga do avião. Não, aquele deve ser o carro "de viagem", porque Durand nos leva para outro sedã preto elegante. As janelas têm películas tão escuras que não tenho ideia do cenário pelo qual estamos passando, mas Callum abre um pouco a janela e sinto o cheiro: sal. O mar.

Estamos na costa, então. Em uma das Carolinas? Seis horas de Kirkwood nos levaria para perto do Atlântico, o que faz sentido considerando o nome da empresa de Callum. Mas não importa. A única coisa que importa é a pilha de notas novas na minha mochila. Dez mil. Ainda não consigo acreditar. Dez mil por *mês*. E bem mais depois que eu me formar.

Tem que haver uma pegadinha. Callum pode ter me garantido que não espera... *favores especiais* em troca, mas essa não é minha primeira armadilha. Sempre tem uma pegadinha, e com o tempo ela vai aparecer. E, quando aparecer, pelo menos vou ter dez mil no bolso se precisar fugir de novo.

Até lá, vou dançar conforme a música. Vou ser legal com Royal.

E com os filhos dele...

Droga, me esqueci dos filhos. Cinco, ele disse.

Eles não podem ser assim tão ruins. Cinco garotos ricos mimados? Ha. Já lidei com coisa bem pior. Como o namorado gângster da minha mãe, Leo, que tentou me apalpar quando eu tinha doze anos e me ensinou o jeito certo de fechar o punho depois que dei um soco na barriga dele e quase quebrei a mão. Ele riu, e ficamos amigos. As dicas de defesa pessoal me ajudaram com o namorado *seguinte* da minha mãe, que tinha mãos bobas também. Mamãe sabia mesmo escolher os melhores.

Mas eu tento não julgá-la. Ela fez o que tinha que fazer para sobreviver, e nunca duvidei do amor dela por mim.

Depois de trinta minutos dirigindo, Durand para o carro na frente de um portão. Tem uma divisória entre nós e o banco do motorista, mas escuto um apito eletrônico e um ruído mecânico, e voltamos a seguir em frente, mais devagar agora, até que finalmente o carro para de todo e as trancas se abrem com um clique.

— Chegamos ao nosso lar — diz Callum baixinho.

Tenho vontade de corrigi-lo, dizer que isso não existe, mas fico de boca calada.

Durand abre a porta para mim e estica a mão. Meus joelhos ficam um pouco bambos quando saio. Tem três outros veículos estacionados do lado de fora de uma garagem enorme: dois utilitários pretos e uma picape vermelho-cereja que parece deslocada.

Callum repara para onde olhei e dá um sorriso pesaroso.

— Eram três Range Rovers, mas Easton trocou o dele pela picape. Desconfio que ele queria mais espaço para dar uns amassos nas garotas com quem sai.

Ele fala não com reprovação, mas com resignação. Suponho que Easton seja um dos filhos dele. Também sinto um ar de... *alguma coisa* no tom de Callum. Desamparo, talvez? Só o conheço há poucas horas, mas não consigo imaginar esse homem desamparado, e levanto a guarda de novo.

— Você vai ter que pegar carona para a escola com os garotos nos primeiros dias — acrescenta ele. — Até eu comprar um carro para você. — Ele aperta os olhos. — Quer dizer, se você tiver habilitação com seu nome e que não diga que você tem trinta e quatro anos.

Faço que sim com ressentimento.

— Que bom.

Mas então me dou conta do que ele falou antes.

— Você vai comprar um carro pra mim?

— Vai ser mais fácil assim. Meus filhos... — ele parece estar escolhendo as palavras com cuidado — ...não se afeiçoam rapidamente a estranhos. Mas você precisa ir para a escola, então... — Ele dá de ombros e repete — vai ser mais fácil.

Não consigo lutar contra minha desconfiança. Tem alguma coisa errada aqui. Com esse homem. Com os filhos dele. Talvez eu devesse ter lutado mais para sair do carro dele em Kirkwood. Talvez eu...

Meus pensamentos morrem quando desvio o olhar e tenho o primeiro vislumbre da mansão.

Não, do palácio. Do palácio Royal. De verdade.

Isso não é real. A casa só tem dois andares, mas vai até tão longe que quase não consigo ver o final. E tem janelas para *todo lado*. Talvez o arquiteto que a planejou fosse alérgico a paredes ou tivesse medo profundo de vampiros.

— Você... — Minha voz falha. — Você mora aqui?

— *Nós* moramos aqui — corrige ele. — É sua casa também agora, Ella.

Essa nunca vai ser minha casa. Meu lugar não é no luxo, é no lixo. É o que eu conheço. É o que me deixa à vontade, porque a miséria não mente. Não está embrulhada em um pacote bonito. É o que é.

Esta casa é uma ilusão. É polida e bonita, mas o sonho que Callum está tentando me vender é frágil como papel. Nada fica brilhante para sempre neste mundo.

O interior da mansão Royal é tão extravagante quanto o exterior. O piso é branco com rajados cinza e dourados, do tipo que se vê em bancos e consultórios médicos, por todo o saguão, que parece ter quilômetros. O teto também nunca termina, e fico tentada a dar um grito só para ver até onde o eco vai.

Escadas dos dois lados da entrada se encontram em uma sacada acima do saguão. O lustre acima da minha cabeça deve conter cem lâmpadas e tanto cristal que, se caísse em cima de mim, só conseguiriam encontrar pó de vidro. Parece lustre de hotel. Eu não ficaria surpresa se tivesse sido tirado de um.

Para todo lado que olho, vejo *riqueza*.

E, no meio de tudo, Callum me observa com olhar cauteloso, como se tivesse entrado na minha mente e percebido quanto estou próxima de surtar. De sair correndo com tudo, rápido, porque aqui não é meu lugar porra nenhuma.

— Sei que é diferente do que você está acostumada — diz ele de forma rude —, mas você também vai se acostumar com isso. Vai gostar daqui. Prometo.

Meus ombros se enrijecem.

— Não faça promessas, senhor Royal. Não faça promessas para mim, nunca.

O rosto dele parece abalado.

— Me chame de Callum. E pretendo cumprir qualquer promessa que fizer para você, Ella. Da mesma forma que cumpri todas as promessas que fiz para o seu pai.

Alguma coisa amolece dentro de mim.

— Você... há... — As palavras saem com constrangimento. — Você realmente gostava do meu... do Steve, né?

— Ele era meu melhor amigo — diz Callum com simplicidade. — Eu confiava minha vida a ele.

Deve ser legal. A única pessoa em quem eu confiei na vida se foi. Está morta e enterrada. Penso na minha mãe e sinto uma falta tão grande dela que minha garganta se fecha.

— Hum... — Luto para parecer casual, como se não estivesse à beira das lágrimas ou de desabar. — Você tem um mordomo ou alguém do tipo? Uma governanta? Quem cuida deste lugar?

— Tenho funcionários. Você não vai precisar esfregar o chão para ganhar moradia.

O sorriso dele some com meu olhar sério.

— Onde está minha carta?

Callum deve sentir quanto estou próxima de perder o controle, porque seu tom se suaviza.

— Olha, está tarde e você passou por muita agitação por um dia. Por que não guardamos essa conversa para amanhã? Agora, só quero que você tenha uma boa noite de sono. — Ele me olha com cara de quem sabe o que diz. — Tenho a sensação de que faz muito tempo que você não tem uma assim.

Ele está certo. Eu inspiro e expiro lentamente.

— Onde fica o meu quarto?

— Vou levar você... — Ele para quando passos soam acima de nós, e vejo um vislumbre de aprovação nos seus olhos azuis. — Aqui estão eles. Gideon está na faculdade, mas pedi aos outros para descerem e conhecerem você. Eles nem sempre escutam...

E parece que continuam não escutando, porque as ordens que ele deu aos filhos Royal estão sendo ignoradas. E eu também estou. Não há um único olhar na minha direção quando quatro figuras de cabelo escuro aparecem no corrimão curvo da sacada.

Meu queixo cai de leve, mas fecho logo a boca, me preparando para o show de agressão vindo de cima. Não vou deixar que eles vejam quanto me abalaram, mas, puta merda, estou abalada. Não, estou intimidada.

Os garotos Royal não são o que eu esperava. Eles não parecem babacas ricos com roupas de garotos metidos. Parecem valentões apavorantes que podem me partir no meio como uma vareta.

Todos são tão grandes quanto o pai, com pelo menos um metro e oitenta, e com vários graus de músculos: os dois da direita são mais magros, os dois da esquerda têm ombros largos e braços esculturais. Devem ser atletas. Ninguém é tão malhado sem dar duro, sem sangrar e suar para isso.

Estou nervosa agora, porque ninguém disse nada. Nem eles, nem Callum. Mesmo estando muito abaixo deles, consigo ver que todos os filhos têm os olhos dele. São azuis vívidos e perfurantes em sua intensidade, todos concentrados no pai.

— Garotos — diz ele por fim. — Venham conhecer nossa hóspede. — Ele balança a cabeça como se estivesse se corrigindo. — Venham conhecer a nova integrante da nossa família.

Silêncio.

É apavorante.

O do meio dá um sorrisinho, só um repuxar leve no canto da boca, debochando do pai enquanto apoia os antebraços musculosos no corrimão e não diz nada.

— Reed. — A voz autoritária de Callum ecoa nas paredes. — Easton. — Outro nome ecoa. — Sawyer. — E outro. — Sebastian. Desçam aqui. Agora.

Eles não se mexem. Percebo que os dois da direita são gêmeos. A aparência é idêntica, e a pose quando cruzam os braços sobre o peito também. Um dos gêmeos olha para o lado, lançando um olhar quase imperceptível para o irmão na extrema esquerda.

Um tremor percorre meu corpo. É com *ele* que preciso me preocupar. É com ele que preciso tomar cuidado.

E ele é o único que inclina a cabeça na minha direção, em um olhar torto calculado. Quando nossos olhares se cruzam, meu coração bate um pouco mais rápido. De medo. Talvez em circunstâncias diferentes, batesse por outro motivo. Porque ele é lindo. Todos são.

Mas esse me assusta, e me esforço para esconder minha reação. Encaro o olhar dele em desafio. *Desça aqui, Royal. Pode vir.*

Os olhos azuis se apertam de leve. Ele sente o desafio mudo. Vê meu desdém e não gosta. Em seguida, vira-se de costas para o corrimão e sai andando. Os outros vão atrás, como que seguindo uma ordem. Eles nem sequer olham para o pai. Passos ecoam na casa ampla. Portas se fecham.

Ao meu lado, Callum suspira.

— Me desculpe por isso. Achei que tinha deixado claro para eles antes, eles tiveram tempo para se preparar, mas evidentemente precisam de mais tempo para absorver isso tudo.

Isso tudo? Ele está falando de mim. Da minha presença na casa deles, minha ligação com o pai deles, que eu nunca soube que tinha antes de hoje.

— Tenho certeza de que eles estarão mais receptivos de manhã — diz ele. Parece que está tentando convencer a si mesmo.

A mim com certeza não convenceu.

Capítulo 5

Acordo em uma cama desconhecida e não gosto. Não da cama. A cama é demais. É macia, mas é firme ao mesmo tempo, e os lençóis são suaves como manteiga, não são como as porcarias que arranham a pele com que estou acostumada, isso quando eu dormia em uma cama com lençóis. Muitas vezes era só um saco de dormir, e esses sacos de náilon ficam fedidos depois de um tempo.

Esta cama tem cheiro de mel e lavanda.

Todo esse luxo e essa gentileza são ameaçadores, porque, na minha experiência, toda gentileza costuma ser seguida de uma surpresa bem ruim. Uma vez, mamãe voltou do trabalho e anunciou que íamos nos mudar para um lugar melhor. Um homem alto e magro foi nos ajudar a empacotar nossos poucos pertences, e várias horas depois estávamos na casinha dele. Era adorável, com cortinas quadriculadas nas janelas, e, apesar de ser pequena, eu até tinha meu próprio quarto.

Naquela noite, acordei com o som de gritos e vidro quebrando. Mamãe entrou correndo no meu quarto e me tirou da cama, e estávamos fora da casa antes de eu conseguir respirar.

Só quando paramos a dois quarteirões de distância foi que vi o hematoma se formando no rosto dela.

Ou seja, coisas legais nem sempre vêm de pessoas legais.

Sento e observo o meu entorno. O quarto todo foi feito para uma princesa, uma bem novinha. Tem uma quantidade vomitável de rosa e de babados. Só faltam os pôsteres da Disney, se bem que tenho certeza de que pôsteres são objetos vagabundos demais para esse lugar, assim como minha mochila no chão perto da porta.

Os eventos de ontem passam pela minha mente e param na pilha de notas de cem dólares. Pulo da cama e pego a mochila. Abro correndo e suspiro de alívio quando vejo a pilha com a cara de Benjamin Franklin no alto. Mexo nas notas e ouço o som doce de papel substituindo o silêncio do quarto. Eu poderia pegar isso agora e ir embora. Dez mil me manteriam bem por um tempo.

Mas… se eu ficar, Callum Royal prometeu tão mais. A cama, o quarto, dez mil por mês até eu me formar… só para estudar? Para morar nesta mansão? Para dirigir meu próprio carro?

Guardo o dinheiro no bolso secreto no fundo da mochila. Vou esperar mais um dia. Nada me impede de ir embora amanhã, no mês que vem ou no seguinte. Assim que as coisas ficarem ruins, posso pular fora.

Com o dinheiro guardado, coloco o resto das coisas da mochila na cama e faço um inventário. As roupas são duas calças jeans skinny, a calça larga que usei depois de sair do clube de striptease para fugir das atenções, cinco camisetas, cinco calcinhas, um sutiã, o corpete que usei ontem para dançar, uma calcinha fio-dental, um par de saltos altos de stripper e um vestido bonito que foi da minha mãe muito tempo atrás. É preto e curto, e faz parecer que tenho uma parte de cima mais avantajada do que a que Deus me deu. Tem um kit de maquiagem, novamente mais coisas que minha mãe usava, mas também artigos descartados por várias strippers que conhecemos no caminho. O kit deve valer pelo menos mil dólares.

Também estou com meu livro de poesias de Auden, que considero a parte mais romântica e desnecessária dos meus pertences, mas encontrei na mesa de um café, e a inscrição era a mesma do meu relógio. Eu não podia deixar lá. Foi obra do destino, apesar de eu geralmente não acreditar nessas coisas. O destino é para os fracos, pessoas que não têm poder ou força para moldar a vida como precisam que seja. Ainda não cheguei lá. Não tenho poder suficiente, mas terei um dia.

Passo a mão pela capa do livro. Talvez eu consiga um emprego de meio período como garçonete. Seria bom se fosse em uma churrascaria. Isso me daria dinheiro para o dia a dia, para eu não precisar botar a mão nos dez mil, que agora decidi que são intocáveis.

Uma batida na porta me assusta.

— Callum? — eu digo.

— Não, é o Reed. Abra.

Olho para minha camiseta enorme. Foi de um dos namorados da minha mãe e me cobre razoavelmente, mas não vou enfrentar o olhar acusador e furioso de um dos garotos Royal sem estar totalmente armada. O que quer dizer vestida e com uma camada impecável de maquiagem de menina má.

— Não estou apresentável.

— Estou cagando pra isso. Você tem cinco segundos, e vou entrar. — As palavras são secas e potentes.

Babaca. Com os braços do sujeito, não duvido que fosse capaz de derrubar a porta se quisesse.

Ando até lá e abro a porta.

— O que você quer?

Ele me olha grosseiramente de cima a baixo e, apesar de minha camiseta ser comprida o bastante para cobrir qualquer coisa ousada, ele me faz sentir completamente nua. Odeio isso, e a desconfiança que surgiu na noite anterior vira antipatia genuína.

— Quero saber qual é a sua. — Ele dá um passo à frente, e sei que é para me intimidar. É um homem que usa o físico como arma e como atrativo.

— Acho que você devia conversar com seu pai. Foi ele que me sequestrou e me trouxe para cá.

Reed dá outro passo, até estarmos tão próximos que cada respiração faz nossos corpos se tocarem.

Ele é lindo o bastante para a minha boca secar e eu começar a formigar em partes que eu gostaria de pensar que um babaca como ele jamais faria despertar. Mas outra lição que aprendi com a minha mãe é que seu corpo pode gostar de coisas que sua cabeça odeia. Só que é a cabeça que tem que estar no comando. Esse era um dos conselhos dela estilo "faça o que eu digo e não o que eu faço".

Ele é um babaca e quer machucar você, grito para o meu corpo. Meus mamilos se enrijecem apesar do aviso.

— E você lutou muito contra isso, não foi? — Ele olha com desdém para os picos que se formaram embaixo da minha camiseta fina.

Não tem nada que eu possa fazer além de fingir que meus mamilos estão sempre alertas.

— Mais uma vez, você devia estar falando com seu pai. — Eu me viro e finjo que Reed Royal não está despertando todas as terminações nervosas do meu corpo. Vou até a cama e pego uma calcinha simples. Como se não tivesse preocupação nenhuma no mundo, tiro a que estou usando e deixo em cima do tapete creme.

Atrás de mim, ouço uma inspiração repentina. Ponto para o time visitante.

Com o máximo de indiferença possível, visto uma nova, puxando com cuidado pelas pernas até a barra longa da camiseta. Consigo sentir os olhos dele percorrendo meu corpo como se estivesse me tocando.

— Fique sabendo que, seja qual for seu jogo, você não tem como ganhar. Não contra todos nós. — A voz dele está mais grave e rouca. Meu show o está afetando. Mais um ponto. Estou muito feliz de estar de costas para ele, porque assim ele não pode ver que também estou afetada por sua voz e seu olhar. — Se você for embora agora, não vai se machucar. Vamos deixar que fique com o que o papai deu para você e nenhum de nós vai incomodar. Se ficar, vamos destruir você de tal maneira que você vai sair daqui rastejando.

Eu visto a calça jeans e, ainda de costas, começo a tirar a camiseta.

Uma risadinha ríspida soa em seguida, e ouço passos rápidos. A mão dele se fecha no meu ombro, segurando a minha camiseta. Ele me vira até eu estar de frente para ele. Inclina-se e leva os lábios a centímetros do meu ouvido.

— Vou contar uma novidade, gata: você pode fazer striptease na minha frente todos os dias, e nem assim eu pegava você, entendeu? Meu pai pode estar comendo na palma da sua mão, de olho na sua bunda de menor, mas o resto de nós sacou direitinho qual é a sua.

O hálito quente de Reed desliza pelo meu pescoço, e preciso de toda a minha força de vontade para não tremer. Estou com medo? Com tesão? Quem sabe. Meu corpo está tão confuso agora... Merda. Sou mesmo filha da minha mãe, né? Porque gostar de homens que a tratam mal é, ou melhor, era, a especialidade de Maggie Harper.

— Me solta — digo friamente.

Ele aperta os dedos no meu ombro por um momento antes de me empurrar para longe. Cambaleio para a frente e me seguro na beirada da cama.

— Estamos todos de olho em você — diz ele de forma ameaçadora, e sai batendo os pés.

Minhas mãos tremem enquanto termino de me vestir apressadamente. A partir de agora, vou *sempre* estar vestida nesta casa, mesmo na privacidade do meu quarto. Não vou deixar aquele babaca do Reed me pegar desprevenida novamente.

— Ella?

Dou um pulo de surpresa e me viro, e dou de cara com Callum de pé na porta aberta.

— Callum, você me assustou — digo com um gritinho, colocando a mão sobre o coração disparado.

— Me desculpe. — Ele entra com uma folha de caderno velha na mão. — Sua carta.

Meu olhar surpreso voa até o dele.

— Eu, ah, obrigada.

— Você não achou que eu entregaria, né?

Faço uma careta.

— É pra ser sincera? Eu nem tinha certeza de que ela existia.

— Eu não mentiria para você, Ella. Tenho muitos defeitos. As peripécias dos meus filhos provavelmente encheriam um livro mais longo do que *Guerra e paz*, mas não vou mentir. E não vou pedir a você nada mais do que uma chance. — Ele aperta o papel na minha mão. — Quando terminar, desça para tomar café. Tem uma escadaria de fundos no final do corredor, que leva direto para a cozinha. Quando estiver pronta.

— Obrigada. Vou, sim.

Ele dá um sorriso caloroso.

— Estou tão feliz de você estar aqui. Houve um momento em que achei que nunca a encontraria.

— Eu... não sei o que dizer. — Se fôssemos só Callum e eu, acho que eu ficaria aliviada por estar aqui, talvez até agradecida, mas, depois do encontro com Reed, estou sentindo algo entre medo e pavor.

— Tudo bem. Você vai se acostumar com tudo isso. Eu prometo. — Ele dá o que deveria ser uma piscadela tranquilizadora e desaparece.

Afundo na cama e abro a carta com dedos trêmulos.

Querido Steve,

Não sei se você vai receber esta carta e nem se vai acreditar quando ler. Estou enviando para a base naval de Little Creek com seu número de identificação. Você deixou cair um pedaço de papel aqui, junto com seu relógio. Fiquei com o relógio. De alguma forma, me lembrei daquele número.

Indo direto ao ponto: você me engravidou naquela loucura que tivemos no mês anterior à sua partida para Deus sabe onde. Quando descobri que estava grávida, você já tinha ido embora. O pessoal da base não estava interessado em ouvir minha história. Desconfio que você também não esteja interessado nela agora.

Mas, se estiver, devia vir aqui. Estou doente, com câncer. Está consumindo meu cólon. Juro que consigo senti-lo dentro de mim, como um parasita. Minha menina vai ficar sozinha. Ela é resiliente. Durona. Mais do que eu. Eu a amo. E, apesar de não ter medo da morte, tenho medo de ela ficar sozinha.

Sei que só estávamos transando sem compromisso, mas juro para você que criamos a melhor coisa do mundo. Você vai se odiar se não a conhecer, ao menos.

Ella Harper. Eu a batizei em homenagem àquela caixa de música brega que você ganhou para mim em Atlantic City. Achei que você ia gostar.

Enfim, espero que você receba esta carta a tempo. Ela não sabe que você existe, mas está com seu relógio e tem seus olhos. Você vai saber assim que botar os olhos nela.

Com carinho,
Maggie Harper

Corro para o meu banheiro particular (também rosa-chiclete) para colocar uma toalha contra o rosto. *Não chore, Ella.* Não adianta chorar. Eu me inclino sobre a pia e jogo água na cara, fingindo que toda a água que respinga na cuba de porcelana é da pia e não dos meus olhos.

Quando estou sob controle, passo uma escova no cabelo e o prendo em um rabo de cavalo. Passo um pouco de *BB cream* para esconder os olhos vermelhos e considero suficiente.

Antes de sair, enfio tudo na mochila e a coloco no ombro. Ela vai andar comigo para toda parte até eu encontrar um lugar para escondê-la.

Passo por quatro portas antes de encontrar a escadaria dos fundos. O corredor onde fica meu quarto é tão amplo que daria para dirigir um dos carros de Callum por ele. Esse lugar *deve* ter sido um hotel em algum momento, porque parece ridículo uma casa para uma família só ser tão grande.

A cozinha no final da escada é gigantesca. Tem dois fogões, uma ilha com bancada de mármore e uma sequência enorme de armários brancos. Vejo uma pia, mas não vejo geladeira nem máquina de lavar louças. Talvez haja outra cozinha nas entranhas da casa e me mandem para lá esfregar o chão, apesar do que Callum disse antes. E não haveria problema. Eu ficaria mais à vontade trabalhando de verdade em troca do dinheiro em vez de ir à escola e ser uma adolescente normal, porque quem é pago só para viver uma vida normal? Ninguém.

Na extremidade da cozinha, há uma mesa enorme com vista para o mar através das janelas que vão do chão ao teto. Os irmãos Royal estão sentados em quatro das dezesseis cadeiras. Estão todos de uniforme: camisas brancas para fora das calças cáquis. Blazers azuis estão pendurados nas costas de algumas cadeiras. De alguma forma, cada garoto consegue parecer bonito, com certo ar meio bruto.

Este lugar é como o Jardim do Éden. É bonito, mas cheio de perigo.

— Como você gosta dos seus ovos? — pergunta Callum. Ele está de pé em frente ao fogão com uma espátula em uma das mãos e dois ovos na outra. Não parece uma pose confortável para ele. Um olhar rápido para os garotos confirma minha desconfiança. Callum raramente cozinha.

— Mexido está bom para mim. — Ninguém consegue errar ovos mexidos.

Ele assente e aponta com a espátula para uma porta grande de armário perto dele.

— Tem frutas e iogurte na geladeira, e *bagels* atrás de mim.

Ando até o armário e o abro enquanto quatro pares de olhos mal-humorados e furiosos me acompanham. Parece o primeiro dia de aula em uma escola nova em que todo mundo decidiu odiar a menina nova, só por prazer. Uma luz se acende, e o ar frio acerta meu rosto. Geladeira escondida. Afinal, por que as pessoas precisam saber que você tem uma geladeira? Estranho.

Pego um pote de morangos e coloco na bancada.

Reed joga o guardanapo na mesa.

— Acabei. Quem quer carona?

Os gêmeos empurram as cadeiras para trás, mas o outro, acho que é Easton, balança a cabeça.

— Vou pegar a Claire hoje.

— Garotos — diz o pai em tom de aviso.

— Está tudo bem. — Não quero começar uma briga e nem ser motivo de tensão entre Callum e os filhos.

— Tudo bem, *pai* — debocha Reed. Ele se vira para os irmãos. — Dez minutos e saímos.

Todos vão atrás como patinhos. Ou talvez uma analogia melhor seja soldados.

— Sinto muito. — Callum dá um suspiro. — Não sei por que eles estão tão aborrecidos. Eu planejava levar você até a escola independentemente disso. Só esperava que eles fossem mais… receptivos.

O cheiro de ovos queimando faz nós dois nos virarmos para o fogão.

— Merda — diz ele. Chego perto e vejo uma massa escura e dura. Ele dá um sorriso triste. — Eu nunca cozinho, mas achei que não tinha como fazer besteira com ovos. Acho que me enganei.

Então ele nunca cozinha, mas vai para o fogão por uma estranha que levou para casa? Não é difícil ver o motivo do ressentimento.

— Você está com fome? Porque pra mim está bom frutas com iogurte. — Frutas frescas são uma coisa que não tive o privilégio de comer com frequência. Qualquer coisa fresca é sinal de privilégio.

— Estou morrendo de fome. — Ele me lança um olhar digno de pena.

— Eu posso preparar uns ovos — antes que eu possa terminar, ele pega um pacote de bacon — e bacon, se você tiver.

Enquanto eu cozinho, Callum fica apoiado na bancada.

— Cinco garotos, é? Dá trabalho.

— A mãe deles morreu dois anos atrás. Eles nunca se recuperaram. Nenhum de nós, na verdade. Maria era a cola que nos mantinha unidos. — Ele passa a mão pelo cabelo. — Eu não ficava muito em casa antes de ela morrer. A Atlantic Aviation estava passando por dificuldades, e eu estava correndo atrás de negócios por todo o planeta. — Ele solta um suspiro intenso. — Consegui resolver o problema da empresa… mas a família ainda é um trabalho em desenvolvimento.

Com base no que vi dos filhos, acho que eles não estão nem perto de baixar a guarda, mas o talento de Callum como pai não é da minha conta. Faço um ruído descompromissado no fundo da garganta, que Callum interpreta como encorajamento para continuar.

— Gideon é o mais velho. Ele está na faculdade, mas volta para casa nos fins de semana. Acho que deve estar namorando alguém na cidade, mas não sei quem. Acho que você vai conhecê-lo esta noite.

Que bom. Só que não.

— Seria legal. — Da mesma forma que é legal fazer lavagem intestinal.

— Gostaria de levar você até a escola e, fazer sua matrícula. Depois que a gente resolver tudo, Brooke, a minha namorada, se ofereceu para ir fazer compras com você. Acho que pode começar as aulas na segunda.

— Quanto estou atrasada?

— As aulas começaram há duas semanas. Já vi suas notas e acho que você vai ficar bem — garante ele.

— Seus detetives devem ser ótimos se você conseguiu até meus dados escolares. — Franzo a testa para os ovos.

— Você se mudou muitas vezes, mas, quando descobri o nome completo da sua mãe, não foi muito difícil rastrear e conseguir tudo de que eu precisava.

— Mamãe fez o melhor que pôde comigo. — Eu pondero.

— Ela era stripper. Obrigou você a fazer isso também? — reage Callum com raiva.

— Não, isso eu fiz por minha conta. — Coloco os ovos em um prato. Ele pode fazer o próprio bacon. Ninguém fala mal da minha mãe na minha frente.

Callum segura meu braço.

— Olha, eu...

— Estou interrompendo alguma coisa? — Uma voz fria soa na porta.

Eu me viro e vejo Reed. A voz dele está gelada, mas os olhos estão em chamas. Ele não gosta de me ver perto do pai. Sei que é uma reação babaca, mas alguma coisa me faz chegar mais perto de Callum, quase debaixo do braço dele. O pai está prestando atenção no filho e não percebe o motivo para minha proximidade repentina. Mas os olhos apertados de Reed me dizem que ele entendeu a mensagem.

Levanto a mão e coloco no ombro de Callum.

— Não, eu só estava preparando café da manhã para o seu pai. — Dou um sorriso doce.

Se é que é possível, a expressão de Reed fica ainda pior.

— Esqueci uma coisa. — Ele anda até a mesa e pega o paletó no encosto da cadeira.

— Vejo você na escola, Reed — provoco.

Ele me lança outro olhar fulminante antes de se virar e sair. Minha mão se afasta. Callum olha para mim, atônito.

— Você está cutucando uma onça.

Dou de ombros.

— Ele me cutucou primeiro.

Callum balança a cabeça.

— E eu achei que criar cinco garotos era uma aventura. Ainda não vi nada, não é?

Capítulo 6

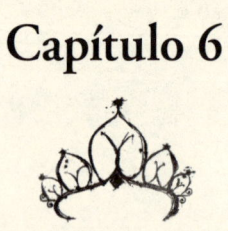

Callum me leva até a escola onde vou estudar nos próximos dois anos. Bom, Durand é quem dirige. Callum e eu vamos no banco de trás. Ele mexe em uma pilha do que parecem plantas enquanto eu olho pela janela, tentando não pensar no que aconteceu no meu quarto mais cedo com Reed.

Dez minutos se passam até Callum levantar o rosto de seu trabalho.

— Me desculpe, estou recuperando o atraso. Tirei folga depois da morte de Steve e a diretoria está no meu pé para estar ciente de tudo.

Fico tentada a perguntar como Steve era, se era legal, o que fazia para se divertir, por que transou com a minha mãe e nunca olhou para trás. Mas fico de boca calada. Parte de mim não quer saber do meu pai. Porque, se eu souber coisas dele, ele se torna real. Pode até se tornar *bom*. É mais fácil pensar nele como o babaca que abandonou minha mãe.

Aponto para os papéis.

— São plantas dos seus aviões?

Ele assente.

— Estamos criando um novo caça. O Exército encomendou.

Jesus. Ele não só constrói aviões, como constrói aviões militares. É grana alta. Por outro lado, considerando a casa dele, eu não devia estar surpresa.

— E meu pa... Steve. Ele também projetava aviões?

— Ele estava mais envolvido com o setor de testes. Eu também estou, de certa forma, mas seu pai tinha paixão por voar.

Meu pai gostava de pilotar aviões. Arquivo a informação. Quando fico em silêncio, a voz de Callum se suaviza.

— Pode me perguntar o que quiser sobre ele, Ella. Eu o conhecia melhor do que qualquer pessoa.

— Não sei se já estou pronta para saber sobre ele — eu respondo vagamente.

— Entendido. Mas, quando estiver, fico feliz em contar. Ele era um ótimo homem.

Engulo a resposta de que ele não podia ser tão bom assim se me abandonou, mas não quero falar disso com Callum.

Todos os pensamentos sobre Steve desaparecem quando o carro chega a um portão que deve ter pelo menos seis metros de altura. É assim que os Royal vivem? Dirigindo de um portão a outro? Passamos por ele e seguimos por uma rua pavimentada que termina em frente a um prédio gótico enorme coberto de hera. Olho ao redor quando saímos do carro e reparo em várias construções similares pontilhando o campus imaculado da Astor Park Prep Academy, além dos muitos hectares de grama. Acho que é por isso que tem *park* no nome da escola.

— Fique aqui — diz Callum para Durand pela janela aberta do motorista. — Ligo quando estivermos prontos para ir embora.

O carro preto desaparece na direção de um estacionamento no final da via. Callum se vira para mim e diz:

— O diretor Beringer está nos esperando.

Tenho dificuldade em não arrastar o queixo no chão enquanto o sigo pelos degraus largos até a porta de entrada. Esta escola é surreal. Exala dinheiro e privilégios. O gramado bem-cuidado e o pátio enorme estão vazios – acho que todos já estão em aula –, mas, em um dos campos distantes, vejo um movimento de garotos de uniforme jogando futebol.

Callum segue meu olhar.

— Você pratica algum esporte?

— Há, não. Quer dizer, mais ou menos. Dança, ginástica artística, essas coisas. Mas não sou muito boa em esportes.

Ele repuxa os lábios.

— Que pena. Se você entrar para um time ou equipe, vai ter dispensa das aulas de Educação Física. Vou perguntar se tem vaga em alguma equipe de líderes de torcida; talvez você se encaixe bem nisso.

Líder de torcida? Ah, tá. Para isso, tem que ser animada. Sou a pessoa menos animada que existe.

Entramos em um saguão que parece dessas faculdades de filme. Retratos grandes de ex-alunos ocupam as paredes com painéis de carvalho. O piso de madeira embaixo dos nossos pés está muito bem encerado. Alguns caras de blazer azul passam por nós, lançando olhares curiosos para mim antes de seguirem em frente.

— Reed e Easton jogam futebol americano. Nosso time é o número um do estado. E os gêmeos jogam lacrosse — diz Callum. — Se você conseguir uma vaga de líder de torcida, pode acabar torcendo para um dos times deles.

Eu me pergunto se ele percebe que só está fazendo com que eu queira *menos* ser líder de torcida. Não vou mesmo ficar pulando e balançando os braços para um Royal babaca.

— Pode ser — murmuro. — Mas prefiro me concentrar nos estudos.

Callum entra na sala de espera da sala da diretoria como se já tivesse estado lá centenas de vezes. Deve ser verdade, porque a secretária de cabelo branco na recepção o cumprimenta como se eles fossem velhos amigos.

— Senhor Royal, é ótimo vê-lo em uma circunstância positiva, para variar.

Ele dá um sorriso torto.

— Nem me diga. François já pode nos receber?

— Sim. Pode entrar.

A reunião com o diretor é mais tranquila do que eu esperava. Eu me pergunto se Callum deu algum dinheiro para o sujeito não fazer perguntas demais sobre minha história. Mas ele deve ter ouvido *algumas* coisas, porque, no começo da reunião, pergunta se quero ser chamada de Ella Harper ou O'Halloran.

— Harper — respondo com rispidez. Não vou abrir mão do nome da minha mãe. Foi *ela* que me criou, não Steve O'Halloran.

Recebo minha grade de aulas, que inclui uma aula de Educação Física. Contra meus protestos, Callum diz para o diretor Beringer que estou interessada em ser líder de torcida. Caramba. Não faço ideia do que esse cara tem contra Educação Física.

Quando terminamos, Beringer aperta minha mão e me diz que minha guia está esperando no saguão para me levar em um tour pela escola. Lanço um olhar de pânico para Callum, mas ele nem percebe; está ocupado demais falando sobre as complicações do nono buraco. Ao que parece, ele e Beringer são colegas de golfe. Ele faz sinal para eu ir e diz que Durand vai trazer o carro em uma hora.

Mordo o lábio quando saio da sala. Não sei o que acho dessa escola. Academicamente, dizem que é das melhores. Mas todo o resto... os uniformes, o campus cheio de frescuras...

não é meu lugar. Já sei disso, e meus pensamentos são confirmados assim que encontro minha guia.

Ela está usando a saia azul-marinho com camisa branca que formam o uniforme do colégio, e tudo nela grita *dinheiro*, do cabelo perfeito às unhas com francesinha. Ela se apresenta como Savannah Montgomery.

— Sim, *aqueles* Montgomery — diz ela com sabedoria, como se fosse alguma dica. Ainda não faço ideia de quem sejam.

Ela é do segundo ano, como eu. E passa uns bons vinte segundos me avaliando. Torce o nariz para minha calça jeans justa, camiseta regata, os coturnos surrados, meu cabelo, minhas unhas sem esmalte e minha maquiagem passada com pressa.

— Seus uniformes serão enviados para sua casa este fim de semana — ela me informa. — A saia não é negociável, mas dá para mexer no comprimento da barra. — Ela pisca e ajeita sua saia, que mal chega na parte de baixo da coxa. As outras garotas que vejo no corredor estão com a saia até o joelho.

— E como funciona, basta chupar os professores para ter permissão de usar saia mais curta? — pergunto.

Os olhos azuis como gelo se arregalam em alarme. E ela ri, sem jeito.

— Há, não. É só passar cenzinho para o Beringer se um dos professores reclamar, e ele finge que não vê.

Deve ser bom viver em um mundo onde dá para passar "cenzinho" para as pessoas. Sou o tipo de garota acostumada com notas de um dólar. Era isso que costumavam enfiar na minha calcinha fio-dental.

Decido não compartilhar isso com Savannah.

— Vamos dar uma olhada na escola — diz ela, mas, em menos de um minuto, descubro que ela não está interessada em bancar a guia. Ela quer informações.

— Sala de aula, sala de aula, banheiro feminino. — As unhas bonitas apontam para as várias portas enquanto percorremos o corredor. — Então Callum Royal é seu tutor legal? Sala de aula, sala de aula, sala dos professores do segundo ano. Como isso aconteceu?

Sou econômica na minha resposta.

— Ele conhecia meu pai.

— Era sócio de Callum, certo? Meus pais foram ao enterro dele. — Savannah joga o cabelo castanho por cima do ombro e abre uma porta dupla. — Salas de aula do nono ano. Você não vai passar muito tempo aqui. — diz ela. — As aulas do primeiro ano são na ala leste. Então você está morando com os Royal, é?

— É. — Eu não explico mais que isso.

Seguimos por uma fileira de armários, que não se parecem em nada com os armários estreitos e enferrujados das escolas públicas em que estudei. São azul-marinho e têm a largura de três armários normais. Brilham na luz que entra pelas muitas janelas do corredor.

Estamos do lado de fora antes que eu possa piscar, andando por um caminho de pedras com árvores lindas dos dois lados. Savannah aponta para outro prédio coberto de hera.

— Ali é a ala do segundo ano. Todas as suas aulas vão ser ali. Exceto Educação Física; o ginásio fica no gramado sul.

Ala leste. Gramado sul. Este campus é absurdo.

— Você já conheceu os garotos? — Ela para no meio do caminho, com os olhos escuros astutos grudados no meu rosto. Está me avaliando de novo.

— Conheci. — Encaro o olhar dela. — Não fiquei muito impressionada.

Isso gera uma gargalhada surpresa.

— Você é minoria, então. — O rosto dela fica curioso de novo. — A primeira coisa que você precisa saber sobre Astor é: os Royal mandam neste lugar, Eleanor.

— Ella — eu corrijo.

Ela balança a mão.

— Tanto faz. Eles fazem as regras. Eles as aplicam.

— E vocês todos seguem, como bons carneirinhos.

Uma expressão leve de desprezo surge nos lábios dela.

— Quem não segue passa quatro anos infelizes aqui.

— Bom, não estou nem aí para as regras deles — eu digo, dando de ombros. — Posso morar na casa deles, mas não os conheço nem quero conhecer. Só estou aqui para tirar meu diploma.

— Certo, acho que está na hora de outra aula sobre Astor. — Ela também dá de ombros. — O único motivo de eu estar sendo tão legal com você agora...

Espere, esse é o jeito dela de ser *legal*?

— ...é porque Reed ainda não baixou o decreto Royal.

Levanto uma sobrancelha.

— E isso quer dizer o quê?

— Quer dizer que basta uma palavra dele e você não vai ser nada aqui. Insignificante. Invisível. Ou coisa pior.

Agora sou eu quem dou uma gargalhada.

— Isso é para me assustar?

— Não. É só a verdade. Estávamos esperando que você aparecesse. Fomos avisados, e nos mandaram ficar na nossa até que recebêssemos uma ordem diferente.

— De quem? Do Reed? O rei de Astor Park? Caramba, estou me mijando de medo.

— Ainda não tomaram uma decisão sobre você. Mas vão tomar em breve. Conheço você há cinco minutos e já sei qual vai ser. — Ela dá um sorrisinho. — As mulheres têm sexto sentido. Não demora para sabermos com o que estamos lidando.

Também dou um sorrisinho.

— Não. Não mesmo.

A encarada que vem em seguida só dura alguns segundos. O suficiente para eu transmitir com os olhos que estou cagando para ela, para Reed e para essa hierarquia social que ela claramente segue. Mas Savannah joga o cabelo de novo e sorri para mim.

— Vamos lá, Eleanor, vou mostrar o estádio de futebol americano. É coisa de primeira linha, sabe.

Capítulo 7

O tour de Savannah termina depois de uma visita à piscina olímpica coberta. Se tem uma coisa que ela aprova é o meu corpo. O visual mal alimentado é popular, ela me informa, com uma brusquidão que estou começando a achar que é parte da personalidade dela, e não um reflexo do que ela acha de mim.

— Você pode me achar uma vaca, mas só sou sincera. Astor Park é um tipo de escola totalmente diferente. Estou supondo que você tenha estudado em uma pública. — Ela aponta para minha calça jeans skinny de brechó.

— Estudei, mas e daí? Uma escola é uma escola. Tem várias panelinhas. Os populares, os ricos...

Ela levanta a mão para me fazer parar.

— Não. Aqui não é parecido com nada que você tenha vivenciado. Sabe a academia que vimos mais cedo? — Faço que sim em resposta. — Era para ser para o time de futebol americano, mas a família de Jordan Carrington deu um chilique e tudo foi repensado para que tivesse acesso liberado para todos, exceto em horários específicos. Entre cinco e oito da manhã e duas e oito da noite, é só para o futebol americano. No resto do tempo, os outros alunos também podem usar. Legal, né?

Não sei se ela está brincando, porque o acesso limitado me parece ridículo.

— Por que os Carrington protestaram? — pergunto com curiosidade.

— Astor Park é um colégio particular com P maiúsculo. — Savannah continua andando. Não há botão de desligar nela. — Todas as famílias do estado querem que os filhos estudem aqui, mas esta é uma escola exclusiva. Não basta ter dinheiro para entrar. Todo mundo que estuda aqui, até quem tem bolsa, está aqui porque tem alguma coisa especial a oferecer. Pode ser que sejam ótimos no campo de futebol americano ou possam levar a equipe de Ciências a ganhar o prêmio nacional, o que quer dizer a imprensa nacional. No caso de Jordan, ela é capitã do time de dança, o que, na minha opinião, fica a um passo de ser stripper...

Merda, acho bom não ter sido por esse motivo que Callum sugeriu isso hoje de manhã.

— ...mas elas vencem, e a Astor gosta de ver o nome da escola na seção de vencedores do jornal.

— Então por que eu estou aqui? — eu murmuro baixinho.

Mas Savannah deve ter audição de super-heroína, porque, enquanto abre a porta à sua frente, diz:

— Você é uma espécie de Royal. Que tipo de Royal, ainda veremos. Vai ser engolida por esta escola se você for fraca, então minha sugestão é tirar vantagem de tudo o que o nome Royal oferece, mesmo que precise tomar à força.

Uma porta de carro bate e uma loura platinada, muito magra, de calça colada e salto agulha anda na nossa direção.

— Oi... há... — A estranha leva a mão até a testa como se estivesse protegendo os olhos do sol, o que é completamente desnecessário, considerando que está usando uns óculos de sol enormes que cobrem quase toda a sua cara.

Minha guia murmura baixinho:

— Essa é a namorada de Callum Royal. Você não precisa ser legal com ela. Ela é só uma figurante.

E, com esse sábio conselho final, Savannah desaparece, deixando-me com esse fiapo de mulher.

— Você deve ser a Elaine. Sou a Brooke, amiga de Callum. Vim levar você para fazer compras. — Ela bate uma palma como se isso fosse a coisa mais empolgante do mundo.

— Ella — corrijo.

— Ah, me desculpe! Sou *péssima* com nomes. — Ela sorri para mim. — Vamos nos divertir tanto hoje!

Eu hesito.

— Há. Nós não precisamos fazer compras. Posso ficar aqui na escola até o ônibus chegar.

— Ah, querida. — Ela ri. — Não tem ônibus. Além do mais, Callum me mandou levar você para fazer compras, e é isso que vamos fazer.

Ela segura meu braço com uma força surpreendente e me arrasta na direção do carro. Dentro, está Durand. Estou começando a amá-lo.

— Oi, Durand. — Aceno e olho para Brooke. — Que tal eu me sentar na frente e deixar você relaxar atrás? — sugiro.

— Não. Quero conhecer você. — Ela me empurra para o banco de trás e entra ao meu lado. — Me conte tudo.

Eu sufoco um suspiro, pois não estou muito ansiosa para ficar de conversa com a namorada de Callum. Mas repreendo a mim mesma, porque Brooke não fez nada além de ser gentil comigo. Não costumo ser tão chata, e me obrigo a baixar um pouco a guarda. Pelo menos, parece que Brooke está no mesmo time que eu, já que as colegas aleatórias dos garotos a chamam de *adicional*.

Mas ela parece jovem. Muito jovem. Tão jovem que Callum poderia ser pai dela.

— Não tenho muito para contar — respondo, dando de ombros. — Meu nome é Ella Harper. Callum diz que Steve O'Halloran é meu pai.

Brooke assente.

— É, ele me contou hoje de manhã. Não é incrível? Ele me disse que encontrou você a poucas horas daqui e que ficou chateado de saber que sua mãe tinha morrido. — Ela estica a mão para segurar a minha, o sorriso largo diminuindo um pouco nos cantos. — Minha mãe morreu quando eu tinha treze anos. Aneurisma cerebral. Fiquei arrasada e sei o que você está sentindo.

Quando ela aperta minha mão, sinto um nó crescer na garganta. Preciso engolir duas vezes antes de conseguir responder.

— Sinto muito pela sua perda.

Ela fecha as pálpebras trêmulas por um momento, como se também estivesse lutando para controlar as emoções.

— Bom, nós duas estamos melhor agora, não estamos? Callum também me salvou, sabe.

— Você também era stripper? — eu digo de supetão.

Brooke arregala os olhos e dá uma pequena gargalhada antes de conseguir cobrir a boca.

— Era isso o que você fazia?

— Não era nudez total. — Eu me encolho com as risadinhas dela, desejando nunca ter tocado no assunto.

Ela se recompõe e estica a mão para dar tapinhas na minha de novo.

— Me desculpe por estar rindo. Não é de você, é de Callum. Ele deve ter ficado envergonhado. Está tentando tanto ser um bom pai para os filhos agora, e tenho certeza de que encontrar sua jovem tutelada em um clube de striptease deve ter sido chocante.

Vermelha e constrangida, eu olho pela janela. Este dia não podia ter sido pior. Desde os sentimentos estranhos gerados pelo ódio agressivo de Reed, passando pelo tour condescendente guiado por Savannah, até minha confissão constrangedora para a namorada de Callum. *Odeio* essa sensação de não pertencimento. De primeiro dia em uma escola nova. De primeiro trajeto no ônibus. De primeiro...

Uma batidinha na minha testa interrompe meus pensamentos.

— Ei, não se perca aí dentro, querida.

Olho por cima do ombro para Brooke.

— Não estou perdida — digo.

— Mentira. — Ela fala a palavra com suavidade e delicadeza. Levanta a mão e aninha meu rosto. — Eu não fiz striptease, mas isso porque escolhi fazer coisas piores para sobreviver. Não sou eu que vou julgar você. Nem um pouco. O importante é que você não está mais lá e não vai precisar voltar nunca. Se agir certo, vai estar com a vida feita. — Ela puxa a mão e me dá um tapinha leve. — Agora, sorria, porque nós vamos às compras.

Não vou mentir, parece legal.

— Quanto vai custar? — Já fui a shoppings. Os valores podem se acumular rápido, mesmo quando as coisas estão em liquidação. E, se vou usar uniforme para a escola, só preciso de uma ou duas peças. Outra calça jeans. Talvez uma ou duas blusas. A praia fica perto, então faz sentido ter um biquíni. Posso gastar algumas centenas de dólares.

O rosto de Brooke se ilumina. Ela pega um cartão e balança na frente do meu rosto.

— Você está fazendo a pergunta errada. Callum vai bancar tudo, e, pode acreditar, não importa quanto ele diga que a empresa estava no buraco alguns anos atrás, aquele homem poderia comprar e vender o shopping center todo e ainda ter dinheiro para fazer a prostituta mais cara do mundo ter um orgasmo.

Nem sei como responder a isso.

Vamos para um shopping aberto, com lojinhas pequenininhas com roupinhas pequenininhas e etiquetas de preços enormes. Como não consigo decidir o que levar (1.500 dólares por um par de sapatos? São feitos de ouro?), Brooke assume a tarefa e entrega peça após peça para a vendedora no caixa.

São tantas sacolas e caixas que fico com medo de Durand ter que trocar o sedã por um caminhão de mudanças. Depois da décima loja, estou exausta, e, pelo suspiro que Brooke dá, concluo que ela não está muito atrás.

— Vou me sentar aqui e tomar alguma coisa enquanto você termina. — Ela afunda em uma poltrona de veludo e chama uma vendedora, que se aproxima na mesma hora.

— O que posso trazer para você, senhora Davidson?

— Uma mimosa. — Ela balança a mão para mim, segurando o cartão de crédito preto que está usando com tanta força que fico surpresa de ainda não ter derretido entre os dedos dela. — Vá comprar. Callum vai ficar decepcionado se você chegar em casa sem o porta-malas carregado de sacolas. Ele me disse especificamente que você precisava de tudo.

— Mas... eu... — Estou completamente fora da minha zona de conforto. Se me largassem em um Walmart ou até em uma Gap, acho que eu poderia me sair bem. Mas aqui? Nenhuma dessas roupas parece que devia ser vestida, mas Brooke não está mais falando comigo. Ela e a vendedora estão tendo uma conversa intensa sobre a melhor tendência do outono, flanela cinza ou tweed cinza.

Pego com relutância o cartão, mais pesado do que qualquer outro que já segurei. Eu me pergunto se tem outro cartão enfiado no meio desse e se é assim que Brooke consegue comprar metade da loja sem ter o pagamento recusado. Saio e compro mais algumas coisas, tremendo por causa do preço, e fico aliviada quando Durand aparece para nos levar de volta para o Castelo Royal.

No caminho para casa, Brooke fala sem parar e me dá dicas de como combinar algumas das minhas compras para formar o "conjunto" de marcas perfeitas. Algumas das sugestões me fazem rir, e fico surpresa ao perceber que não foi tão ruim sair com Brooke hoje. O entusiasmo dela é meio exagerado, claro, e ela é meio afetada, mas talvez eu tenha sido injusta quando questionei o gosto de Callum para mulheres. No mínimo, Brooke é divertida.

— Obrigada pela carona, Durand — digo quando paramos na porta da mansão. Ele para o carro ali em vez de dirigir até a lateral, como fez ontem quando chegamos de Kirkwood.

Durand ajuda Brooke a sair do carro e a subir a escada. Eu vou atrás, como a *figurante* que Savannah disse que Brooke era.

— Eu levo as sacolas — diz ele por cima do ombro.

Tudo isso me faz sentir constrangida e inútil. Eu devia arrumar um emprego. Talvez, se tivesse meu próprio dinheiro e amigos de verdade, eu conseguisse me sentir normal de novo.

Quando eu sonhava com o meu futuro, ele não incluía limusines e mansões e meninas malvadas e roupas de marca. A minha vida tomou um rumo totalmente oposto ao que eu havia planejado.

Callum está esperando no saguão enquanto Durand carrega minhas sacolas para dentro. Eu e Brooke entramos logo atrás.

— Obrigado pela ajuda — Callum diz para o motorista.

— Querido! — Brooke ganha vida ao ouvir a voz de Callum e se joga nele. — Nós nos divertimos tanto!

Callum assente em aprovação.

— Fico feliz. — Ele olha para mim. — Gideon está em casa. Quero que você o conheça... sem outras distrações. Depois disso, por que não almoçamos?

— Gideon? — Os olhos de Brooke se iluminam. — Faz muito tempo que não vejo esse menino querido. — Ela fica nas pontas dos pés e dá um beijo na bochecha de Callum. — Seus planos para o almoço parecem ótimos. Mal posso esperar.

A voz rouca e sexy que ela usa para dizer isso quase me faz corar. Callum tosse com constrangimento.

— Venha, Ella. Quero que você conheça meu mais velho. — Há muito orgulho na voz dele, e eu o sigo com curiosidade até a parte de trás da casa, onde uma piscina linda de azulejos azuis e brancos decora um gramado perfeitamente cuidado.

Dentro da piscina há uma flecha humana cortando a água com movimentos limpos e regulares. Ao meu lado, Brooke suspira. Ou talvez seja um gemido. Qualquer um desses sons faz sentido, porque, mesmo na água, dá para apreciar os músculos esculpidos do Royal mais velho. E, tomando os outros como parâmetro, ele não deve ser ruim de se olhar fora da água também.

Consigo entender por que Brooke ficou empolgada ao ouvir o nome de Gideon, mas é meio sinistro, considerando que ela namora o pai dele. Os adultos são complicados, concluo. Não cabe a mim julgar o relacionamento deles.

Depois de mais duas voltas, Gideon para e sai da piscina. De sunga, é fácil ver que não há problema de encolhimento para ele.

— Pai. — Ele passa uma toalha no rosto molhado e enrola no pescoço. Não parece reparar nem se importar de estar pingando água por todo o deque.

— Gideon, esta é Ella Harper, a filha de Steve.

O filho vira o olhar para mim.

— Então você a encontrou.

— Encontrei.

Eles falam sobre mim como se eu fosse um cachorrinho perdido.

A mão de Callum pousa no meu ombro e me empurra para a frente.

— É um prazer conhecer você, Gideon. — Limpo a mão na calça jeans e estico.

— Igualmente. — Ele aperta a minha mão e, apesar da frieza do tom, eu o acho mais simpático do que qualquer outra pessoa na casa, fora o pai. — Tenho umas ligações a fazer. — Ele se vira para o pai. — Mas, primeiro, preciso tomar banho. Vejo vocês mais tarde.

Ele passa por nós. Quando nos viramos para vê-lo passar, tenho um vislumbre do rosto de Brooke, e o desejo que vejo ali me choca. Os olhos têm aquele aspecto voraz, como o da minha mãe quando via uma coisa extravagante que queria comprar, mas não podia.

Callum parece não perceber. Ele vira a atenção para mim, mas não consigo parar de pensar na expressão de Brooke. Ela está doida pelo filho de Callum. Sou a única que percebe?

Pare, Ella. Isso não é da sua conta.

— Que tal a gente almoçar agora? — sugere Callum. — Tem um café ótimo a cinco minutos daqui. Serve uma comida incrível, da fazenda para a mesa. Bem fresca. Leve.

— Claro. — Estou pronta para fugir.

— Eu também vou — diz Brooke.

— Na verdade, Brooke, se não tiver problema para você, eu gostaria de ficar sozinho com Ella agora. — O tom dele diz que não importa se ela tem problema ou não com a ideia, porque é assim que vai ser.

Capítulo 8

O almoço com Callum é surpreendentemente agradável. Ele me conta mais sobre Steve, apesar de eu não pedir, mas se confessa aliviado só de poder falar sobre ele. Callum admite que nem sempre esteve ao lado dos filhos e da esposa, mas que, sempre que Steve precisava, ele largava tudo. Aparentemente, aquele laço criado pelo SEAL era indestrutível.

Ele não debocha de mim quando pergunto o que é "buds", mas parece estar segurando um sorriso enquanto explica que BUD/S é um programa de treinamento da Marinha. Quando terminamos de comer, tenho uma noção melhor do Royal pai: dedicado, meio obstinado e não totalmente no controle da própria vida. Ficamos longe do assunto dos filhos dele, mas, quando voltamos para a casa, fico tensa quando os portões se abrem.

— Eles vão mudar de ideia — diz Callum de forma encorajadora.

Encontramos os garotos reunidos em uma sala grande na ala direita da casa. A sala de jogos, é assim que Callum a chama. Apesar das paredes pretas, a sala é enorme, por isso não parece uma caverna. Os garotos nos recebem com um silêncio gélido, e as garantias anteriores de Callum de repente não parecem convincentes.

— Aonde vocês vão hoje? — pergunta Callum em tom casual.

De início, ninguém diz nada. Os mais novos todos olham para Reed, que está encostado em um banco de bar, um pé no chão e o outro apoiado em uma barra entre as pernas do banco. Gideon está atrás do bar, as mãos apoiadas no balcão, vendo tudo.

— Gideon? — diz Callum.

O mais velho dá de ombros.

— Jordan Carrington vai dar uma festa.

Reed se vira e faz cara feia para Gideon, como se ele fosse um traidor.

— Vocês vão levar Ella à festa — ordena o pai. — Vai ser bom para ela conhecer os novos colegas de turma.

— Vai ter bebidas, drogas e sexo — debocha Reed. — Você quer mesmo que ela vá?

— Prefiro ficar em casa hoje à noite — digo, mas ninguém presta atenção em mim.

— Então vocês cinco vão cuidar dela. Ela é irmã de vocês agora. — Callum cruza os braços em cima do peito. É uma competição de teimosia, e ele quer vencer. Também parece totalmente despreocupado com a parte das "bebidas, drogas e sexo". Incrível. Isso é mesmo fantástico.

— Ah, você a adotou? — pergunta Reed com sarcasmo. — Não devíamos ficar surpresos. Fazer coisas sem nos avisar é um costume seu, não é, pai?

— Eu não quero ir à festa — eu interrompo. — Estou cansada. Fico feliz de ficar em casa.

— Boa ideia, Ella. — Callum descruza os braços e coloca um ao redor do meu ombro. — Você e eu vamos ver um filme.

Um músculo treme no maxilar de Reed.

— Você venceu. Ela pode ir com a gente. Saímos às oito.

Callum baixa o braço. Ele não está tão alheio quanto pensei. Os garotos não querem que eu fique sozinha com ele, e Callum sabe disso.

Os olhos azuis metálicos de Reed se dirigem a mim.

— É melhor subir e ficar apresentável, *mana*. Você não pode estragar sua grande estreia aparecendo desse jeito.

— Reed... — avisa Callum.

A expressão do filho é a epítome da inocência.

— Só estou tentando ajudar.

Do lugar onde está, perto da mesa de bilhar, Easton parece estar lutando contra um sorriso. Gideon está resignado, e os gêmeos estão calculadamente ignorando todos nós.

Um tremor de pânico percorre meu corpo. As festas de escola a que já fui, todas elas, eram no esquema de jeans e camiseta. As garotas sensualizavam, claro, mas de um jeito meio casual. Quero perguntar se essa festa vai ser muito elegante, mas não quero dar aos irmãos Royal a satisfação de saberem quanto estou fora da minha zona de conforto.

Como oito horas é em quinze minutos, corro para o quarto, onde encontro todas as minhas sacolas de compras em uma fila arrumada na beira da cama. Os avisos de Savannah se repetem no fundo da minha mente. Se vou ficar dois anos aqui, preciso causar uma boa impressão. E agora, em destaque na minha mente, há outro pensamento: por que me importo? Não preciso que essas pessoas gostem de mim, só preciso me formar.

Mas a verdade é que eu me importo. Odeio a mim mesma por isso, mas não consigo lutar contra a necessidade desesperada de *tentar*. Tentar me encaixar. Tentar tornar essa experiência escolar diferente das anteriores.

Está quente hoje, então escolho uma saia azul-marinho curta e uma blusa azul-gelo e branca feita de seda e algodão. Custou o mesmo que toda a seção de roupas do Walmart, mas é tão linda que suspiro quando visto.

Em outra sacola, encontro um par de sapatilhas azul-marinho com uma fivela prateada retrô grande. Penteio o cabelo e reúno os fios compridos em um rabo de cavalo, mas depois decido deixar solto. Coloco uma faixa prateada que Brooke me fez comprar. "Acessórios fazem *toda* a diferença", insistiu ela, e é por isso que tenho uma sacola inteira de pulseiras, colares, lenços e bolsas.

No banheiro, abro o kit de maquiagem e passo com a mão bem leve. Tento fazer um visual iluminado, torcendo para que o tempo que passei em casas de strip e bares não apareça na maquiagem. Não estou acostumada com festas de escola. Estou acostumada a trabalhar com mulheres de trinta anos tentando parecer dez anos mais novas, cujo lema é: se você não está com três camadas de maquiagem, não está se esforçando.

Quando termino, examino meu reflexo no espelho e vejo uma estranha. Estou arrumada e adequada. Pareço Savannah Montgomery, não Ella Harper. Mas talvez isso seja bom.

Só que não tem nada de encorajador na reação dos irmãos Royal quando os encontro na entrada alguns minutos depois. Gideon parece surpreso com a minha aparência. Os gêmeos e Easton dão risadas. Reed dá um sorrisinho.

Eu mencionei que estão todos de calças jeans de cintura baixa e camisetas apertadas?

Os babacas me enganaram.

— Nós vamos a uma festa, *mana*, não tomar chá com a rainha. — A voz grave de Reed não me provoca nenhum formigamento desta vez. Ele está debochando de mim de novo *e* está se divertindo.

— Vocês podem esperar cinco minutos para eu trocar de roupa? — pergunto, tensa.

— Não. Está na hora de ir. — Ele anda na direção de um dos Range Rovers sem olhar para trás.

Gideon olha para mim de novo e depois para o irmão. Então, suspira e segue Reed até o carro.

A festa é em uma casa longe do mar. Easton me leva. Os outros irmãos foram na frente, e ele não parece animado de ter que ficar comigo. Não diz muito durante o trajeto. Também não liga o rádio, então o silêncio torna o percurso desagradável.

Só quando ele passa pelo portão de uma mansão de três andares é que olha para mim.

— Faixa de cabelo bonita.

Resisto à vontade de arrancar aquele sorriso arrogante do rosto arrogante.

— Obrigada. Custou centro e trinta pratas. Cortesia do cartão preto mágico do seu pai.

Isso gera um olhar sombrio no rosto dele.

— Cuidado. *Ella*.

Dou um sorriso e estico a mão para a maçaneta.

— Obrigada pela carona. *Easton*.

Na entrada colunada da casa, Reed e Gideon estão de costas, absortos em uma conversa baixa. Ouço um palavrão irritado de Gideon, e:

— Não é uma ideia inteligente, mano. Não durante a temporada.

— Que porra de diferença faz pra você? — murmura Reed.

— Você deixou bem claro o que pensa, e não é mais o mesmo que nós.

— Você é meu irmão, e eu estou preocupado... — Ele para quando percebe que estou me aproximando.

Os dois ficam tensos, e Reed se vira para me cumprimentar. Por me cumprimentar quero dizer me dar uma lista de coisas que posso e não posso fazer.

— Esta casa é de Jordan. Os pais dela estão no ramo de hotéis. Não fique bêbada demais. Não constranja o nome Royal. Não fique perto de nós. Não use o nome Royal para conseguir nada. Se você agir como uma puta, nós vamos jogar você na rua. Gid diz que sua mãe era prostituta. Não tente essa merda aqui, entendeu?

Os famosos decretos Royal.

— Foda-se, Royal. Ela *não* era prostituta, a não ser que dançar seja sua versão de sexo, e, se for, sua vida sexual deve ser uma merda. — Encaro os olhos duros de Reed de forma desafiadora. — Faça seu pior. Você é amador comparado com o que eu já enfrentei.

Passo pelos irmãos Royal e entro como se fosse dona da casa, mas me arrependo na mesma hora, porque todo mundo no saguão principal se vira para olhar para mim. Uma música com baixo marcante soa pela casa, sacudindo paredes e vibrando debaixo dos meus pés, e vozes altas e gargalhadas soam atrás de uma passagem em arco à minha esquerda. Duas garotas de tops mínimos e calças jeans grudadas me olham com desdém. Um cara alto de camisa polo dá um sorrisinho debochado para mim e leva uma garrafa de cerveja aos lábios.

Luto contra a vontade de voltar correndo para fora, mas posso me encolher e virar um alvo pelos próximos dois anos ou posso ser cara de pau. O melhor a fazer é ser ousada quando necessário e me misturar sempre que tiver a oportunidade. Não vou me acovardar diante de ninguém, mas também não preciso sair enfrentando todo mundo.

Assim, só dou um sorriso educado para os olhares, e, quando as pessoas olham para trás de mim, na direção dos

Royal que estão entrando, aproveito a oportunidade para virar no corredor mais próximo. Continuo andando até encontrar o local mais quieto, um cantinho escuro no final de um corredor. Apesar de parecer o ponto perfeito para uns amassos, está vazio.

— Ainda está cedo — diz uma voz feminina, e dou um pulo para trás de surpresa. — Mas, mesmo que fosse mais tarde, esta parte da casa fica sempre vazia.

— Ah, Deus, eu não vi você aí. — Coloco a mão em cima do coração disparado.

— Eu ouço muito isso.

Quando meus olhos se ajustam à escuridão, vejo que tem uma poltrona no canto. A garota fica de pé. Ela é bem baixa, com cabelo preto até o queixo e uma pinta pequenina em cima do lábio superior. E tem curvas que eu daria qualquer coisa para ter.

— Sou Valerie Carrington.

Irmã de Jordan?

— Eu sou...

— Ella Royal — interrompe ela.

— Harper, na verdade. — Olho ao redor. Ela estava lendo com uma lanterna? Vejo um celular na mesinha ao lado da cadeira. Trocando mensagens com o namorado? — Você está se escondendo?

— Estou. Eu ofereceria uma cadeira, mas só tem uma aqui.

— Eu sei porque eu estou me escondendo — digo, com sinceridade tímida —, mas qual é a sua desculpa? Se você é uma Carrington, não mora aqui?

Ela dá uma risadinha.

— Sou a prima pobre de segundo grau de Jordan. Estou aqui por caridade.

E aposto que Jordan não a deixa esquecer.

— Se esconder não é uma coisa ruim. Quem foge sobrevive para lutar outro dia. É minha teoria, pelo menos. — Eu dou de ombros.

— Por que você está se escondendo? Você é uma Royal agora. — Tem um leve desdém na voz dela que me faz contra-atacar.

— Da mesma forma que você é uma Carrington?

Ela franze a testa.

— Entendi.

Passo a mão pela testa e me sinto uma babaca.

— Desculpa. Eu não quis ser ríspida. Foram dois longos dias, e estou exausta e completamente fora da minha zona de conforto.

Valerie inclina a cabeça e me contempla por alguns segundos.

— Tudo bem, Ella *Harper* — ela enfatiza meu nome como se fosse um pedido de paz —, vamos encontrar alguma coisa que anime você. Você sabe dançar?

— Sei, mais ou menos, acho. Tive aulas quando era mais nova.

Ela me leva pelo corredor, depois do cantinho escondido, na direção de uma escada.

— Não me diga que você precisa dormir em um armário embaixo da escada.

— Rá! Não. Eu tenho um quarto de verdade lá em cima. Aqui ficam os aposentos dos empregados, e o filho da governanta é amigo meu. Ele foi para a faculdade e deixou os videogames antigos aqui. A gente jogava o tempo todo, inclusive DDR.

— Eu não faço ideia do que seja isso — confesso. Mamãe e eu nem tínhamos televisão quando morávamos naquela última casa em Seattle.

— Dance Dance Revolution. Você imita os movimentos na tela e ganha pontos se dançar bem. Sou boa no jogo, mas, se você tem experiência com dança, acho que não vou arrasar com você.

Quando ela sorri para mim, quase dou um abraço nela. Faz muito tempo que não tenho uma amiga. Nem percebi que precisava de uma até este momento.

— Tam era péssimo — confessa ela.

O tom melancólico na voz dela me diz que ela sente falta dele. E muito.

— Ele vem aqui com frequência? — Eu penso em Gideon, que está em casa depois de apenas duas semanas de faculdade.

— Não. Ele não tem carro, então só vamos nos ver no Dia de Ação de Graças. É quando a mãe dele vai buscá-lo. Eu vou com ela. — Ela quase dá pulinhos de empolgação ao falar da viagem. — Mas um dia ele vai ter.

— Ele é seu namorado?

— É. — Ela olha para mim com acusação no olhar. — Por quê? Você tem algum problema com isso?

Levanto as mãos em um gesto de rendição.

— Claro que não. Só fiquei curiosa.

Ela assente e abre a porta de um quartinho, com uma cama arrumada e uma televisão de tamanho normal.

— E como são os Royal em casa? — pergunta enquanto prepara o jogo.

— Legais — eu minto.

— É mesmo? — Ela parece não acreditar. — Porque eles não foram legais com você. Nem quando falaram sobre você.

Um sentimento deturpado de lealdade àqueles idiotas me leva a fazê-la parar.

— Que nada, eles estão se acostumando. — Repito as palavras de Callum de hoje, mas não parecem mais críveis na minha boca. Tentando mudar o assunto, dou um tapinha na televisão. — Pronta para dançar?

— Estou. — Valerie aceita minha mudança de assunto com facilidade. Pega dois *ices* em um frigobar e entrega um para mim. — Um brinde a se esconder e se divertir mesmo assim.

O jogo é moleza. Fácil demais para nós duas. Valerie é ótima dançarina, mas eu cresci nesse ambiente, e não tem movimento de quadris nem virada de braço que eu não consiga fazer. Valerie decide que precisamos aumentar o nível de dificuldade, então faz uma pausa e começamos a virar nossos *ices*. Enquanto bebemos, os movimentos dela vão ficando cada vez mais terríveis, mas o álcool é como magia para mim, e a música toma conta do meu corpo.

— Caramba, garota, você é *boa* — provoca ela. — Devia fazer teste para um daqueles programas de dança na TV.

— Não. — Tomo outro gole de bebida. — Não tenho interesse em aparecer na televisão.

— Ah, mas devia. Olha só pra você. Você é gata mesmo com esse visual de vaca rica que está usando e arrasando, e dançando assim? Você seria estrela.

— Não estou interessada — digo de novo.

Ela ri.

— Tudo bem, que seja assim. Tenho que fazer xixi!

Também dou uma risada, e ela sai andando para longe da tela, no meio da música, para usar o banheiro. Ela tem uma quantidade absurda de energia, e gostei dela. Tomo uma nota mental de perguntar se ela também estuda na Astor Park Prep. Seria bom ter uma amiga lá quando eu começasse na segunda. Mas a música na TV muda, e o som me chama de novo.

Enquanto Valerie está no banheiro, a música "Touch myself", da Divinyls, começa a tocar, e eu começo a dançar; não acompanhando o jogo, mas fazendo a minha dança. Uma dança ardente e sensual. Uma dança que faz meu sangue latejar e deixa minhas mãos suadas.

A imagem indesejada do corpo gostoso e dos olhos azuis de Reed aparece na minha frente. Merda, a porcaria do Royal invadiu meus pensamentos, e não consigo afastá-lo. Fecho os olhos e imagino as mãos dele passando pelos meus quadris e me puxando para perto, a perna dele enfiada entre as minhas...

A luz é acesa, e paro abruptamente.

— Onde ele está? — pergunta o diabo em pessoa.

— Quem? — pergunto estupidamente. Não consigo acreditar que estava fantasiando com Reed Royal, o cara que acha que estou transando com o pai dele.

— O cretino para quem você está dançando. — Reed atravessa o quarto e segura meus braços. — Eu falei que você não pode usar de artimanhas para cima dos meus amigos.

— Não tem ninguém aqui. — Minha mente bêbada está lenta demais para se dar conta do que ele está dizendo. A descarga soa.

— Ah, é? — Ele me joga longe e abre a porta do banheiro. Há um gritinho consternado, e ele solta um pedido de desculpas enquanto fecha a porta.

Não consigo evitar o sorriso arrogante de surgir.

— Eu mencionei que sou lésbica?

Ele não me acha engraçada.

— Por que você não me disse que estava com Valerie?

— Porque é mais engraçado ver você tirar conclusões precipitadas. E, mesmo que eu falasse com quem estava, você não teria acreditado. Você já decidiu quem e o que eu sou, e nada vai mudar isso.

Ele faz uma careta, mas não me contradiz.

— Venha comigo.

— Me deixe pensar... — Encosto o dedo no lábio inferior, como se estivesse mesmo avaliando o convite feito de forma ridícula. Ele baixa os olhos para acompanhar o movimento.

— Pronto. Já decidi. *Não*.

— Você não gosta daqui — diz ele secamente.

— Obrigada, senhor Perceptivo.

Ele ignora o sarcasmo.

— Ah, bom, eu também não gosto. Mas a questão é a seguinte: se você não vier comigo e não se esforçar ao menos um pouco, meu pai vai ficar obrigando você a vir a essas festas. Mas, se vier para cima e todo mundo contar para os pais que viu você, papai vai deixar você em paz. Sacou?

— Na verdade, não.

Reed chega ainda mais perto, e fico novamente impressionada com o tamanho dele. Ele é tão alto. Alto o bastante para ter o apelido de "poste" se fosse magrelo. Mas ele não é magrelo. É *forte*. É grande e musculoso, e o álcool está me deixando quente e sensível perto dele.

Ele ainda está falando, alheio à minha sequência imprópria de pensamentos.

— Se meu pai achar que você é uma carneirinha perdida e solitária, vai ficar empurrando a gente para ficar junto. Ou talvez seja isso que você queira. É isso? Você quer ser vista com a gente. Quer estar nessas festas.

As acusações me tiram do estado atordoado.

— É, afinal, eu passei *tanto* tempo perto de vocês hoje.

A expressão dele não muda, nem para reconhecer que estou certa. Que se dane. Tudo bem.

— Vem, Valerie, vamos para a farra — eu grito.

— Não posso. Estou envergonhada. Reed Royal me viu no banheiro — ela geme pela porta.

— O babaca já foi. Além do mais, você deve ser a coisa mais atraente e decente que ele viu hoje.

Reed revira os olhos, mas vai embora quando faço sinal para ele na direção da porta.

Valerie finalmente sai.

— Por que você vai sair do nosso pequeno santuário?

— Para ver e ser vista — respondo com sinceridade.

— Ugh. Parece horrível.

— Eu nunca disse que não era.

Capítulo 9

A primeira pessoa que vejo quando Valerie e eu entramos na sala é Savannah Montgomery. Ela está usando uma calça jeans apertada rasgada nos joelhos e um top nadador que deixa a barriga de fora. Os olhos estão grudados em Gideon, que está de costas, apoiado em uma parede, conversando com outro cara.

Como se conseguisse me ver fazendo uma ligação mental entre ela e Gideon, Savannah vira a cabeça para mim. Não acena nem diz oi, mas o olhar encontra o meu brevemente antes de ela se virar para falar com a amiga.

A música está alta e todo mundo está bebendo ou dançando ou se pegando nos vários cantos da sala. Atrás das portas de vidro, vejo uma piscina grande em forma de grão de feijão, a luz azulada fazendo sombra no rosto dos adolescentes ao redor. Tem gente para todo lado. O ambiente está barulhento e quente, e já sinto falta da segurança tranquila dos aposentos dos empregados.

— A gente tem mesmo que ficar aqui? — murmura Valerie.

Vejo Reed nos olhando do bar de carvalho do outro lado da sala. Ele está com Easton, e os dois assentem com expressão de aviso quando olho para eles.

— Tem.

Ela parece resignada.

— Tudo bem. Então é melhor resolver logo isso.

Valerie é uma bênção. Ela passa o braço pelo meu e me leva pela festa, me apresentando para pessoas aleatórias e sussurrando detalhes no meu ouvido.

— Aquela ali é a Claire. Ela está dando para Easton Royal. Gosta de dizer para as pessoas que é namorada dele, mas todo mundo sabe que Easton não é do tipo que namora.

— O Thomas? Cheira coca pra caramba, mas o papai é senador, então as merdas do Thomas sempre são resolvidas.

— Fique longe do Derek. Ali é uma central de clamídia.

Engulo uma gargalhada engasgada enquanto ela me guia até outro grupo, um trio de garotas com minivestidos de tons pastel variados.

— Lydia, Ginnie, Francine, esta é Ella. — Valerie balança a mão entre nós e me leva para longe das Pastéis antes que elas possam abrir a boca. — Você se pergunta às vezes se algumas pessoas nascem sem cérebro? — indaga ela. — A prova está bem ali. Aquelas garotas dão um novo significado ao termo *cabeças de vento*.

Não vou mentir: estou gostando das apresentações, ou melhor, das fofocas que as acompanham. Reparo que ninguém diz mais do que um "oi" para mim antes de desviar o olhar para os irmãos Royal para ver a reação deles.

— Tudo bem, a parte fácil acabou — diz Valerie com um suspiro. — Está na hora de matar o dragão.

— O dragão?

— Minha prima. Também conhecida como a Abelha-Rainha da Astor Park Prep. Fique avisada, ela é louca e possessiva com os Royal. Tenho certeza de que já ficou com todos, até os gêmeos.

Falando nos gêmeos, passamos por Sawyer a caminho da piscina. Sei que é Sawyer porque ele está usando uma camiseta preta, e mais cedo ouvi Gideon chamando o gêmeo de camiseta branca de Sebastian. Uma ruiva pequena está pendurada nele, dando beijos no pescoço, mas o olhar dele fica grudado em mim quando passamos.

— É a namorada do pequeno Royal — diz Valerie. — Lauren ou Laura, alguma coisa assim. Desculpe, não sei muito sobre os círculos do primeiro ano.

Mas sabe sobre quase todas as outras pessoas, ao que parece. Para uma garota que gosta de se esconder, Valerie é um poço sem fundo de fofocas, mas acho que esse é o melhor jeito de reunir informações, observando das sombras.

— Se prepara — avisa ela. — Ela pode mostrar as garras.

As garras em questão pertencem a uma morena bonita de vestido verde sedoso que mal cobre as coxas. Ela está reclinada em um divã macio como se fosse Cleópatra. As amigas estão com poses similares, todas elas com vestidos microscópicos parecidos.

Os cabelos da minha nuca ficam eriçados, viro a cabeça e vejo Reed e Easton passando pela porta de vidro. Reed olha nos meus olhos. A língua aparece por um momento para umedecer o lábio inferior, e meu coração dá um pulo irritante. Odeio esse sujeito. Ele é atraente demais.

— Jordan — diz Valerie, cumprimentando a prima. — Que festa legal, como sempre.

A morena dá um sorrisinho superior.

— Estou surpresa de ver você por aqui, Val. Você não costuma se esconder no sótão?

— Decidi viver com ousadia hoje.

Jordan observa as bochechas rosadas da prima.

— Estou vendo. Bebeu muito?

Valerie revira os olhos e me puxa para a frente.

— Esta é a Ella. Ella, Jordan. — Ela aponta para cada uma das outras garotas e fala os nomes. — Shea, Rachel, Abby.

Só uma das amigas me lança um olhar, Shea.

— Você conheceu minha irmã hoje — diz ela friamente. — Savannah.

Faço que sim.

— É. Garota legal.

Shea aperta os olhos. Acho que está tentando descobrir se estou sendo sarcástica ou não.

Jordan fala, com os olhos castanhos cintilando.

— E aí, Ella? Callum Royal é seu novo papai, é?

Reparo que o pátio todo ficou em silêncio. Até a música que sai da sala parece ter baixado. Sinto que todos os olhos estão voltados para nós. Não, para Jordan. As expressões das amigas são quase de alegria.

Eu me preparo para um ataque, porque obviamente é isso que vem por aí.

Jordan se empertiga e cruza as longas pernas de forma sedutora.

— Como é chupar o pau de um velho? — pergunta ela.

Alguém dá uma risada debochada. Algumas risadinhas soam atrás de mim.

Minha garganta se aperta de constrangimento. Essas pessoas estão rindo de mim. Percebo que os Royal contaminaram os amigos, provavelmente bem antes de eu aparecer. Ninguém aqui planejou me dar uma oportunidade de verdade.

Fico horrorizada de sentir lágrimas ardendo nos olhos. Não. Que se dane isso. Que se dane Jordan e que se danem todos eles. Posso não vir de uma família que está "no ramo de hotéis", mas sou melhor do que essa vaca. Sobrevivi a mais coisas do que ela poderia aguentar.

Pisco e finjo expressão indiferente.

— Seu pai não é ruim, se é isso que você quer saber, mas acho superbizarro ele querer puxar meu cabelo e pedir que eu o chame de *papai*. Está tudo bem em casa?

Valerie dá uma risadinha.

Uma das amigas de Jordan faz um ruído de choque.

Os olhos de Jordan ardem por um breve momento antes do deboche voltar e ela soltar uma gargalhada rouca.

— Você estava certo — diz ela para alguém atrás de mim. — Ela é um lixo.

Não preciso me virar para saber que ela está falando com Reed.

Ao meu lado, as feições de Valerie se contraem.

— Você é uma vaca, sabia? — ela diz para a prima.

— Melhor vaca do que ralé — responde Jordan com um sorriso. E balança a mão na nossa direção. — Sumam da minha frente. Estou tentando curtir minha festa.

Nós fomos dispensadas. Valerie dá meia-volta, e vou atrás, mas, quando chegamos à porta, me afasto dela e ando até Reed.

Os olhos azuis não revelam nada, mas o maxilar treme de leve quando ele me vê.

— Pronto. Cumpri meu dever de Royal — eu murmuro para ele. — Vá me procurar na hora de ir embora.

Passo por ele sem olhar para trás.

Passa de uma da manhã quando saímos da festa. Easton me encontra no quarto de Valerie, no andar de cima. Nós duas estamos deitadas na cama dela vendo *So you think you can dance*. Ela baixou uma temporada inteira e me obrigou a ver vários episódios, insistindo que eu devia tentar entrar no programa. Recusei mais uma vez.

Easton anuncia que vamos embora e fica ali revirando os olhos enquanto abraço Valerie para me despedir e digo que é para ela me procurar na escola na segunda.

Lá fora, percebo que Gideon e os gêmeos já foram embora em um dos Range Rovers, o que quer dizer que tenho que ir com Easton e Reed. Reed entra atrás do volante, o irmão se senta ao lado, e eu fico atrás enquanto eles conversam como se eu nem estivesse presente.

— Vamos arrasar com a Wyatt Prep — diz Easton. — Metade da linha ofensiva deles se formou no ano passado, então o caminho até Donovan vai estar livre.

Reed grunhe, concordando.

— Depois, vamos encarar Devlin High, moleza. O *quarterback* deles está quase sempre de ressaca, e aquele receptor com manteiga nos dedos é uma piada. — Easton continua falando com voz animada, os ombros livres da tensão que estou acostumada a ver. Ou ele está bêbado ou está finalmente começando a aceitar minha presença na vida dele.

Tento participar da conversa.

— Em que posição vocês jogam?

Em um piscar de olhos, os ombros se enrijecem de novo.

— Eu sou *linebacker* — diz Reed sem se virar.

— Eu sou ponta defensivo — murmura Easton.

Eles voltam a me ignorar. Easton agora está contando para o irmão sobre o boquete que ganhou hoje.

— Parece que ela só está dando quarenta por cento agora — reclama ele. — Antes eram cem, sabe? Caía de boca no meu pau como se fosse de chocolate, e de repente são algumas lambidas e *vamos ficar abraçadinhos*? Vai se foder.

Reed dá uma risadinha.

— Ela acha que é sua namorada. Namoradas não precisam se esforçar.

— É, talvez seja hora de mandar essa passear.

— Vocês são uns porcos — digo no banco de trás.

Easton se vira, os olhos azuis debochando de mim.

— Ah, mas como é altiva e orgulhosa essa profissional do sexo.

Trinco os dentes.

— Eu não sou uma profissional do sexo.

— Humm. — Ele se vira no assento.

— Não sou. — Uma sensação de impotência surge na minha garganta. — Quer saber? Danem-se vocês dois. Vocês não me conhecem.

— Sabemos tudo o que precisamos saber — diz Reed.

— Sabem porra nenhuma. — Mordo o lábio e concentro o olhar na janela.

Estamos na metade do caminho para a mansão Royal quando Reed para o carro abruptamente no acostamento. Vejo o olhar dele no retrovisor, mas o rosto não tem expressão nenhuma quando ele diz:

— Última parada. Saia.

O choque toma conta de mim.

— O quê?

— East e eu temos um lugar para ir. Nós vamos para lá... — Ele aponta para a esquerda. — E a casa é para lá... — Ele aponta para a frente. — Está na hora de você começar a andar.

— Mas...

— São só três quilômetros, você vai ficar bem. — Ele parece estar se divertindo.

Easton já está saindo do carro e abrindo a porta de trás para mim.

— Anda logo, mana. A gente não quer se atrasar.

Fico um pouco atordoada quando ele me puxa para fora do carro e me empurra para a lateral da rua. Eles vão mesmo me largar aqui? É uma da madrugada e está *escuro*.

Nenhum dos dois se importa. Easton sobe no banco do passageiro, bate a porta e acena para mim. O carro acelera e Reed vira para a esquerda a toda a velocidade, me deixando na poeira. Consigo ouvir as gargalhadas deles saindo pelas janelas abertas.

Eu não choro. Só começo a andar.

Capítulo 10

Tomo o café da manhã sozinha no dia seguinte. Minhas pernas estão doendo e meus pés estão machucados de andar três quilômetros com sapatos novos que ainda não tinham sido amaciados. Sonhei que Reed Royal estava me perseguindo em um túnel totalmente escuro, a voz grave me provocando na escuridão, a respiração quente na minha nuca. Acordei antes de ele conseguir me pegar, mas gosto de imaginar que, quando me pegou, eu o matei estrangulado.

Não estou ansiosa para ir à aula na segunda-feira, e aqueles dez mil dólares na mochila estão me chamando. *Vá embora. Fuja. Recomece.* Mas tem mais tanto dinheiro em jogo...

Talvez os Royal estejam certos. Talvez eu seja uma prostituta. Eu posso não estar transando com ninguém por dinheiro, mas estou aceitando a grana de Callum por favores não especificados no futuro. Brooke disse que ele era um amigo, mas está claro pela forma como eles agem um com o outro que ela está dormindo com ele.

Passos soam no corredor e Easton entra na cozinha. Está sem camisa e usando uma calça de moletom cinza bem baixa nos quadris. Tento não olhar para os músculos duros do abdome. Mas dou uma longa olhada no corte na têmpora direita. Deve ter sangrado em algum momento, mas agora é só uma linha vermelha, com dois centímetros e meio e marcando a pele perfeita.

Sem admitir minha presença, ele pega suco de laranja na geladeira e bebe direto na caixa.

Nota para mim mesma: não beber daquela caixa se não quiser pegar herpes.

Eu me concentro no meu iogurte e finjo que ele não está presente. Não tenho ideia de para onde ele e Reed foram à noite e nem a que horas chegaram em casa, e acho que nem quero saber.

Consigo senti-lo me olhando. Quando viro a cabeça, vejo que está encostado na bancada. Os olhos azuis acompanham o movimento da minha colher quando eu a levo aos lábios, depois baixam até a barra da minha camiseta curta de dormir.

— Viu alguma coisa de que gostou? — eu pergunto enquanto como outra colherada.

— Na verdade, não.

Reviro os olhos e indico a cabeça dele com a colher.

— O que aconteceu? Bateu com a cabeça no painel quando foi chupar seu irmão ontem à noite?

Ele ri e olha para a porta atrás de mim.

— Ouviu essa, Reed? Nossa nova irmã acha que eu chupei você ontem à noite.

Reed entra na cozinha, também sem camisa e de calça de moletom. Ele nem olha para mim.

— Veja se ela dá umas dicas. Parece que ela sabe o que fazer com um pau.

Levanto o dedo do meio, mas ele está de costas para mim. Easton vê, e um sorriso lento se abre em sua boca.

— Legal. Gosto de garotas bravinhas — diz ele. Ele se afasta da bancada e chega mais perto, com os polegares no elástico da calça. — E aí, *Ella*? — Ele fala meu nome como se fosse um palavrão. — Quer mostrar o que sabe fazer?

Meu coração para. Não gosto da expressão selvagem nos olhos dele. Ele para na minha frente. O sorriso aumenta, e ele enfia uma das mãos dentro da calça e segura o pau.

— Você é nossa irmã agora, não é? Então venha. — Ele massageia o pênis. — Ajude seu irmão.

Não consigo respirar. Estou... com medo.

Lanço um olhar para Reed, mas ele está encostado na bancada agora com os braços cruzados. Parece estar achando graça.

Os olhos azuis de Easton ficam ardentes.

— Qual é o problema, mana? O gato comeu sua língua?

É impossível responder. Olho para a escada que leva ao andar de cima. A outra porta está atrás de mim, mas não quero dar as costas para Easton se precisar sair correndo para pedir ajuda.

Ele percebe o medo nos meus olhos e cai na gargalhada. Na mesma hora, tira a mão de dentro da calça.

— Ah, olha isso, Reed. Ela está com medo de nós. Acha que vamos machucá-la.

Reed também ri. De onde está, ele dá um sorriso superior para mim.

— Esse não é nosso modo de operar. Não temos dificuldade nenhuma para transar.

Agressão sexual não é motivada por vontade de sexo, mas sim pela busca por poder, quero dizer, mas consigo ver agora que senti medo sem motivo. Eles não precisam me machucar. Já têm poder. Isso... o que quer que tenha sido... foi intimidação. Um jogo. Queriam me deixar pouco à vontade, e conseguiram.

Quando estamos nos olhando, os três, Callum entra na cozinha. Ele franze a testa quando repara em Easton tão perto de mim e Reed olhando da bancada.

— Está tudo bem?

Os irmãos Royal me observam, esperando que eu os dedure.

Eu não deduro.

— Está tudo ótimo. — Como outra colherada de iogurte, mas meu apetite sumiu. — Seus filhos e eu estamos nos conhecendo. Sabia que eles têm um senso de humor incrível?

Os lábios de Easton tremem. Quando o pai se vira, ele bota a mão na virilha de novo.

— Gostou da festa ontem? — pergunta Callum.

Reed levanta a sobrancelha para mim. Esperando, desta vez, para ver se vou contar para o pai como me abandonaram no meio-fio. Também guardo isso só para mim.

— Foi ótima — minto. — Superdivertida.

Callum se junta a mim à mesa, tentando ser uma barreira entre mim e os garotos, mas a atenção dele só arranca caretas de desprezo de Reed e Easton, que não fazem esforços para esconder os sentimentos.

— O que você gostaria de fazer neste fim de semana?

— Eu estou bem. Você não precisa me entreter — respondo.

Ele se vira na cadeira. Com um movimento de queixo para cima, pergunta:

— E vocês dois?

A mensagem subliminar é *o que vamos fazer com Ella*. Eu me encolho, e uma tensão que estou começando a chamar de dor Royal aparece entre minhas omoplatas.

— Nós temos planos — murmura Reed, e sai do aposento antes que Callum possa abrir a boca. Ele se vira para Easton, que levanta as duas palmas das mãos e pisca com inocência.

— Não me pergunte. Eu sou o filho do meio. Faço o que me mandam fazer.

Callum revira os olhos, e, apesar da tensão, dou uma risada suave na direção do meu iogurte. Easton faz o que Easton quer. Ninguém mandou que ele enfiasse a mão na calça e se oferecesse para mim. Foi uma brincadeira que ele gostou de fazer e fez sem ser incitado. É conveniente para ele fingir que Reed é o líder, o que o absolve de responsabilidade.

— Bem, talvez você possa me dizer quais são os planos de Reed para você mais tarde — diz Callum, implacável.

Easton fica vermelho. Uma coisa é ele apontar Reed como líder, mas outra bem diferente é o pai dar a entender que Easton é uma marionete.

— Você nunca se importou com o que eu fazia nos fins de semana. — Ele coloca a caixa de suco de laranja de volta na geladeira. Com um olhar para o pai quente o bastante para deixar todo o cabelo na cabeça de Callum grisalho, ele sai andando.

Callum suspira.

— Não vou ganhar nenhum prêmio de pai do ano, vou?

Bato com a colher na mesa algumas vezes, porque sei que não devo meter o nariz onde não sou chamada. Mas, nesse caso, Callum está me arrastando para o meio de uma dinâmica toda errada, e os danos colaterais podem ser ruins se ele não tomar as rédeas.

— Olha, não me entenda mal, Callum. Obviamente você conhece seus filhos melhor do que eu, mas faz algum sentido me enfiar pela goela deles abaixo? Sinceramente, eu preferiria que eles me ignorassem. Não me magoa o fato de eles não estarem felizes com a minha presença aqui, a casa é bem grande e poderíamos passar dias sem nos ver.

Ele me observa como se estivesse tentando descobrir se estou sendo sincera. Finalmente, dá um sorriso sem graça.

— Você tem razão. Não foi sempre assim. Nós nos entendíamos, mas, desde a morte da mãe deles, a nossa família não está bem. Infelizmente, esses garotos são mimados. Precisam de uma dose de vida real.

E eu sou essa dose?

Faço cara feia.

— Eu não sou uma aula extracurricular. E quer saber? Eu já vivi a vida real, é uma droga. Eu não forçaria a *vida real* para as pessoas que mais amo. Tentaria protegê-las disso.

Eu me afasto da mesa e o deixo na cozinha.

Encontro Reed de tocaia no corredor.

— Me esperando? — Não lamento nem um pouco o tom ferino que surgiu na minha voz.

Reed me olha de cima a baixo, os lindos olhos azuis parando nas minhas pernas nuas.

— Só estou querendo saber qual é a sua.

— Estou tentando sobreviver — digo para ele com sinceridade. — Só quero chegar à faculdade.

— Levando uma parcela de grana Royal junto?

Eu me irrito. Esse cara não desiste.

— Talvez alguns corações Royal no bolso também — digo docemente.

Em seguida, com ousadia forçada, levanto o dedo e passo lentamente pelo peitoral nu de Reed, a unha arranhando a pele lisa. A respiração dele falha quase imperceptivelmente, mas eu percebo.

Meu coração pula para a garganta, e o sangue começa a latejar em lugares que não quero associados a Reed Royal.

— Você está fazendo um jogo perigoso — diz ele com voz rouca.

E eu não sei? Mesmo assim, não posso deixar que Reed veja que me afetou. Gostaria de pensar que venci a rodada, mas sinto que cada encontro com Reed arranca alguma coisa vital de dentro de mim.

Passo o dia explorando a casa e o terreno. Ao lado da piscina tem uma casinha feita quase toda de vidro, com um sofá, algumas cadeiras e uma cozinha pequena. Uma escada leva à praia, mas com tantas pedras, aquilo não parece merecer ser chamado de praia, pelo menos não até que você caminhar um pouco à beira-mar. Mesmo assim, é lindo, e consigo me ver sentada lá embaixo com um livro e uma caneca de chocolate quente.

É difícil acreditar que esta é minha vida agora. Se só preciso aguentar dois anos de insultos dos garotos Royal, isso vai ser moleza em comparação a tudo o que eu passei. Sem precisar me preocupar com ter o que comer nem me perguntar onde vou dormir. Sem me mudar de cidade em cidade, procurando como ganhar uma grana. Sem me sentar na lateral da cama da minha mãe, vendo-a tremer e chorar de dor, sem ter dinheiro para comprar o remédio que tiraria a dor dela.

Uma pontada forte de sofrimento surge em mim com essas lembranças. Como Callum, mamãe não era a melhor mãe do mundo, mas se esforçava, e eu a amava. Quando estava viva, eu não estava completamente sozinha.

Aqui, com o oceano infinito à minha frente e ninguém que eu consiga ver, a solidão bate com força. Não importa o que Callum diga ou tente fazer, eu nunca vou ser uma Royal.

Talvez eu vá ler lá dentro.

A casa grande está vazia. Os garotos saíram. Callum deixou um bilhete dizendo que está trabalhando e com a senha do wi-fi, o número do celular dele e o de Durand. Debaixo do papel tem uma caixinha branca. Respiro pesadamente. Tiro o *smartphone* de dentro dela como se fosse feito de cristal. Meus celulares sempre foram aparelhos descartáveis que só serviam para telefonar. Esse... sinto que daria para hackear uma base de dados com ele.

Passo o resto da tarde brincando com o celular, pesquisando coisas aleatórias e vendo vídeos horríveis no YouTube. É maravilhoso.

Por volta das sete, Callum liga para me dizer que o jantar está pronto. Encontro-o junto com Brooke no pátio.

— Se importa de comermos aqui? — pergunta ele.

Olho para a comida de aparência deliciosa e para o belo pátio iluminado e tento não revirar os olhos, pois quem odiaria isso?

— É perfeito.

Durante o jantar, tenho oportunidade de ver um lado diferente de Brooke. Um perfil estranho e vulnerável, em que ela inclina a cabeça e pisca os olhinhos para Callum. E Callum? O homem que lidera uma corporação que constrói aviões militares? Ele cai como um patinho.

— Quer mais vinho, querido? — oferece Brooke. A taça de Callum já está quase transbordando.

— Não. Estou bem. — Ele dá um sorriso fácil. — Estou com as duas moças mais bonitas do mundo jantando comigo. A carne está perfeita e eu acabei de fechar um negócio com a Singapore Air.

Brooke bate palmas.

— Você é incrível. Eu já falei quanto você é incrível?

Ela se inclina, espremendo os peitos contra o braço dele, e dá um beijo molhado na bochecha. Ele lança um olhar rápido na minha direção antes de se afastar delicadamente. Brooke faz um barulhinho de decepção, mas se acomoda na cadeira.

Começo a comer. Não sei se alguma vez na vida comi um pedaço de carne tão suculento.

— Filé engorda muito. Toda carne vermelha engorda — Brooke me informa.

— Ella não precisa se preocupar com isso — diz Callum bruscamente.

— Agora não, mas você vai se arrepender mais tarde.

Olho para a carne suculenta e para o corpo magro de Brooke. Acho que entendo o que ela quer dizer. Como eu, ela também é pobre. Conta com a generosidade de Callum e deve ter medo de, se ficar menos bonita amanhã, ele não querer mais nada com ela. Não sei se está certa ou errada, mas isso não torna as preocupações dela menos válidas. Mesmo assim, estou com fome e quero o filé.

— Obrigada pela sua preocupação.

Callum sufoca uma risada enquanto Brooke franze a testa. Uma expressão que não consigo identificar surge no rosto dela. Alguma coisa como decepção ou reprovação. Os lábios carnudos se firmam, e ela se vira para Callum e começa a conversar sobre uma festa a que eles foram antes de eu chegar.

A culpa torna a próxima garfada de carne menos deliciosa do que a primeira. Magoei os sentimentos dela, e ela agora está me ignorando. Fora Valerie, ela foi o único rosto simpático neste lugar novo, e agora eu a ofendi.

— Devíamos planejar uma festa de boas-vindas para Ella na família? — sugere Callum, tentando me incluir na conversa.

Callum tem sido simplesmente perfeito desde que me arrastou para fora do Daddy G's, mas uma festa com os babacas da escola? Prefiro que arranquem minhas unhas uma a uma.

Coloco o garfo ao lado do prato.

— Não preciso de festa. Você já me deu tudo de que preciso.

Brooke apoia a cabeça no ombro rígido de Callum.

— Callum, não se preocupe. Ella vai fazer amigos no tempo dela, não vai, querida?

Eu concordo.

— Isso mesmo.

Dou meu melhor sorriso, e parece funcionar, porque a tensão no corpo dele desaparece.

— Tudo bem, então. Nada de festa.

— Callum é o melhor, não é? — Brooke estica a mão para brincar com o botão do alto da camisa dele. As ações dela são possessivas, quase como se estivesse tentando defender seu território. Quero dizer que não sou uma ameaça, mas não sei se ela vai acreditar. — Somos o cachorrinho que ele salvou da rua. Com sorte, quando estivermos limpas, ele não vai nos mandar embora.

— Ninguém vai mandar Ella embora. Ela é uma Royal — declara Callum.

Meu olhar se desvia para Brooke, e pela expressão tensa no rosto dela, não passou despercebido que o nome dela não foi incluído no pronunciamento.

— É mesmo? Achei que ela fosse filha de Steve. Tem alguma coisa que você não nos contou? — gorjeia Brooke.

Ele recua como se ela tivesse batido nele.

— O quê? Não. Claro que ela é filha de Steve. Mas ele... — Callum engole em seco — ...ele morreu, então Ella é parte da minha família agora, assim como os garotos teriam sido da de Steve se alguma coisa tivesse acontecido comigo.

— Claro. Eu não quis dizer nada a não ser que você é generoso. — A voz dela vira um ronronar. — Muito generoso.

Com cada palavra, ela vai chegando mais perto de Callum, até estar praticamente no colo dele. Ele muda o garfo para a mão esquerda e passa o braço pelo encosto da cadeira de Brooke. Os olhos dele imploram para que eu entenda. *Eu a estou usando da mesma forma que ela está me usando.*

Eu entendo, de verdade. Ele é um homem que perdeu a mulher e o melhor amigo em um período curto. Sei qual é a sensação da perda, e, se Brooke preenche os espaços vazios para Callum, que bom para ele.

Mas não preciso ficar olhando os dois.

— Vou lá dentro pegar... — Não me dou nem ao trabalho de terminar porque Brooke já subiu em cima de Callum. Vejo com olhos arregalados quando ela monta nele e segura as orelhas como se ele fosse um cavalo.

— Aqui não, Brooke. — Seu olhar se dirige a mim.

Saio andando rápido na direção da cozinha. Atrás de mim, ouço-a tranquilizar Callum.

— Ela tem dezessete anos, querido. Deve saber mais de sexo do que nós dois juntos. E, se não souber, seus garotos vão expor os olhos inocentes em pouco tempo.

Isso me faz me encolher, mas o feitiço que Brooke preparou está funcionando, porque ouço Callum grunhir.

— Espere. Espere. Brooke.

Ela ri baixo, e a cadeira de Callum começa a fazer barulho. Caramba, que pátio grande.

Easton está saindo da cozinha quando fujo para dentro de casa. Ele olha para trás de mim, nem um pouco afetado pelo que está acontecendo no pátio.

— Bem-vinda ao palácio Royal — diz ele. Um sorriso malicioso se abre no seu rosto, e ele grita: — Não se esqueçam de encapar antes de transar. Não precisamos de mais filhos ilegítimos arrancando dinheiro desta família.

Meu sorriso morre na mesma hora.

— Alguém ensinou você a ser babaca ou é um talento natural?

Easton hesita por um momento, mas, como se Reed estivesse sentado em seu ombro, ele leva a mão à virilha.

— Por que você não sobe comigo e eu mostro como sou bom no meu estado natural?

— Eu passo. — Ando por ele o mais calmamente possível, e só começo a correr quando chego à escada.

Quando estou na privacidade do meu quarto, listo todos os motivos para não ir embora imediatamente. Lembro a mim mesma que não estou passando fome. Tenho dez mil na mochila. Não estou tirando a roupa para homens tarados com notas de um dólar nas mãos suadas. Consigo aguentar dois anos de investidas sexuais e depreciações pessoais dos garotos Royal.

Durante o resto da noite, fico no quarto, onde passo meu tempo pesquisando empregos de meio período, usando meu novo e cintilante MacBook, que apareceu magicamente na escrivaninha.

Não tem transporte público em frente à casa, mas passei por um ponto de ônibus não muito longe ontem à noite. Talvez uns quatrocentos metros.

No dia seguinte, faço essa caminhada, e, de acordo com meu relógio, demoro dez minutos andando rapidamente, o que significa que devem ser mais de oitocentos metros. O horário dos ônibus de domingo é ruim, só tem um a cada hora, e param de circular às seis. O emprego que eu arrumar tem que acabar cedo no domingo.

No caminho de volta para casa, Gideon passa por mim dirigindo um SUV em um utilitário brilhante. Seu cabelo está de pé e ele tem marcas vermelhas no pescoço. Se fosse qualquer outra pessoa, eu diria que ele acabou de fazer sexo, mas ele parece furioso demais para isso. Talvez tenha lutado com um guaxinim.

— O que você está fazendo? — grita ele.

— Andando.

— Entre. — Ele para e abre a porta. — Você não devia estar aqui fora sozinha.

— Parece um lugar legal. — As casas são grandes. Os gramados são maiores. Além do mais, os irmãos dele não tiveram nenhum problema em me largar no mesmo lugar duas noites atrás. — O maior perigo com que me deparei esta manhã foi um homem grande e mau tentando me atrair para dentro do carro dele. Que bom que eu sei das coisas.

Um sorriso relutante surge no canto da boca.

— Não tenho bala nem sorvete, então, por lógica, eu devia ser considerado seguro.

— Que nada, só um sequestrador ruim.

— Você vem ou vamos ficar bloqueando o trânsito o dia todo?

Olho para trás dele e vejo outro carro chegando. Por que não? A distância até a casa é curta.

Gideon não diz nada durante o trajeto, só massageia o braço algumas vezes. Poucos minutos depois, para na frente da entrada.

— Obrigada pela carona, Gideon. — Como ele não vem atrás de mim para dentro de casa, olho para ele e grito: — Você não vem?

Ele olha para casa.

— Não. Preciso nadar. Muito.

Em seguida, esfrega o braço como se houvesse uma sujeira ali que não consegue tirar. Ele me vê olhando e franze a testa.

Quero perguntar se aconteceu alguma coisa, mas a expressão de *não ultrapasse* que surge no rosto dele me faz engolir as palavras. Dou um olhar preocupado, um convite. *Já vi muita merda*, tento comunicar. Só recebo um maxilar contraído em resposta.

Na minha cama tem outro bilhete de Callum. Subo em uma nuvem de rosa e branco e me encolho perto da cabeceira para ler.

Desculpe pelo jantar de ontem. Não vai mais acontecer. Durand vai levar você para a escola de manhã. É só avisar a hora.

P.S.: Seu carro está chegando. Eu queria comprar um perfeito, e o único com a cor certa estava na Califórnia.

Ah, Deus, por favor, que não seja rosa. Acho que vou morrer se tiver que dirigir o carro dos sonhos da Barbie Malibu.

Dou um pulo na cama. Não consigo acreditar que essas palavras passaram pela minha cabeça. Um carro é um carro. Eu devia ficar agradecida só de poder dirigir um. Quem se importa com a cor? Se for rosa, vou ficar de joelhos e beijar o para-lamas cor de chiclete.

Caramba. Um fim de semana e eu já estou virando uma pestinha mimada.

Capítulo 11

No dia seguinte, acordo ao amanhecer. Não vou repetir meus erros da festa. Deixo de lado todos os sapatos bonitos que Brooke comprou e encontro um par de tênis de lona branca. Também escolho uma calça jeans skinny e uma camiseta.

Mordo o lábio. Deixo a mochila aqui ou levo comigo? Se eu levar, algum garoto metido a valentão pode roubar. Se eu deixar, um dos Royal pode olhar dentro dela. Decido levar comigo, apesar de carregar dez mil dólares me deixar paranoica e tensa.

Encontro Callum na cozinha; ele está saindo para o trabalho e fica surpreso de me encontrar acordada tão cedo. Minto e digo que vou me encontrar com Valerie para tomar café da manhã, e ele parece tão empolgado de eu ter feito uma amiga que acho que vai fazer xixi na calça.

Depois de tomar uma xícara de café, encontro Durand do lado de fora da casa duas horas antes da aula começar.

— Obrigada por aceitar me levar.

Ele só faz um movimento de cabeça.

Peço que ele me deixe em uma padaria que fica a poucos minutos da escola e, assim que entro, sou recebida pelo cheiro mais divino do mundo. Atrás do balcão tem uma mulher da idade da minha mãe, com cabelo louro-claro preso em um coque apertado no estilo de balé.

— Bom dia, querida. O que posso servir para você? — pergunta ela com as mãos em cima da registradora.

— Sou Ella Harper e gostaria de me candidatar ao emprego de assistente. O anúncio dizia que havia horário adaptado ao turno escolar. Eu estudo na Astor Park.

— Humm, aluna bolsista? — Eu não a corrijo porque não deixa de ser verdade. Sou beneficiária da bolsa de estudos de Callum Royal. Prendo a respiração enquanto ela me inspeciona. — Você tem experiência em padaria?

— Nenhuma — admito. — Mas aprendo rápido e vou trabalhar mais do que qualquer outra pessoa que você já contratou. Não me importo com dias longos, nem em chegar cedo ou sair tarde.

Ela repuxa os lábios.

— Não gosto muito de contratar estudantes do ensino médio. Mas... podemos fazer uma experiência por uma semana. Você vai ter que servir seus colegas. Isso vai ser problema?

— De jeito nenhum.

— Alguns alunos da Astor Park podem dar certo trabalho.

Tradução: a escola é cheia de babacas.

— Mais uma vez, a clientela não é problema para mim.

Ela suspira.

— Tudo bem. Preciso mesmo de ajuda. Se você aparecer nos próximos seis dias na hora e trabalhar todo o turno combinado, o emprego vai ser seu. — Dou um sorriso, e ela leva uma das mãos ao coração. — Querida, você devia ter sorrido antes. Transforma seu rosto completamente. Na verdade, quanto mais você sorrir, mais gorjetas vai receber. Lembre-se disso.

Sorrir não faz parte do meu estado natural. Na verdade, até dói. Meu rosto está desacostumado, mas continuo sorrindo porque quero que essa moça simpática goste de mim.

— Eu começo a preparar tudo às quatro, mas só espero que você chegue às cinco e meia. Vou precisar de você todas as manhãs durante a semana. Você vai trabalhar até a hora de ir para a aula. E às quintas e sextas, vou precisar que você volte depois da aula e trabalhe até a hora de fechar, às oito. Isso vai interferir nas atividades extracurriculares?

— Não.

— Nem às sextas?

— Estou mais interessada neste emprego do que em qualquer coisa que a escola ofereça nas noites de sexta.

Ela me dá outro sorriso.

— Tudo bem. Pode escolher um bolinho, e vou preparar um café para você. Meu nome é Lucy. E a movimentação começa em uma hora. Você talvez mude de ideia depois que vir o hospício em que isso aqui pode se transformar.

Lucy está certa: a padaria fica lotada, mas o movimento não me incomoda. Trabalhar atrás do balcão e servir bolos e pães por duas horas me distrai e me impede de me preocupar com o que vai acontecer quando eu chegar à escola.

Sinto-me esquisita de uniforme, mas tenho certeza de que vou me acostumar logo. Reparo que as outras garotas da escola encontraram formas de deixar o traje mais sexy. Como Savannah disse, comprimentos de saias foram alterados, e muitas garotas deixam quase metade dos botões da blusa abertos para que dê para ver uma parte da renda dos sutiãs. Não estou interessada em chamar atenção, então minha saia continua nos joelhos e minha blusa continua abotoada até quase o pescoço.

Tenho aula de Álgebra e Geometria, estudos empresariais e Inglês de manhã. Valerie não faz nenhuma delas comigo, mas Savannah está nas três, e Easton está na de Inglês, mas se senta no fundo da sala com os amigos e não dirige uma palavra a mim. Eu não me importo. Espero que ele me ignore o semestre todo.

Ser ignorada parece ser o tema do dia. Ninguém diz nada para mim a não ser os professores e, depois de fazer várias tentativas de sorrir para adolescentes no corredor e não obter reação, desisto e finjo que essas pessoas também não existem.

Só na hora do almoço vejo um rosto familiar.

— Harper! Anda logo, vem aqui. — Valerie faz sinal para mim direto do bufê de saladas do refeitório.

Na verdade, *refeitório* pode não ser a palavra certa para descrever o ambiente enorme. As paredes têm painéis de madeira, as cadeiras têm estofamento de couro e a área de comida parece o bufê de um hotel de luxo. Na extremidade do salão ficam portas de vidro, que levam a uma área externa para os alunos que querem se sentar ao ar livre quando o tempo está bom. Não estamos nem no final de setembro, então o sol ainda está brilhando, e acho que poderíamos nos sentar lá fora, mas vejo Jordan Carrington e as amigas lá, assim como Reed e Easton, e decido ficar do lado de dentro.

Valerie e eu botamos comida na bandeja e encontramos uma mesa vazia no canto do salão. Olho ao redor e percebo que todos os alunos parecem mais velhos.

— Não tem calouros? — pergunto.

Ela balança a cabeça.

— O almoço deles é uma hora mais cedo.

— Saquei. — Enfio o garfo na massa e continuo olhando ao redor. Ninguém me olha nos olhos. Parece que Valerie e eu não existimos.

— Se acostume com sua capa da invisibilidade — diz Valerie, entendendo. — Na verdade, você devia usar como medalha de honra. Só quer dizer que as vacas ricas não se importam o suficiente para atormentar você.

— O que seria atormentar, no caso delas?

— O de sempre. Pichar coisas grosseiras no seu armário, fazer você cair no corredor, falar mal de você on-line. Jordan e as capangas dela não são muito criativas.

— Então ela é a equivalente feminina de Reed, hein?

— Isso. E, se dependesse dela, estaria nos braços dele todos os dias e trepando com ele todas as noites, mas minha pobre prima parece não conseguir amarrar o sujeito.

Dou uma risadinha.

— Como é que você sabe tudo sobre todo mundo?

Valerie dá de ombros.

— Eu observo. Escuto. Lembro.

— Certo. Me conte mais sobre os Royal. — Fico constrangida de perguntar, mas, depois de todos os meus conflitos com os irmãos Royal, cheguei à conclusão de que preciso me armar com munição contra eles.

Minha nova amiga geme.

— Ah, não me diga que você já está a fim de um deles.

— Eca. Nunca. — Eu me obrigo a não pensar na forma como meu coração dispara cada vez que Reed Royal entra em um aposento. Não estou ficando a fim do cara, droga. Ele é um babaca e não quero nada com ele. — Eu só quero saber o que tenho que enfrentar.

Ela relaxa.

— Tudo bem. Bom. Eu já contei sobre Easton e Claire. Um gêmeo tem namorada, o outro é promíscuo como os irmãos mais velhos. Não sei direito qual é a do Reed. Metade das garotas da escola alega ter transado com ele, mas quem sabe o que é verdade? A única de quem tenho certeza é a amiga de Jordan, Abby. Pode acreditar, minha prima não ficou feliz com *essa* transa.

— O que mais? Escândalos? Boatos? — Eu me sinto uma detetive interrogando um suspeito.

— O pai tem uma namorada vagabunda. Acho que é uma história que rola há uns dois anos.

A lembrança das intimidades de Callum e Brooke no jantar surge na minha mente.

— Sei bem sobre a namorada — eu digo com um suspiro.

— Certo… o que mais… a mãe deles morreu um tempo atrás. — Valerie baixa a voz. — De overdose.

Meu cérebro para.

— É sério?

— Ah, é. Saiu em todos os noticiários e todos os jornais. Acho que um médico tinha receitado comprimidos, sei lá, mas interferiu com algum outro remédio que ela estava tomando. Não sei os detalhes direito, mas acho que o cara foi investigado por ter feito besteira com a receita.

Apesar de tudo, meu coração dói pelos Royal. Tem fotos da mãe na prateleira acima da lareira, na sala. Ela era uma morena bonita, com olhos gentis. Cada vez que Callum fala nela de passagem, seus olhos se enchem de dor, o que me diz que ele devia amá-la de verdade.

Eu me pergunto se ela era próxima dos filhos, de repente, me sinto muito mal por Reed e pelos irmãos. Ninguém devia perder a mãe.

Como esgotei os conhecimentos de Valerie, podemos mudar de assunto, e conto para ela sobre meu novo emprego. Ela promete ir lá depois da aula duas vezes por semana para me irritar, e passamos o resto do almoço rindo e nos conhecendo melhor. Quando devolvemos as bandejas, já decidi que quero que ela seja mesmo minha amiga.

— Não consigo acreditar que não temos *nenhuma* aula juntas — reclama ela quando saímos do refeitório. — Que droga, né? Quem obrigou você a se inscrever em tantas aulas de Matemática e Ciências e Administração? Você devia estar fazendo Competências de Vida comigo. Estamos aprendendo a solicitar cartões de crédito.

— Eu que escolhi. Estou aqui para aprender, não para desperdiçar tempo.

— Nerd.

— Pestinha.

Seguimos em direções opostas quando chegamos à minha sala de Química. Trocamos números de celular no almoço, ela promete me mandar mensagem mais tarde e sai andando.

Quando entro no laboratório de Química, o professor se levanta como se estivesse me esperando. Ele tem o tamanho de um hobbit e uma barba densa que parece estar tentando devorar o rosto dele. Ele se apresenta como professor Neville.

Tento não olhar para os outros alunos, mas já identifiquei Easton em uma das mesas. Ele é o único aluno sem ninguém sentado ao lado. Merda. Isso não é bom.

— É um prazer conhecer você, Ella — diz o professor Neville. — Dei uma olhada no seu histórico mais cedo e fiquei impressionado com suas notas de Ciências anteriores.

Dou de ombros. Tenho facilidade com Matemática e Ciências. Sei que herdei o talento para a dança da minha mãe, mas, como ela nem conseguia calcular direito a porcentagem da gorjeta de cabeça quando saíamos para comer, sempre me perguntei se tinha herdado a aptidão para números do meu pai. Steve, o SEAL da Marinha barra piloto barra multimilionário.

— O senhor Royal entrou em contato com o diretor esta semana e pediu que colocássemos você em dupla com Easton neste semestre. — Neville baixa a voz. — Easton precisa aprender a ser disciplinado, e faz sentido vocês dois serem parceiros de laboratório. Vocês vão poder estudar juntos em casa.

Ah, que alegria. Sufoco um suspiro e sigo até Easton. Jogo a mochila embaixo da mesa e me sento na cadeira ao lado dele. Ele não parece feliz de me ver.

— Puta que pariu — murmura ele.

— Ei, nem olha pra mim — eu respondo baixinho. — Foi ideia do seu pai.

Ele fica olhando para a frente e um músculo se contrai no maxilar.

— Claro que foi.

Diferentemente das minhas aulas matinais, Química parece se arrastar por uma eternidade, mas deve ser porque Easton fica fazendo cara feia para mim por noventa e nove por cento do tempo. Durante o outro um por cento, ganho um sorriso arrogante quando ele se recosta na cadeira e me manda misturar a solução na qual precisamos fazer cristais surgirem.

No instante em que o sinal toca, levanto da cadeira, ansiosa para fugir do meu "irmão" emburrado.

Saio rapidamente do laboratório, pronta para ir para a aula seguinte, mas lembro que preciso fazer uma parada rápida no meu armário para pegar meu livro. Todas as aulas que estou fazendo são avançadas e vêm acompanhadas de livros-texto de mil páginas. Não consegui colocar todos na mochila.

Felizmente, meu armário fica ali perto, e a sala de História Geral também.

Infelizmente, Jordan Carrington e as amigas dobram a esquina antes de eu poder chegar ao meu armário.

As quatro param e dão sorrisos de desprezo quando reparam em mim. Nenhuma delas diz oi. Nem ligo. Eu também não digo oi, e tento não sentir vergonha quando passo por elas. Elas podem ser umas vacas, mas são bonitas. Todos os caras do corredor estão olhando para elas, inclusive Easton, que sai preguiçosamente da sala de Química e anda até as garotas.

O grupo para perto dos armários, e Jordan cochicha alguma coisa no ouvido de Easton, a mão com unhas feitas apoiada no braço dele.

Ele dá de ombros, o que faz o blazer azul-marinho se esticar nos seus ombros largos. É inegável que ele é o cara mais lindo em um raio de dez quilômetros, embora os dois caras que se juntam a ele não sejam de se jogar fora.

Ignoro todos, estico a mão para meu armário e giro a combinação. Mais duas aulas e o período escolar termina, junto com aqueles olhares. Vou voltar para a mansão, fazer meu dever de casa e dormir. Ficar ocupada para evitar pensar merda. Esse é meu novo lema, e pretendo segui-lo.

Fico aliviada quando a tranca estala na primeira tentativa. Eu não tinha certeza se tinha aprendido a combinação, mas a porta do armário se abre com facilidade e…

Uma montanha de lixo cai de dentro.

Fico tão surpresa que dou um gritinho, depois me xingo por isso. Gargalhadas soam atrás de mim, e fecho os olhos, desejando que o calor nas minhas bochechas diminua.

Não quero que me vejam ficando vermelha.

Não quero que saibam que essa montanha de lixo aos meus pés me afetou.

Chuto uma casca de banana e respiro pela boca, para que o fedor de comida podre não faça meus olhos lacrimejarem. O chão está coberto de coisas mais nojentas do que a casca da fruta: guardanapos e lenços de papel usados, um absorvente interno sujo de sangue...

Não vou chorar.

A gargalhada não morre. Eu ignoro. Pego o livro de História Geral na prateleira de baixo do meu armário de tamanho exagerado. Depois, tiro o pedaço de jornal amassado grudado na trava e fecho a porta.

Quando me viro, todos os olhares estão grudados em mim. Só procuro um par de olhos: os de Jordan, castanhos e com um brilho cruel. Ela dá um aceno majestoso.

Endireito os ombros e coloco o livro debaixo do braço. Um cara alto com cachos castanhos dá uma risadinha quando saio andando. Ah, meu Deus. Tem um absorvente preso no meu sapato. Engulo o constrangimento, chuto o absorvente para longe e continuo andando.

Easton faz expressão de tédio quando me aproximo.

Paro na frente de Jordan com uma sobrancelha arqueada, um sorrisinho de desprezo se formando nos meus lábios.

— Isso é tudo de que você é capaz, Carrington? Eu sou um lixo? Tsc-tsc. Estou decepcionada com sua falta de criatividade.

Os olhos dela faíscam, mas já estou passando por ela como se não tivesse nenhuma preocupação no mundo.

Mais um ponto para o time visitante. Mais ou menos. Porque sou a única que sabe como estou perto de cair no choro.

Capítulo 12

Consigo passar o resto do dia sem chorar, mas parte de mim quer dar uma de *Carrie, a estranha* com essas pessoas até elas considerarem o lixo no armário como o dia mais fácil da vida delas.

Valerie me manda uma mensagem durante a aula. *Vc tá bem? Fiquei sabendo do armário. A Jordan é uma idiota.*

Estou bem, eu respondo. *Foi idiotice. E, como vc falou, criatividade zero. Lixo? Ela roubou a ideia de um filme da Disney?*

Rá! Mas não fala isso. Ela vai ser obrigada a pensar em coisa pior.

Tarde d+.

Vou jogar flores no seu túmulo!

Nossa, obrigada. Guardo o celular quando o professor olha na minha direção. Quando o sinal elegante toca para nos avisar que a aula acabou, enfio tudo na mochila e carrego para o lado de fora, torcendo para Durand estar esperando e eu poder fugir para o quarto de princesa. O rosa e branco está me contagiando.

O estacionamento está cheio de barulho, gente e carros caros, mas nada de Durand.

— Harper. — Valerie aparece ao meu lado direito. — Sua carona não chegou?

— Não, não estou vendo.

Ela estala a língua com solidariedade.

— Eu ofereceria carona, mas acho que você não vai querer entrar no mesmo carro que Jordan.

— Pode estar certa disso.

— Mas você devia ir andando. Quando as aulas acabam, as coisas podem ficar tensas.

— Aqui, em plena luz do dia? — Isso é alarmante.

A testa de Valerie se enruga de preocupação.

— Jordan tem momentos de astúcia. Não a subestime.

Eu aperto a mochila e me repreendo por carregar tanto dinheiro de um lado para o outro. Deve haver algum lugar na pilha de tijolos Royal onde eu possa esconder isso.

— Por que ela se safa? Savannah Montgomery me disse que todo mundo aqui é especial. Então por que Jordan é a líder, se todo mundo tem algo de único a oferecer?

— Contatos — responde Valerie diretamente. — Os Carrington não são parte do clube dos dez dígitos como os Royal, mas conhecem todo mundo. Já fizeram negócios com celebridades, realeza. A tia de Jordan do lado do pai é casada com um conde italiano. Temos que chamá-la de Lady Perino quando ela aparece no Natal.

— Que surreal.

— Então Jordan é, por extensão... — Ela para de falar. — Espere. Aí vem ela.

Eu me preparo enquanto Jordan anda na nossa direção. Como todos os alfas, ela tem uma matilha andando logo atrás. Elas parecem um comercial de pasta de dente: hectares de dentes brancos brilhantes e cabelos lisos e compridos balançando logo atrás.

— Caso faça você se sentir melhor, o cabelo da Jordan é muito ondulado. E ela tem que passar uma hora fazendo chapinha todo dia de manhã — murmura Valerie baixinho.

Será que Valerie não tem nenhuma merda decente a dizer sobre Jordan? *Ela passa tempo demais cuidando do cabelo* não é uma grande afronta.

— Estou me sentindo muito superior agora — eu digo secamente.

Valerie me dá um sorriso rápido e passa a mão no meu braço para dar apoio moral.

Jordan para a meio metro de mim e dá umas fungadas bem óbvias.

— Você fede — ela me informa. — E não é do lixo no seu armário. É você mesmo.

— Agradeço a dica. Acho que vou começar a tomar dois banhos por dia em vez de um — digo docemente, mas por dentro estou preocupada. E se eu feder mesmo? Seria tão ruim quanto andar por aí com um absorvente extragrande grudado no sapato.

Ela suspira e joga o cabelo por cima do ombro.

— É o tipo de fedor que nenhum banho consegue tirar. Sabe, você é ralé.

Eu olho para Valerie com uma pergunta nos olhos. Ela revira os olhos em resposta.

— Tudo bem — eu respondo com alegria. — Bom saber. — Jordan quer que eu faça papel de boba, e o melhor que posso fazer é não entrar no jogo dela. Mas minha falta de reação não a afasta. Ela continua falando, provavelmente por gostar de ouvir a própria voz.

— A ralé sempre fede a desespero.

Bom, ela me pegou. Esse é basicamente o perfume de uma casa de striptease.

Eu me obrigo a dar de ombros.

— Não sei o que *ralé* quer dizer em linguagem de vaca, mas suponho que seja algo ruim. O que não entendo é por que você acha que dou algum valor para sua opinião sobre mim. O mundo é bem grande, Jordan. Você jogar lixo no meu armário ou me xingar não vai importar daqui a dois anos. Na verdade, quase não importa hoje.

O queixo dela cai, e Valerie enfia o rosto no meu braço para sufocar uma gargalhada.

Não sei qual seria a resposta de Jordan, porque tem uma confusão atrás de mim. As pessoas se mexem, e sei quem está de pé atrás de mim antes que os lábios vermelhos perfeitos de Jordan digam o nome dele.

— Reed — murmura ela. — Eu não vi você aí.

Tem uma insegurança na voz dela que me surpreende. Eu me pergunto qual é o texto exato do decreto anti-Ella de Reed, e tomo uma nota mental de perguntar para Valerie depois.

— Acabou? — pergunta ele, e não sei se está falando comigo ou com Jordan. Pelo jeito como os olhos dela se desviam de mim para algum lugar uns trinta centímetros acima da minha cabeça, percebo que ela também não tem certeza.

— Eu estava pensando se você queria repassar nosso trabalho de Inglês — diz ela.

— Já terminei — responde ele, lacônico.

Jordan aperta os lábios. Ela levou um tapa, e todos nós sabemos. Eu quase sinto pena dela... Quase.

— Ei, Reed — diz uma voz diferente, mais suave. Vem de uma garota com aparência delicada, cujo cabelo louro dourado está preso em tranças que envolvem a cabeça como uma coroa. Os olhos azuis-celeste estão cobertos por cílios ridiculamente longos, que balançam como penas enquanto ela espera a resposta de Reed.

— Abby — diz ele, o rosto inteiro ficando mais brando. — É bom ver você.

Metade das garotas da escola alega ter transado com ele, mas quem sabe o que é verdade? A única de quem tenho certeza é a amiga de Jordan, Abby.

Então essa é a garota que pegou Reed ao menos uma vez. Consigo entender por quê. Ela é linda. Jordan também é, mas Abby é doce de uma forma que Jordan não é. Nem eu. É disso que Reed gosta? Garotas doces que falam olhando para baixo? Não é surpresa ele não estar interessado em… Espere, o que estou pensando? Não ligo se Reed não estiver interessado em mim. Ele pode ficar com todas as garotas pálidas de olhar sonhador como Abby que quiser.

— Senti sua falta — diz ela, e o desejo na voz faz todo mundo se mexer com desconforto.

— O verão foi agitado — responde Reed, enfiando as duas mãos nos bolsos. Ele não olha nos olhos de Abby, e o tom tem um ar de finalização.

Ela também percebe, e seu olhar brilha. Pode ter acabado para Reed, mas está dolorosamente claro que Abby não superou. Sinto certa pena dela.

Quando Reed coloca a mão pesada no meu ombro, quase dou um pulo. E não deixo de ver os olhares de ressentimento das garotas da pasta de dente nem a expressão de pomba ferida no rosto de Abby. Se Reed Royal toca em alguém, espera-se que não seja em mim.

— Está pronta, Ella? — murmura ele.

— Há, acho que sim.

Esse confronto todo deixa meus ombros rijos de tensão, e não discuto quando Reed me guia na direção da picape de Easton. Quando chegamos lá, me solto da mão dele.

— Onde está Easton?

— Está levando os gêmeos.

— Você me usou para escapar da sua ex? — pergunto quando ele abre a porta e me empurra para dentro.

— Ela não é minha ex. — Ele bate a porta.

Enquanto Reed contorna a frente da picape, vejo Valerie acenando para mim com um sorriso enorme na cara. Atrás dela, Jordan está com cara de raiva. Abby parece um cachorrinho abandonado.

— Bota o cinto — ordena Reed enquanto liga a picape.

Faço o que ele mandou por questão de segurança, não por ser ordem dele.

— Onde está Durand? — Aceno para Valerie, que faz sinal de positivo. Espero que Jordan não tenha visto, senão Valerie pode acabar tendo que mudar do quarto para algum armário no porão. — E por que você está me dando carona?

— Eu queria conversar com você. — Ele faz uma pausa rápida. — Você está tentando constranger nossa família?

Chocada, eu me viro no assento para olhar para ele e tento não reparar no quanto os antebraços fortes ficam sexy enquanto ele aperta o volante com frustração.

— Você acha que eu botei lixo no meu próprio armário? — pergunto com incredulidade.

— Não estou falando dessa infantilidade da Jordan. Estou falando do emprego na padaria.

— Primeiro, como é que você sabe disso, seu xereta? E, segundo, como isso pode ser constrangedor?

— Primeiro, eu tenho treino de futebol americano de manhã. Vi Durand deixando você lá — diz ele. — E, segundo, dá a entender que não estamos cuidando de você. No almoço, alguém perguntou se Callum comprou a padaria e se é por isso que a nova Royal está trabalhando lá.

Eu me encosto e cruzo os braços.

— Nossa, caramba, lamento muito você ter tido que responder a uma pergunta constrangedora no almoço. Deve ter sido *tão* inconveniente. Bem *mais* inconveniente do que levar um absorvente interno usado que saiu voando do seu armário na cara.

Quando ele sorri, eu surto. Extravaso toda frustração e dor que estavam dentro de mim. Estou cansada de bancar a garota boa e calma. Fico de joelhos, estico a mão e dou um tapa na cabeça dele.

— Porra! — exclama ele. — Por que você fez isso?

— Por você ser um babaca! — Bato nele de novo, com o polegar protegido e os nós dos dedos para fora, como o antigo namorado da minha mãe me ensinou.

Reed me empurra com força contra a porta do passageiro.

— Senta, porra! Você vai fazer a gente bater.

— Eu não vou sentar! — Eu bato nele de novo. — Estou cansada de você e seus insultos e seus amigos horríveis!

— Se você for sincera comigo, pode ser que eu segure os cachorros. Qual é a sua? — Ele olha para mim com raiva, um braço comprido ainda me empurrando para longe.

Tento lutar para chegar nele, balançando os braços, mas só acertando o ar.

— Quer saber qual é a minha? A minha é conseguir um diploma e ir para a faculdade! É isso que eu quero!

— Por que você veio pra cá? Sei que recebeu dinheiro do meu pai.

— Eu nunca pedi para o seu pai me trazer pra cá!

— Mas você não resistiu muito — corta ele. — Isso se resistiu.

A acusação dói, em parte por ser verdade, mas também por ser injusta.

— É, não lutei. Isso porque não sou idiota. Seu pai me ofereceu um futuro, e eu seria a pessoa mais burra no planeta se não aceitasse. Se isso me torna uma aproveitadora ou golpista, que seja. Mas pelo menos não sou o tipo de pessoa que faz alguém andar três quilômetros em um lugar escuro e estranho.

Vejo com satisfação uma pontada de remorso brilhar nos olhos dele.

— Então você admite que não tem vergonha — diz ele com desprezo.

— Sim, não tenho nenhum problema em admitir que não tenho vergonha — respondo. — Vergonha e princípios são para quem não tem que se preocupar com as coisas pequenas, como o que dá para comprar com um dólar para se alimentar pelo dia todo ou pagar as contas médicas da mãe ou comprar maconha para ela poder passar uma hora sem dor. Vergonha é um luxo.

Eu me sento, exausta. Paro de tentar lutar com ele. É impossível mesmo. Ele é forte demais. Droga.

— Você não é o único a sentir dor. Não é o único que perdeu a mãe. Ah, pobre Reed Royal — debocho —, virou um babaca porque perdeu a mamãe.

— Cala a boca.

— Não, cala você.

Antes que as palavras terminem de sair da minha boca, percebo quanto estamos sendo ridículos e começo a rir. Um momento antes, estávamos gritando um com o outro como crianças de cinco anos. Dou tanta risada que começo a chorar. Ou talvez estivesse chorando o tempo todo, mas o som parece o de gargalhada. Eu me inclino e coloco a cabeça entre as pernas porque não quero que Reed veja que me atingiu.

— Para de chorar — murmura ele.

— Para de me dizer o que fazer — digo, chorando.

Ele cala a boca, e eu já tinha me recomposto quando passamos pelo portão e seguimos pelo caminho de entrada. Falei que não tinha vergonha. Isso não é nem um pouco verdade.

Estou morrendo de vergonha por ter chorado por cinco minutos seguidos na frente de Reed Royal.

— Acabou? — pergunta ele depois que freia e desliga o motor.

— Vai se foder — eu digo com cansaço.

— Eu quero que você pare de trabalhar na padaria.

— Eu quero que Jordan passe a ter um coração de um dia para o outro. Nem sempre temos o que queremos, não é?

Ele faz um ruído frustrado.

— Callum não vai gostar.

— Ah, meu Deus! Você vive mudando as regras. Fique longe de mim, Ella. Entre no carro, Ella. Não arranque tudo do meu pai, Ella. Não arrume um emprego, Ella. Não sei o que você quer de mim.

— Somos dois, então — diz ele secamente.

Eu nem quero dar continuidade a isso. Então, abro a porta da picape e saio.

O demônio dentro de mim se agita, acho que para eu me sentir um pouco melhor, e me viro abruptamente.

— Ah, Reed? Não me use como desculpa quando não quiser encarar uma ex.

— Ela não é minha ex — ele ruge atrás de mim.

Eu não devia achar essas palavras tão satisfatórias, mas acho.

Capítulo 13

Assim que entro, subo correndo e me tranco no quarto. Jogo os livros na cama e pego o primeiro dever de casa que encontro, mas é difícil me concentrar no dever ainda sentindo tanta raiva e constrangimento por causa do que aconteceu entre mim e Reed.

A parte racional do meu cérebro entende de onde veio minha explosão. Menos de uma semana atrás, minha vida virou de cabeça para baixo. Callum me arrancou de Kirkwood e me trouxe para esta cidade estranha e esta casa chique para encarar seus filhos babacas. Os irmãos Royal não fizeram nada além de me confrontar desde que cheguei aqui. Os amigos deles me envergonharam naquela festa idiota e me humilharam na escola hoje. E, durante isso tudo, Reed Royal fica determinando regras de ouro, que mudam a cada dois segundos.

Que garota normal de dezessete anos *não* perderia o controle?

Mas aquela outra parte de mim, a que tenta me proteger a todo custo escondendo as emoções... Essa parte grita comigo por me permitir chorar na frente de Reed. Por deixar que ele visse quanto me sinto insegura e vulnerável neste novo mundo em que fui jogada.

Eu me odeio por ser fraca.

De alguma forma, consigo terminar meus deveres, mas agora são seis horas e meu estômago está roncando.

Deus, eu não quero descer. Queria poder pedir serviço de quarto. Por que esta casa não tem serviço de quarto? Já é praticamente um hotel mesmo.

Para de se esconder dele. Não dê a ele essa satisfação.

Se eu não for jantar, Reed vai saber que venceu, e não posso deixar que ele vença. Não vou deixar que ele me dobre.

Mesmo assim, depois de decidir enfrentar o babaca, continuo enrolando. Tomo um longo banho e lavo o cabelo, visto um shortinho preto e uma regata vermelha frouxa. Em seguida, penteio o cabelo molhado. Depois, olho o celular para ver se Valerie mandou mensagem. Aí...

Tá, chega de procrastinar. Meu estômago vazio concorda e ronca durante todo o caminho escada abaixo.

Na cozinha, encontro um dos gêmeos em frente ao fogão, mexendo com uma espátula o que parece ser uma panela de macarrão. O outro gêmeo está com a cabeça na geladeira, falando com o irmão.

— Que coisa, cara. Achei que a Sandra já tinha voltado das férias.

— Amanhã — responde o outro gêmeo.

— Puta que pariu, ainda bem. Desde quando empregadas têm férias? Estou cansado de ter que fazer comida. A gente devia ter saído para jantar com papai e Reed.

Minha testa se franze enquanto absorvo a informação. Primeiro, esses garotos são *muito* mimados. Não podem nem fazer a própria comida? Segundo, Reed saiu para jantar com Callum? Callum por acaso botou uma arma na cabeça dele?

O gêmeo no fogão repara que estou na porta e franze a testa.

— O que você está olhando?

Dou de ombros.

— Só estou vendo você queimar o jantar.

Ele se vira para a panela e geme quando repara na fumaça que sobe dali.

— Caramba! Seb, pega uma luva!

Nossa, esses garotos são mesmo inúteis. O que ele planeja fazer com uma luva de cozinha?

A pergunta é respondida quando Sawyer coloca a luva que o irmão joga para ele e levanta a panela pelo cabo, que, a não ser que seja uma panela com defeito, não deveria estar quente. Eu me divirto vendo os garotos tentando salvar o jantar, e não consigo sufocar uma risadinha quando o óleo pula da panela e queima o pulso de Sawyer, que não está coberto pela luva.

Ele berra de dor enquanto o irmão apaga o fogão. Em seguida, os dois olham para o frango com macarrão queimado com consternação.

— Cereal? — diz Sebastian.

Sawyer suspira.

Mesmo com o cheiro terrível de queimado no ar, meu estômago ainda está roncando. Vou até a parede de armários e começo a pegar ingredientes enquanto os gêmeos me olham com cautela.

— Vou fazer espaguete — digo sem me virar. — Vocês querem?

Há um longo silêncio até um deles murmurar um "sim". O outro faz o mesmo.

Cozinho em silêncio enquanto eles ficam sentados à mesa. Como os Royal preguiçosos e arrogantes que são, nenhum dos dois se oferece para me ajudar. Vinte minutos depois, nós três estamos jantando. Não trocamos nenhuma palavra.

Easton entra ao final da refeição, apertando os olhos quando me vê colocando meu prato na lava-louças. Em seguida, olha para a mesa, onde os irmãos estão no segundo prato de espaguete.

— Sandra voltou das férias?

Sebastian faz que não e enfia mais macarrão na boca.

O gêmeo aponta para mim com a cabeça.

— A menina cozinhou.

— *A menina* tem nome — eu digo brevemente. — E de nada pelo jantar. Babacas ingratos. — Murmuro essa última parte baixinho enquanto saio da cozinha.

Em vez de voltar para o quarto, acabo entrando na biblioteca. Callum a mostrou para mim outro dia, e ainda estou impressionada pela quantidade de livros no aposento. As estantes embutidas vão até o teto, e tem uma escada antiga que pode ser usada para alcançar as prateleiras de cima. Do outro lado da sala fica uma área aconchegante, com duas poltronas na frente de uma lareira moderna.

Não estou com vontade de ler, mas afundo em uma das poltronas mesmo assim e inspiro o aroma de couro e livros velhos. Conforme meu olhar se desloca para a prateleira acima da lareira, meu coração acelera. Há fotografias enfileiradas, e uma em particular chama minha atenção. É uma imagem de Callum jovem com uniforme da Marinha, seu braço nos ombros de um homem alto e louro, também de uniforme.

Acho que é Steve O'Halloran. Meu pai.

Olho para o rosto esculpido do homem, para os olhos azuis que parecem cintilar de malícia ao encarar a lente da câmera. Tenho os olhos dele. E meu cabelo é do mesmo tom de louro.

Quando passos ecoam atrás de mim, eu me viro e vejo Easton entrar na biblioteca.

— Eu soube que você tentou matar meu irmão hoje — diz ele.

— Ele mereceu. — Volto as costas para ele, mas ele aparece ao meu lado, e com o canto do olho consigo ver que o garoto está mais duro do que pedra.

— Vamos ser sinceros um com o outro. Você achou mesmo que apareceria aqui nos braços do nosso pai e que nós ficaríamos bem com isso?

— Eu não estou nos braços do seu pai. Sou tutelada dele.

— Ah, é? Me olhe nos olhos e me diga que não está trepando com o meu pai.

Pelo amor de Deus. Trincando os dentes, encaro o olhar grosseiro de frente e digo:

— Eu não estou trepando com seu pai. E *eca* pra você por sugerir isso.

Ele dá de ombros.

— Não é impossível. Ele gosta de garotas.

Isso é uma referência óbvia a Brooke, mas não faço nenhum comentário. Meu olhar volta para a foto acima da lareira.

Easton e eu ficamos em silêncio por tanto tempo que me pergunto se ele ainda está ali.

— O tio Steve era um conquistador — diz ele finalmente. — As garotas baixavam a calcinha quando ele entrava em algum lugar.

Eca duas vezes. Isso *não* é uma coisa que eu quisesse saber sobre meu pai.

— Como ele era? — pergunto com relutância.

— Era legal, eu acho. A gente não passava muito tempo com ele. Ele sempre ficava entocado no escritório do meu pai. Os dois passavam horas lá conversando. — Easton parece amargo.

— Ahhh, seu papai gostava mais do meu papai do que de você? É por isso que você me odeia tanto?

Ele revira os olhos.

— Faça um favor a si mesma e pare de provocar meu irmão. Se você continuar irritando o Reed assim, só vai se machucar.

— Por que me dar um aviso? Não é isso que você quer, que eu me machuque?

Ele não responde. Só se afasta da lareira e me deixa na biblioteca, onde fico olhando a foto do meu pai.

Acordo à meia-noite com o som de vozes sussurradas no corredor em frente à porta do meu quarto. Estou totalmente grogue, mas alerta o bastante para reconhecer a voz de Reed e, apesar de estar deitada, chego a sentir os joelhos bambos.

Eu não o vejo desde nossa briga no carro, mais cedo. Quando ele voltou do jantar com Callum, eu já estava trancada no meu quarto de novo, mas, a julgar pelos passos furiosos e pela porta batendo, tenho certeza de que o jantar não foi muito bom.

Não sei por que saio da cama, nem por que vou nas pontas dos pés na direção da porta. Xeretar não é meu estilo, mas quero saber o que ele está dizendo e para quem está dizendo. Quero saber se é sobre mim, e talvez seja pretensão, mas continuo precisando saber.

— ...treino de manhã. — É Easton falando agora, e encosto o ouvido na porta para tentar ouvir mais claramente. — ...concordou em parar durante a temporada.

Reed murmura alguma coisa que não consigo entender.

— Eu entendo, tá? Também não estou feliz de ela estar aqui, mas isso não é motivo para... — A frase de Easton é interrompida.

— Não é ela. — Ouço isso alto e claro, e não sei se fico aliviada ou decepcionada de o que eles estão discutindo não me envolver.

— ...então eu vou com você.

— Não — diz Reed com rispidez. — ... vou sozinho hoje.

Ele vai a algum lugar? Aonde ele vai a esta hora, tendo aula no dia seguinte? Sinto uma preocupação nas entranhas, o que quase me faz rir, porque de repente estou *preocupada* com Reed Royal, o cara que ataquei no carro mais cedo?

— Agora você está falando como Gid — acusa Reed.

— É, bom, talvez você...

As vozes ficam baixas de novo, o que é muito frustrante, porque sei que estou deixando de ouvir alguma coisa importante.

Fico tentada a abrir a porta e impedir Reed de fazer o que ele está prestes a fazer, mas é tarde demais. Dois pares de passos ecoam no corredor e uma porta é fechada. Depois, fica só um par de passos, quase inaudível conforme desce a escada.

Alguns minutos depois, um motor de carro arranca no pátio, e sei que Reed saiu.

Capítulo 14

Na manhã seguinte, encontro Reed na porta de casa, encostado na picape de Easton. Ele está de tênis, um short comprido de ginástica e uma camiseta bem aberta nas laterais, mais lindo do que qualquer babaca tem o direito de estar. Tem um boné puxado baixo até a testa.

Olho ao redor, mas o sedã preto não está à vista.

— Cadê Durand?

— Você está planejando ir para a padaria?

— Você está planejando botar fogo nela para eu não manchar o nome Royal indo trabalhar lá?

Ele resmunga, irritado.

Eu resmungo em resposta.

— E então? — murmura ele.

Olho para ele com cara feia.

— Sim, eu vou trabalhar.

— Eu tenho treino de futebol americano, então, se quiser carona, sugiro que entre no carro, senão vai ter que ir andando.

— Ele abre a porta do passageiro e vai até o lado do motorista.

Procuro Durand de novo. Droga, onde está ele?

Quando Reed liga o motor, começo a me mexer. Que mal ele pode me fazer em um trajeto de vinte minutos?

— Coloca o cinto — diz ele com rispidez.

— Eu acabei de entrar. Me dá um minuto. — Olho para cima e faço uma oração curta pedindo paciência. Reed só começa a dirigir quando coloco o cinto. — Você tem TPM masculina ou só vive de péssimo humor vinte e quatro horas por dia?

Ele não responde.

Eu me odeio por isso, mas não consigo parar de olhar para ele. Não consigo parar de passar os olhos pelo perfil do rosto de astro de cinema, pela orelha perfeita emoldurada pelo cabelo escuro. Todos os Royal têm cabelo castanho em tons variados. O de Reed é castanho-escuro.

De perfil, o nariz tem um calombinho, e me pergunto qual dos irmãos o quebrou.

Não é justo quanto esse cara é lindo. E ele tem toda essa aura de *bad boy* que normalmente não me chama atenção, mas por algum motivo o deixa ainda mais gato. Acho que gosto de *bad boys*.

Espere, o que estou pensando? Eu não gosto de *bad boys* e não gosto de *Reed*. Ele é o maior babaca que eu já…

— Por que você está me olhando? — pergunta ele com irritação.

Afasto todos os pensamentos malucos e respondo:

— Por que não?

— Me acha bonito, é? — provoca ele.

— Não, só estou guardando na memória o perfil de um escroto. Sabe como é, para ter inspiração no caso de ter que desenhar um na aula de Artes — respondo com animação.

Ele grunhe, e o som parece uma gargalhada. Pela primeira vez na presença dele, começo a relaxar.

O resto do trajeto passa rápido, quase rápido demais. Sinto uma pontada de decepção quando a padaria aparece, o que é surreal porque *eu não gosto desse cara*.

— Você vai me trazer todos os dias ou só hoje? — eu pergunto quando ele para na frente da French Twist.

— Depende. Por quanto tempo você pretende manter essa palhaçada?

— Não é palhaçada. Chama-se ganhar a vida.

Saio da picape antes que ele consiga fazer outro comentário idiota e cruel.

— Ei — ele grita para mim.

— O quê? — Eu me viro, e é nessa hora que vejo o rosto dele de frente pela primeira vez esta manhã. Minha mão sobe e cobre a boca. O lado esquerdo do rosto, parte que agora percebo que ele manteve escondida de mim durante todo o caminho, está machucada. O lábio está inchado. Tem um corte acima do olho e um hematoma na parte superior da bochecha.
— Meu Deus, o que aconteceu com você?

Levanto os dedos até o rosto dele, sem perceber que meus pés me levaram da padaria até a picape.

Ele se afasta do meu toque.

— Nada.

Minha mão cai inútil na lateral do meu corpo.

— Não parece não ser nada.

— Mas não é nada para você.

De cara feia, ele se afasta, me deixando para trás me perguntando o que ele fez ontem à noite e por que me chamou agora se não planejava dizer nada importante. Mas sei de uma coisa. Se eu fosse golpeada com tanta força assim no rosto, também estaria azeda na manhã seguinte.

Apesar de tudo, passo meu período matinal de trabalho na padaria preocupada com Reed. Lucy me lança olhares de preocupação, mas como eu trabalho muito, como prometi, ela não diz nada.

Depois que termino, vou correndo para a escola, mas não vejo Reed. Não o vejo no caminho que leva ao ginásio, nem nos corredores, nem no almoço. Parece não veio para a Astor Park.

Quando as aulas terminam, o grande sedã está me esperando. Durand está segurando a porta aberta com impaciência, então não posso nem me demorar no estacionamento. É melhor assim, digo para mim mesma. *Nada de bom pode resultar desses pensamentos em Reed Royal.*

Fico repetindo isso para mim mesma durante todo o caminho para casa, mas, quando paramos nos portões de ferro, Durand me dá outra coisa em que pensar.

— O senhor Royal gostaria de ver você — diz ele com sua voz grave quando o carro para na frente da entrada.

Fico sentada como uma idiota enquanto processo a informação de que senhor Royal quer dizer Callum.

— Há, tá.

— Ele está na casa da piscina.

— Na casa da piscina — repito. — Estou sendo chamada na sala do diretor, Durand?

Ele me olha nos olhos pelo retrovisor.

— Acho que não, Ella.

— Isso não é muito encorajador.

— Quer ficar passeando de carro mais um pouco?

— Ele ainda vai querer me ver?

Durand faz que sim.

— Então é melhor eu ir. — Dou um suspiro dramático.

Os cantos dos olhos dele se erguem ligeiramente no que pode ser considerado um sorriso largo para Durand.

Deixo minha mochila na base da escadaria e ando até os fundos da casa, atravesso o grande pátio e chego ao final. A casa da piscina tem vidro de três lados. Deve haver algum truque nas paredes, porque às vezes o lado mais perto da piscina fica espelhado em vez de transparente.

Quando chego mais perto, percebo que as paredes são, na verdade, uma série de portas que deslizam e que foram abertas, permitindo que a brisa do oceano chegue até a casa.

Callum está sentado em um sofá de frente para o mar. Ele se vira quando meus sapatos fazem barulho no piso e me cumprimenta com um aceno.

— Ella. Teve um dia bom na escola?

Sem lixo no meu armário? Sem pegadinha no vestiário feminino?

— Podia ter sido pior — eu respondo.

Ele faz sinal para eu me sentar com ele.

— Aqui era o lugar favorito de Maria — diz. — Quando todas as portas estão abertas, dá para ouvir o oceano. Ela gostava de levantar cedo para ver o nascer do sol. Disse uma vez que era como um show de magia todas as manhãs. O sol abrindo a cortina preta e revelando uma paleta com as cores mais lindas do que os maiores mestres poderiam conjurar.

— Tem certeza de que ela não era poeta?

Ele sorri.

— Ela era bem poética. Também dizia que o movimento rítmico das ondas na margem é uma canção tão pura quanto a orquestração mais brilhante.

Escutamos o som, o tilintar e sacolejar das marés subindo até a areia e voltando, como se puxadas por uma mão invisível.

— É lindo — admito.

Um gemido baixo escapa da garganta de Callum. Com uma das mãos, ele segura o copo de uísque de sempre, mas, com a outra, tão apertada que os nós dos dedos estão brancos, segura uma foto de uma mulher com cabelo escuro e olhos tão brilhantes que parecem o sol brilhando no porta-retratos.

— É a Maria? — digo, apontando para a foto.

Ele engole em seco e assente.

— Linda, não é?

Faço que sim.

Callum vira a cabeça para trás e esvazia o copo em um gole rápido. Mal coloca o copo na mesa e já o está enchendo de novo.

— Maria era o elo que segurava nossa família. A Atlantic Aviation teve um momento difícil uns dez anos atrás. Uma série de decisões imprudentes, somada à recessão, colocou o legado dos meus filhos em risco, e eu me dediquei a salvar tudo, o que me afastou da minha família. Eu sentia falta de estar com Maria. Ela sempre quis uma filha, sabia?

Só posso assentir de novo. É meio difícil acompanhar a fala desconjuntada dele. Não tenho ideia de onde ele quer chegar com tudo isso.

— Ela teria adorado você. Teria tirado você de Steve e criado como se fosse dela. Ela queria tanto uma menina.

Fico parada como uma pedra. Nada nessa história triste pode levar a alguma coisa boa.

— Meus filhos me culpam pela morte dela — diz de repente, me surpreendendo com a confissão inesperada. — Eles estão certos. E é por isso que deixo que se safem de todo tipo de merda. Ah, eu sei que eles são rebeldes, mas não consigo ser duro com eles. Estou tentando dar um jeito nas coisas agora, mas sou o primeiro a admitir que sou péssimo pai. E transformei essa família em um caos. — Ele passa a mão trêmula pelo cabelo, mas ainda consegue segurar o copo, quase como se o objeto de cristal fosse a única coisa que o mantém preso à terra.

— Sinto muito. — Isso é tudo que consigo pensar em dizer.

— Você deve estar se perguntando por que estou contando isso.

— Um pouco.

Ele me dá um sorriso torto e irregular, e me lembra tanto Reed que minhas entranhas dão um nó.

— Dinah quer conhecer você.

— Quem é Dinah?

— A viúva de Steve.

Minha pulsação acelera.

— Ah.

— Eu estava adiando porque você tinha acabado de chegar e, bem, eu queria que você me procurasse para falar de Steve. Ela e Steve, mais para o final... — Ele para de falar. — Não foi legal.

Levanto a guarda.

— Tenho a sensação de que não vou gostar do que você vai dizer.

— Você é bem perceptiva. — Ele termina o segundo copo. — Ela está exigindo que você vá sozinha.

Então é para eu conhecer a mulher do meu pai morto, que Callum detesta tanto que está virando uísque só pra falar dela, sem ninguém para me dar apoio?

Eu dou um suspiro.

— Quando falei que meu dia podia ter sido pior, não era um desafio.

Ele dá uma risada.

— Dinah me lembrou que minha ligação com você é mais tênue do que a dela. Ela é viúva do seu pai. Eu sou só amigo e parceiro de negócios.

Um arrepio percorre minha pele.

— Você está dizendo que sua tutela não é legítima?

— É temporária até o testamento de Steve ser homologado — admite ele. — Dinah poderia contestar.

Não consigo ficar sentada. Dou um pulo e ando até a extremidade do aposento, para olhar para a água. De repente, me sinto muito burra. Eu me permiti acreditar que poderia ter um lar aqui. Apesar de Reed me odiar e os alunos da Astor Park terem prazer em me atormentar, essas coisas seriam incômodos temporários. Callum me prometeu um futuro, caramba. E agora, está me dizendo que essa tal Dinah pode tirar esse futuro de mim?

— Se eu não for — eu digo lentamente —, ela vai começar a arrumar confusão, não vai?

— É uma boa avaliação.

Decidida, eu me viro para Callum.

— Então o que estamos esperando?

Durand nos leva para a cidade e estaciona na frente de um arranha-céu. Callum diz que vai me esperar no carro, o que só me deixa mais nervosa.

— Que droga — eu digo simplesmente.

Ele estica a mão e toca no meu braço.

— Você não precisa ir.

— Que outra opção eu tenho? Posso ir e continuar morando com os Royal ou ficar no carro e ser tirada de lá? Isso está errado.

— Ella — diz ele quando subo na calçada.

— O quê?

— Steve queria você. Quando descobriu que tinha uma filha, ele ficou arrasado. Eu juro, ele teria amado você. Lembre-se disso. Independentemente do que Dinah diga.

Com essas palavras não muito encorajadoras, deixo Durand me acompanhar até lá dentro. O saguão do prédio de

Dinah é lindo, mas as belas paredes de pedra, dos candelabros de cristal e os detalhes de madeira já não me impressionam como teriam impressionado antes dos Royal.

— Ela veio ver Dinah O'Halloran — diz Durand para o recepcionista.

— Pode subir.

Durand me dá um empurrãozinho.

— Último elevador. Aperte "C", de cobertura.

O elevador com carpete e painéis de madeira é quase totalmente silencioso. Não tem música, só um leve ruído mecânico acompanhando o movimento para cima. Sobe rápido demais e para.

As portas do elevador se abrem e eu entro em um corredor amplo e curto. No final tem uma porta dupla. Puta merda. Ela mora no andar inteiro?

Uma mulher vestida com uniforme de empregada abre uma das portas quando me aproximo.

— A senhora O'Halloran está esperando você na sala de estar. Aceita uma bebida?

— Água — murmuro. — Eu gostaria de água, por favor.

Meus tênis afundam no tapete grosso enquanto sigo a empregada pelo corredor até a sala de estar. Sinto-me um carneirinho seguindo para o abate.

Dinah O'Halloran está sentada embaixo de um quadro grande de uma mulher nua. O cabelo dourado da modelo está solto e ela está olhando por cima do ombro, os olhos verdes apertados sedutoramente para quem olha. É... ah, meu Deus. O rosto da mulher é de Dinah.

— Gostou? — pergunta Dinah com a sobrancelha erguida. — Tenho outros pela casa, mas esse é o mais conservador.

Conservador? *Moça, estou vendo a racha da sua bunda no quadro.*

— É bonito — minto. Quem tem um bando de quadros de si mesma nua pendurados pela casa?

Abaixo o corpo para me sentar na outra cadeira da sala, mas a voz cortante de Dinah me impede.

— Eu mandei você se sentar?

Com as bochechas ardendo, fico paralisada.

— Não. Me desculpe. — E fico de pé.

Os olhos dela me avaliam.

— Então você é a garota que Callum diz que é filha de Steve. Você já fez algum teste de paternidade?

Teste de paternidade?

— Há. Não.

Ela ri, um som vazio e horrível.

— Então como podemos saber que você não é uma filha bastarda de Callum que ele está tentando fazer passar por filha de Steve? Seria conveniente para ele. Ele sempre alegou que era fiel à mulherzinha dele, mas você seria prova concreta de que não era.

Filha de Callum? Brooke sugeriu a mesma coisa, mas Callum pareceu ofendido quando ela falou. E minha mãe disse que o meu pai era um homem chamado Steve. Tenho o relógio dele.

Mesmo assim, me sinto enjoada, mesmo enquanto endireito os ombros com falsa confiança.

— Eu não sou filha do Callum.

— Ah, e você sabe disso como?

— Porque Callum não é o tipo de homem que ignora que tem uma filha.

— Você está com os Royal por uma semana e acha que os conhece? — Ela ri com desprezo, depois se inclina para a frente, as mãos apertadas nos braços da poltrona. — Steve e Callum eram velhos amigos do SEAL. Compartilharam mais mulheres do que uma turma de jardim de infância compartilha brinquedos.

Olho para ela boquiaberta.

— Não tenho dúvida de que a piranha da sua mãe transou com os dois — acrescenta.

A calúnia contra a minha mãe me arranca de um estupor perplexo.

— Não fala sobre a minha mãe. Você não sabe nada sobre ela.

— Eu sei o suficiente. — Dinah se encosta. — Ela era um lixo pobre e tentou arrancar dinheiro do Steve com chantagem. Como não deu certo, fingiu ter um filho dele. Só que ela não sabia que Steve era estéril.

Dinah, com suas acusações, está começando a soar como se estivesse jogando verde para ver se cola. Estou ficando de saco cheio dessa merda.

— Então vamos pedir o teste de paternidade. Não tenho nada a perder. Se eu for uma Royal, vou poder pedir um sexto da fortuna deles. Parece melhor do que ser só tutelada de Callum Royal.

Minha bravata não é bem aceita por Dinah, porque ela redobra o ataque.

— Você acha que Callum Royal se importa com você? Aquele homem não conseguiu nem manter a esposa viva. Ela se matou para não ficar com ele. *Esse* é o tipo de pessoa que você está bajulando. E os filhos? São uns bêbados com dinheiro e privilégios, e ele deixa que façam tudo. Espero que você tranque sua porta à noite.

Sem querer, minha mente volta para aquela primeira manhã, quando Easton enfiou a mão na calça e casualmente me ameaçou. Trinco os dentes.

— Por que você me pediu para vir aqui? — Ainda não estou entendendo o objetivo desta visita. Parece que ela só está interessada em me provocar e me deixar pouco à vontade.

Dinah dá um sorriso frio.

— Eu só queria ver o que estou enfrentando. — Uma sobrancelha é erguida. — E tenho que dizer que não estou muito impressionada.

Então somos duas.

— Eis o meu conselho — prossegue ela. — Pegue o que Callum já deu a você e vá embora. Aquela casa é um câncer para mulheres, e em breve não vai passar de pó. Sugiro que você saia enquanto puder.

Ela estica a mão e pega um sino. Depois de um toque brusco, a empregada aparece como um cachorro obediente. Segura uma bandeja com um único copo de água.

— A senhorita Harper está pronta para ir embora — anuncia Dinah. — Ela não precisa de água.

Eu não vejo a hora de sair dali.

Callum está me esperando no saguão quando saio aos tropeços do elevador.

— Você está bem? — pergunta ele imediatamente.

Cruzo os braços. Não consigo me lembrar da última vez que senti tanto frio.

— Steve é mesmo meu pai? — digo de repente. — Me conte.

Ele não parece chocado pela pergunta.

— Sim, claro — diz ele baixinho.

Callum se inclina, com os braços abertos como se quisesse me abraçar, mas ando para trás, ainda completamente abalada pelas revelações de Dinah. Não preciso do consolo dele agora. Preciso da *verdade*.

— Por que devo acreditar em você? — Penso nas palavras cínicas de Dinah. — Você não me deu prova de paternidade.

— Você quer prova? Tudo bem, eu provo. — Ele parece cansado. — Os resultados do DNA estão trancados no meu cofre em casa. E Dinah, aliás, já viu. Os advogados dela têm uma cópia.

Estou chocada. Ela mentiu para mim? Ou o mentiroso é ele?

— Você fez um teste de DNA?

— Eu não teria trazido você para cá se não tivesse certeza. Peguei uns fios de cabelo no banheiro de Steve no escritório, e meu detetive pegou uma amostra do seu para comparar.

Como... Não importa, eu nem quero saber como ele conseguiu meu DNA.

— Quero ver o resultado do teste — exijo.

— Fique à vontade, mas acredite em mim quando digo que você é filha de Steve. Eu soube disso assim que vi você. Você tem o maxilar teimoso dele. Os olhos. Eu identificaria você no meio de qualquer grupo de meninas como a filha de Steve O'Halloran. Dinah está zangada e com medo. Não deixe que ela afete você.

Não deixar que ela me afete? A mulher acabou de jogar bombas e de fazer insinuações suficientes para fazer minha cabeça explodir.

Não consigo lidar com isso agora. Com nada disso. Eu só...

— Estou pronta para ir — digo, entorpecida.

No carro, não consigo encarar os olhos preocupados de Callum. As palavras de Dinah ficam se repetindo na minha mente.

— Ella, quando eu perdi minha mulher, passei por um período sombrio. — É um simples reconhecimento do que ele acha que Dinah me falou.

Respondo sem olhar para ele.

— Sabe esse período sombrio? Eu acho que você ainda está nele.

Ele se serve de outro copo.

— Talvez esteja.

O resto do caminho é tomado de silêncio.

Capítulo 15

Meu encontro com Dinah fica comigo por três dias, se repetindo como se minha cabeça estivesse com defeito. Lucy deve pensar que contratou um robô, considerando toda a falta de emoção que exibo. É que tenho medo de começar a chorar se mexer o rosto. Mas ela me mantém porque apareço pontualmente todas as manhãs e nas noites combinadas e trabalho sem reclamar.

É um alívio trabalhar. Quando a padaria está movimentada, consigo esquecer quanto minha vida ficou ferrada. E isso é uma coisa e tanto, considerando que fugi de Seattle para impedir que o Serviço Social tentasse me obrigar a ir para uma família adotiva, depois passei uma semana viajando antes de parar em Kirkwood. Achei que falsificar a assinatura da minha mãe morta nos formulários da escola era loucura, mas não era nada em comparação aos Royal e seus companheiros.

É mais difícil evitar o assunto na escola, porque Val fica me perguntando o que houve. Por mais que eu adore a Val, acho que ela não está pronta para ouvir essa merda toda, e mesmo que esteja... eu não estou pronta para contar.

De nada importa que Callum tenha me mostrado os resultados do exame de DNA quando voltamos para casa naquela noite; a dúvida continuou me corroendo por três dias, até hoje de manhã, quando me arrastei para fora da cama depois de outra noite insone e me obriguei a lembrar um fato inegável: minha mãe não era mentirosa.

Posso contar tudo que minha mãe me falou sobre meu pai nos dedos de uma das mãos. O nome dele era Steve. Ele era louro. Era marinheiro. Deu o relógio para ela.

Tudo isso bate com o que Callum me contou, e, quando acrescentamos a semelhança óbvia que tenho com o homem da foto da biblioteca, tenho que acreditar que Dinah O'Halloran, para dizer com simplicidade, só falou merda.

— Está dando pra alguém?

A pergunta grosseira de Reed me arranca dos meus pensamentos. Estou no banco do passageiro do Range Rover dele, tentando parar de bocejar.

— O quê? Por que essa pergunta?

— Você está com olheiras. Está andando pela casa como uma zumbi desde terça e parece que não dorme há dias. E aí? Está trepando com alguém? Saindo escondido para se encontrar com ele? — O maxilar dele está contraído.

— Não.

— Não — ecoa ele.

— Sim, Reed. *Não*. Eu não estou saindo com ninguém, tá? E, mesmo que estivesse, não é da sua conta.

— Tudo o que você faz é da minha conta. Todos os seus atos afetam a mim e a minha família.

— Uau. Deve ser legal viver em um mundo onde tudo gira ao seu redor.

— Então o que está rolando com você? — pergunta ele. — Você não tem se comportado de forma normal.

— Eu não tenho me comportado de forma normal? Como se você me conhecesse o suficiente para fazer esse tipo de declaração. — Olho para ele com desprezo. — Que tal eu te contar todos os meus segredos... *depois* de você me contar para onde vai todas as noites e por que volta para casa cheio de cortes e hematomas?

O olhar dele se incendeia.

— É. Foi o que pensei. — Cruzo os braços e tento não bocejar de novo.

Reed gruda o olhar irritado no para-brisa, as mãos grandes apertando bem o volante. Ele me leva para o trabalho todos os dias às cinco e meia, depois segue para o treino de futebol americano na escola às seis. Easton também está no time, mas vai para o treino sozinho. Acho que é porque Reed quer ter um tempo sozinho comigo para poder me interrogar, como faz todas as manhãs desde que esse sistema irritante de carona começou.

— Você não vai embora, vai? — Tem um tom de derrota na voz dele, junto com a dose de raiva de sempre.

— Não. Eu não vou embora.

Ele para na frente da padaria e muda o câmbio para a posição estacionar.

— O quê? — eu murmuro quando aqueles olhos azuis perfurantes se viram para mim.

Os lábios dele se apertam por um momento.

— O jogo hoje à noite.

— O que tem? — O relógio no painel diz que são cinco e vinte e oito. O sol ainda nem nasceu, mas a vitrine da French Twist está acesa. Lucy já está lá dentro me esperando.

— Meu pai quer que você vá.

Uma dor Royal se forma entre minhas omoplatas.

— Que bom pra ele.

Reed parece estar se segurando para não me estrangular.

— Você vai ao jogo.

— Eu passo. Não gosto de futebol americano. Além do mais, eu tenho que trabalhar.

Estico a mão para a maçaneta, mas ele se inclina e segura meu braço. Uma onda de calor vinda dos dedos dele invade o meu corpo e então se acomoda entre as minhas pernas. Mando meu corpo traidor se controlar e tento não inspirar o aroma masculino pungente que chega às minhas narinas. Por que ele tem que ter um cheiro tão bom?

— Não me importo com o que você gosta e o que não gosta. Sei que você sai às sete. O jogo começa às sete e meia. Você vai. — A voz dele está baixa, tremendo de... não é mais raiva, mas está carregada de... não sei o quê. Só sei que ele está perto demais para eu ficar à vontade, e meu coração está batendo perigosamente rápido.

— Eu não vou a nenhum jogo idiota de escola para torcer por você e seus amigos idiotas — digo com rispidez, me soltando da mão dele. A perda do calor dele gera um arrepio instantâneo pelo meu corpo. — Callum vai ter que aceitar.

Saio do carro e bato a porta, depois corro pela calçada escura na direção da padaria.

Quase não consigo chegar à escola antes do primeiro sinal. Só tenho tempo para uma parada rápida no banheiro para colocar o uniforme, depois passo as aulas da manhã tentando ficar acordada. No almoço, tomo tanto café que Val acaba tendo que me mandar parar, mas pelo menos me sinto alerta agora.

Eu me sento ao lado de Easton na aula de Química e dou um oi relutante.

— Você estava roncando na aula de Inglês hoje cedo — diz ele com um sorriso.

— Não estava. Estava bem acordada o tempo todo. — Mas será que estava mesmo? Agora, não tenho tanta certeza.

Easton revira os olhos.

— Ô, mana. Você trabalha demais. Estou preocupado com você.

Reviro os olhos. Sei que os irmãos Royal não estão felizes com meu emprego. Nem Callum, que não parou de franzir a testa quando contei. Insistiu que eu devia estar me concentrando nos meus estudos, e não dividindo meu foco entre a escola e o trabalho, mas não cedi. Depois que falei que trabalhar era importante para mim e que eu precisava de mais do que a escola para ocupar meu tempo, ele sossegou.

Pelo menos foi o que pensei. Só quando o sinal da minha última aula toca é que me dou conta de que Callum fez outra jogada poderosa pelas minhas costas.

Uma mulher alta e longilínea se aproxima de mim quando estou saindo da aula de Matemática. Ela se move com a graça de uma bailarina e, quando ela se apresenta como técnica da equipe de dança, não fico surpresa.

— Ella — diz a senhora Kelley, os olhos argutos me avaliando. — Seu tutor me disse que você dança desde que era criança. Que tipo de aulas já fez?

Eu me mexo com desconforto.

— Não muitas — minto. — Não sei por que o senhor Royal falou o contrário.

Acho que ela vê a verdade, porque arqueia as sobrancelhas.

— Por que você não deixa que eu julgue isso? Você vai fazer um teste para o time depois da aula hoje.

Alarmes soam na minha cabeça. O quê? De jeito nenhum. Eu não quero entrar no time de dança. Dançar é só um hobby bobo. E... ah, merda, Savannah não falou que Jordan é a capitã do time? Agora eu não quero *mesmo* fazer o teste.

— Eu trabalho depois da aula — digo.

A senhor Kelly pisca sem entender.

— Trabalha? — Ela diz a palavra como se fosse um conceito desconhecido. Mas suponho que, quando se trata de ter um emprego de meio período, eu sou minoria na Astor Park.

— A que horas?

— Três e meia.

Ela franze a testa.

— Certo. Bom, minha aula só termina às quatro. Hummm. — Ela pensa melhor. — Quer saber, minha capitã vai cuidar disso. Carrington sabe o que estamos procurando. Você pode fazer um teste com ela às três, assim sobra tempo suficiente para chegar ao seu trabalho.

Meu pânico triplica. Vou ser avaliada por *Jordan*? De jeito nenhum.

A senhora Kelley repara na minha expressão e franze a testa de novo.

— O senhor Royal e eu esperamos que você esteja lá, Ella. Todos os alunos da Astor Park Prep Academy são encorajados a contribuir com a escola em alguma coisa. As atividades extracurriculares são um jeito saudável e produtivo de ocupar o tempo.

Maldito Callum. O fato de ela ter usado as mesmas palavras que ele, "ocupar o tempo", me diz que ele está por trás disso.

— Vá para o ginásio depois da sua última aula. Pode ir com o uniforme de Educação Física. — Ela me dá um tapinha no braço e sai andando antes que eu possa protestar.

Um gemido sobe pela minha garganta, mas eu o engulo. Tem alguma coisa que os Royal não sejam capazes de fazer? Não estou interessada em entrar para o time de dança, mas sei que, se eu não aparecer no teste, a senhora Kelley vai falar com Callum, e, se ele ficar com raiva, pode até me obrigar a largar o emprego. Ou, pior, a escola pode decidir que não tenho nada de "especial" a oferecer, e Beringer vai me expulsar, coisa que Callum *definitivamente* detestaria.

Para falar a verdade, eu também não gostaria. Esta escola está anos-luz à frente academicamente das escolas públicas onde estudei no passado.

Não consigo me concentrar na minha última aula. Estou morrendo de medo do teste e, quando chego ao gramado sul depois que o sinal toca, me sinto uma presidiária andando pelo corredor da morte. Eu devia ter perguntado à Val como ela escapou desse tipo de coisa, porque ela sabe dançar e não vejo ninguém a obrigando a fazer um teste.

O vestiário das garotas está vazio quando entro, mas tem uma caixa retangular no banco comprido entre as fileiras de armários.

ELLA, está escrito na tampa, e tem um pedaço de papel dobrado grudado ao lado do meu nome.

Meu estômago dá um nó. Com mãos trêmulas, pego o papel e abro.

Desculpe, querida, não permitimos strippers sujas no time. Mas tenho certeza de que o Clube XCalibur, no centro, ADORARIA deixar você fazer um teste. Na verdade, tenho tanta fé em você que até comprei uma roupa para o teste. O clube fica na esquina da rua Lixo com a avenida Esgoto. Boa sorte!
Jordan

O nome dela está assinado com uma caligrafia feminina, e a alegria por trás de cada letra é inegável.

Minhas mãos tremem ainda mais quando abro a caixa e empurro o papel de seda para o lado. Quando vejo o que tem dentro, o constrangimento invade meu estômago.

A caixa contém uma calcinha vermelha pequenininha, sapatos de salto agulha de doze centímetros e um sutiã de renda vermelha com borlas pretas. A lingerie é feia e vagabunda, e não muito diferente da que eu usava no Miss Candy's, em Kirkwood.

Eu queria saber qual dos Royal contou a elas sobre meu trabalho como stripper. Callum deve ter contado para os filhos, então quem falou? Reed? Easton? Estou apostando em Reed.

Outra emoção encobre meu constrangimento. Fúria. Uma fúria quente que dispara pelo meu sangue e faz as pontas dos meus dedos formigarem. Estou cansada disso. Estou cansada do julgamento e dos insultos e do desprezo. Estou cansada de tudo.

Amasso o bilhete de Jordan e jogo do outro lado do vestiário. Em seguida, dou meia-volta e marcho para a saída.

Na metade do caminho até a porta, eu paro. Meu olhar volta para a lingerie vagabunda no banco.

Quer saber?

Elas acham que sou um lixo? Vou *mostrar* o que é lixo.

Talvez seja a raiva, ou a frustração, ou o caroço de impotência alojado na minha garganta, mas não me sinto no controle do meu corpo. Minhas mãos tiram minhas roupas como se estivessem no piloto automático, e estou tão furiosa que consigo sentir o gosto da fúria. Minha boca está até salivando. Deus, eu estou espumando pela boca.

Puxo a calcinha de renda pelos quadris, fecho o sutiã e ando para a porta. Não a porta que leva para fora, mas a que vai para o ginásio.

Deixo os sapatos no banco. Vou precisar de equilíbrio.

Meus pés descalços batem no chão, cada passo que dou é impulsionado pela raiva e pelo sentimento de injustiça. Essas pessoas não me conhecem. Não têm o direito de me julgar. Abro a porta e entro no ginásio. Cabeça erguida, mãos na cintura.

Alguém repara em mim e faz um ruído de surpresa.

— Puta merda. — Uma voz masculina ecoa do outro lado do ginásio. A divisória que separa os halteres e os equipamentos de musculação da quadra está aberta.

Um som metálico ecoa pelo ambiente, como se alguém tivesse deixado cair um haltere.

Hesito ao caminhar. O time de futebol todo está lá, levantando pesos e malhando. Lanço um olhar rápido na direção dos jogadores e sinto minhas bochechas ficarem quentes. Todos os pares de olhos masculinos estão vidrados. Todos os maxilares estão abertos. Menos um. O maxilar de Reed fica bem apertado enquanto seus olhos azuis me observam com fúria.

Desvio meu olhar e continuo em direção ao grupo de garotas se alongando em uma pilha de colchonetes azuis. Acrescento certo rebolado aos quadris, e todas param o alongamento no meio do movimento, de olhos arregalados.

O choque de Jordan só aparece por um momento. Logo, some e vira cautela. Quando vê o olhar no meu rosto, posso jurar que ela treme. Um segundo depois, fica de pé e cruza os braços sobre o peito.

Ela está usando um short de lycra e um top apertado, o cabelo preto preso em um rabo de cavalo. O corpo é longo e atlético. Forte. Mas o meu também é.

— Você não tem dignidade nenhuma, né? — Ela dá um sorriso de desdém para o meu traje.

Paro na frente dela. Não digo nada. Todas as pessoas naquele ginásio estão olhando para nós. Não, estão olhando para *mim*. Estou seminua, e sei que fico bem mesmo com essa roupa vagabunda. Posso não ter pais bilionários como esses adolescentes têm, mas herdei a aparência da minha mãe.

E essas garotas sabem. Alguns olhares de inveja são dirigidos a mim antes de serem encobertos por expressões de desprezo.

— O que você quer? — pergunta Jordan ao não me ouvir falar nada. — Não me importa o que a treinadora Kelley diz. Você não vai fazer o teste.

— Não? — Finjo uma expressão de inocência. — Mas eu estava *tão* ansiosa.

— Bom, não vai rolar.

Dou um sorriso para ela.

— Que pena. Eu estava doida para mostrar como a gente faz na sarjeta. Mas acho que vou mostrar mesmo assim.

Antes que ela possa responder, puxo o braço e dou um murro na cara dela.

Um pandemônio instantâneo se desenrola em seguida. A cabeça de Jordan é empurrada para trás pelo golpe, e o grito de fúria dela se perde no mar de gritos masculinos ao nosso redor. Um dos caras grita "Briga de gatas!", mas não tenho tempo de ver quem é, porque Jordan pula em cima de mim.

A vaca é forte. Caímos nos colchonetes, e de repente ela está em cima de mim, armando um soco na minha cara. Desvio e rolo nós duas, dou uma cotovelada na barriga dela, depois seguro o rabo de cavalo e puxo com força. Minha visão é uma mancha de fúria. Dou outro soco na bochecha dela, e ela retalia enfiando as unhas no meu braço esquerdo.

— Sai de cima de mim, sua piranha idiota! — grita ela.

Ignoro a dor que se espalha no braço e levanto a outra mão fechada.

— Me obriga.

Solto o murro com força, mas, antes que acerte a cara arrogante dela, sou puxada para trás, voando pelo ar. Braços musculosos envolvem meu peito e me puxam para longe de Jordan.

Bato nos antebraços do meu captor.

— Me solta!

Ele grunhe no meu ouvido. Não preciso me virar para saber que é Reed.

— Fica calma, porra — diz ele rispidamente.

A um metro, as amigas de Jordan a ajudam a se levantar. Ela põe a mão na bochecha vermelha e me olha com raiva. Parece pronta para partir para cima de mim de novo, mas Shea e Rachel a seguram.

A adrenalina que pulsa pelas minhas veias está me deixando tensa. Mas sei que estou prestes a desmoronar. Já estou começando a me sentir fraca e tonta, e meu torso está tremendo contra o peito forte de Reed.

— Me deixe pegá-la, Reed — diz Jordan. O cabelo se soltou do rabo de cavalo e agora cai nos olhos enfurecidos, e um hematoma já está se formando em uma bochecha. — Essa vaca merece um...

— Chega. — A voz grossa a interrompe.

A expressão ameaçadora dela falha quando Reed me solta. Ele tira a camiseta suada, e agora metade das garotas fica olhando para o abdome musculoso enquanto a outra metade continua a me olhar com desprezo.

Reed empurra a camiseta para mim.

— Veste isso.

Eu nem penso duas vezes. Enfio a camiseta pela cabeça. Quando a cabeça sai pela gola, vejo Jordan me olhando com cara de assassina.

— Agora, sai daqui — diz Reed para mim. — Se veste e vai para casa.

Um homem calvo de trinta e poucos anos se aproxima. Está usando um uniforme de treinador e tem um apito pendurado no pescoço, mas sei que não é o treinador principal, porque vi Easton uma vez no corredor conversando com o treinador Lewis. Esse deve ser o treinador do time ou algo assim, e está furioso.

— Essas garotas não vão a lugar nenhum que não seja a sala do diretor — anuncia ele.

Com expressão de tédio, Reed se vira para o homem.

— Não, a minha *irmã* vai para casa. Jordan pode ir para onde você mandar.

— Reed — avisa o homem. — Você não manda aqui.

Reed fala com impaciência.

— Acabou. Já deu. Elas estão calmas agora. — Ele nos olha com firmeza. — Certo?

Faço que sim brevemente.

Jordan também.

— Portanto, não vamos desperdiçar o tempo do Beringer. — A voz de Reed é imperativa e vigorosa com um certo toque de diversão, como se ele estivesse achando ótimo dizer a esse homem mais velho o que fazer. — E nós dois sabemos que ele não vai fazer nada. Meu pai vai passar uma grana para ele, e Ella não vai levar nada além de uma bronca. O pai de Jordan vai fazer a mesma coisa.

O maxilar do treinador se contrai, mas ele não discute, pois sabe que Reed está certo. Depois de uma longa pausa, ele dá meia-volta e sopra o apito, e o som agudo faz todos nós pularmos.

— Não estou vendo ninguém aqui treinando, moças! — grita ele, olhando para os rapazes.

Os jogadores que estavam olhando nossa briga correm para os aparelhos de musculação como se a bunda estivesse pegando fogo.

Reed fica comigo.

— Vai — ordena ele. — Temos um jogo hoje, e agora os caras estão distraídos porque você está vestida que nem puta. Sai daqui.

Ele sai andando sem camisa, com as costas musculosas brilhando no sol que entra pela claraboia. Alguém joga outra camisa para ele, e ele a veste enquanto vai até o irmão. Easton me olha nos olhos por um momento, a expressão impossível de decifrar, então se vira para Reed, e os Royal falam em tons sussurrados um com o outro.

— Piranha — uma voz sussurra.

Ignoro Jordan e saio andando.

Capítulo 16

Não vou ao jogo de futebol americano. Nem o diabo conseguiria me arrastar de volta para a escola hoje, depois de tudo o que aconteceu. Pelo menos eu estava cheia de energia na padaria. Ainda furiosa por causa da briga, trabalhei como um furacão. Quando Lucy estava indo embora, fez um comentário sobre a energia da juventude e como sentia falta disso.

Quando ela saiu, quase gritei que, a não ser que gostasse de lidar com babacas e vacas, ela não estava perdendo nada, mas achei que não devia gritar com minha chefe.

Ainda não consigo acreditar que agredi Jordan Carrington fisicamente.

Mas faria de novo. Num piscar de olhos. A vaca mereceu.

Esta noite, só quero me esconder no quarto e fingir que o resto do mundo não existe. Que os Royal e seus amigos metidos não existem. Mas, mesmo em minha sentença de solidão autoimposta, não consigo resistir a sintonizar o rádio na estação local que está cobrindo o jogo.

Claro que os irmãos Royal ganham bastante destaque na narração. Reed derruba um *quarterback* do outro time. Easton faz uma jogada que faz os locutores gemerem.

— *Isso* é que é porrada.

— Os dois vão ter que colocar gelo nas costelas hoje — concorda o outro locutor.

Astor Park vence, e eu murmuro com sarcasmo um "Aí, time!" enquanto desligo o rádio.

Faço o dever de casa como distração, mas sou interrompida por uma mensagem de texto de Valerie. Ela me informa que tem uma festa hoje, desta vez na casa de uma pessoa chamada Wade. Pergunta se, em vez da festa, quero ir para a casa dela passar a noite dançando. Recuso. Não estou com humor para fingir que está tudo bem.

Odeio essa escola. Odeio essas pessoas. Menos Valerie, mas não sei se minha amiga peculiar e cheia de energia, minha única amiga, pode fazer essa tortura valer a pena.

Acabo descendo para a cozinha, onde encontro Brooke tomando uma taça de vinho na bancada. Ela está usando um vestido de seda, sandálias de salto e tem uma expressão impaciente.

— Oi — digo com hesitação.

Ela dá um cumprimento de cabeça.

— Está tudo bem? — Pego um saco de salgadinho na despensa e fico ali parada, constrangida, me perguntando por que me sinto obrigada a conversar com ela.

— Callum está atrasado — responde ela com a voz tensa. — Vamos voar para Manhattan para jantar, mas ele ainda não chegou em casa.

— Oh. Ah. Sinto muito. — Eles vão de avião até Manhattan só para *jantar*? Quem faz isso? — Tenho certeza de que ele deve chegar logo. Deve ter ficado preso no trabalho.

Ela ri com deboche.

— Claro que ele ficou preso no trabalho. Ele *vive* lá, caso você não tenha reparado.

A resposta dura me deixa desconfortável.

A expressão de Brooke se suaviza quando ela repara no meu desconforto.

— Desculpe, querida. Ignore isso. Estou uma vaca mal-humorada hoje. — Ela sorri, mas o sorriso não chega aos olhos. — Por que você não me distrai enquanto eu espero? Como foi na escola?

— Próxima pergunta? — eu digo na mesma hora.

Isso gera uma gargalhada genuína. Com os olhos brilhando, Brooke dá um tapinha no banco vazio ao seu lado.

— Senta aqui — ordena ela. — E conta tudo para a Brooke.

Eu me sento, mas não sei muito bem por quê.

— O que aconteceu na escola, Ella?

Engulo em seco.

— Ah, nada. Eu, há, talvez tenha dado uma surra em alguém.

Uma gargalhada chocada sai da boca de Brooke.

— Ah, caramba.

Por algum motivo inexplicável, acabo contando a história toda. Que Jordan estava determinada a me humilhar e me envergonhar. Que tirei vantagem da pegadinha dela. Que enfiei um murro no maxilar da vaca. Quando termino, Brooke me surpreende com um tapinha no braço.

— Você tinha todo o direito de perder a cabeça — diz ela com firmeza. — E que bom que botou aquela garota horrenda no lugar dela.

Eu me pergunto se Callum teria a mesma reação estranhamente orgulhosa se soubesse o que eu fiz com Jordan, mas duvido.

— Estou me sentindo mal — admito. — Não costumo ser uma pessoa violenta.

Brooke dá de ombros.

— Às vezes, uma demonstração de força é necessária, principalmente neste mundo. O mundo *Royal*. Você acha que a garota Carrington vai ser a única pessoa a pegar no seu pé por causa da sua origem? Não vai. Conforme-se com o fato de que você agora tem inimigos, Ella. Muitos. Os Royal são uma família poderosa, e você faz parte deles agora. Isso inspira ódio e ciúme nas pessoas ao redor.

Mordo o lábio.

— Eu não sou Royal de verdade. Não de sangue.

— Não, mas é O'Halloran de sangue. — Ela sorri. — Acredite em mim, isso é igualmente sedutor. Seu pai era um homem muito rico. Callum é um homem muito rico. Portanto, você é uma garota muito rica. — Brooke toma um gole delicado de vinho. — Se acostume com fofoca, querida. Se acostume a entrar em uma sala e todo mundo sussurrar que você não pertence àquele lugar. Se acostume, mas não deixe que esses sussurros derrotem você. Reaja quando atacarem. Não seja fraca.

Ela parece uma líder de guerra fazendo um discurso antes da batalha, e não sei se concordo com os conselhos dela ou não. Mas não posso negar que me sinto um pouco melhor pelo trato que dei na cara arrogante da Jordan hoje.

Ouvimos a porta da frente se abrir e um momento depois Callum entra na cozinha. Ele está usando um terno elegante e parece exausto.

— Não fale nada — ordena ele antes que Brooke possa falar. E logo seu tom fica mais suave. — Me desculpe pelo atraso. O comitê decidiu fazer uma reunião quando eu estava de saída. Mas vou só trocar de roupa e Durand vai nos levar ao aeroporto. Oi, Ella. Como foi na escola?

— Ótimo — eu minto, e pulo do banco. Evito o olhar divertidos de Brooke. — Divirtam-se no jantar. Tenho dever de casa para terminar.

Saio da cozinha antes de Callum perceber que não fui ao jogo de futebol como ele queria.

Volto para o quarto de princesa e passo as duas horas seguintes lutando com equações chatas de Matemática. Passa um pouco das onze quando minha porta é aberta e Easton entra sem bater.

Dou um pulo de surpresa.

— Por que você não bateu na porta?

— Somos família. Família não precisa bater. — O cabelo escuro está molhado, como se ele tivesse acabado de tomar banho, e ele está de moletom, uma camiseta apertada e expressão mal-humorada. Na mão direita tem uma garrafa de Jack Daniel's.

— O que você quer? — pergunto.

— Você não foi ao jogo.

— E daí?

— Reed mandou você ir.

— E daí? — digo de novo.

Easton franze a testa e dá um passo na minha direção.

— E daí que você tem que manter as aparências. Papai quer você envolvida nas porras todas. Ele vai nos deixar em paz se você colaborar.

— Eu não gosto de jogos. Você e seus irmãos não querem estar perto de mim. Eu não quero estar perto de vocês. Por que fingir o contrário?

— Que nada, você quer estar perto de nós. — Ele chega mais perto e leva a boca até meu ouvido. O hálito roça meu pescoço, mas não sinto cheiro de álcool. Acho que ele ainda não abriu a garrafa. — E talvez eu queira estar perto de você.

Aperto os olhos.

— Por que você está no meu quarto, Easton?

— Porque eu estou entediado e você é a única pessoa em casa. — Ele se senta na minha cama e se apoia nos cotovelos, a garrafa de uísque apoiada na lateral do corpo.

— Valerie disse que tem uma festa depois do jogo. Você poderia ter ido.

Ele faz uma careta e levanta a camisa para mostrar um hematoma horrível na lateral do torso.

— Levei porrada no campo. Não estou com vontade de sair.

Uma desconfiança toma conta de mim.

— Onde está o Reed?

— Na festa. Os gêmeos também. — Ele dá de ombros. — Como falei, somos só você e eu.

— Estou prestes a ir para a cama.

Os olhos dele percorrem minhas pernas nuas, e sei que ele também não deixa passar a forma como minha camisa puída gruda no peito. Em vez de comentar, desliza pela cama e deita a cabeça no travesseiro.

Trinco os dentes quando ele pega o controle remoto na mesa de cabeceira, liga a TV e coloca na ESPN.

— Sai — eu ordeno. — Eu quero dormir.

— Está cedo demais para dormir. Deixa de ser chata e senta. — Surpreendentemente, não tem malícia no tom dele. Só humor.

Mas ainda estou desconfiada. Eu me sento o mais longe dele possível sem cair do colchão.

Com um sorriso, Easton olha meu quarto rosa e diz:

— Meu pai é um escroto sem noção, né?

Não consigo evitar um sorriso.

— Acho que ele não está acostumado a criar garotas.

— Também não está acostumado a criar garotos — murmura Easton baixinho.

— Ah, é agora que você vai me contar seus problemas com o papai? Papai não ficava em casa, papai me ignorava, papai não me amava.

Ele revira os olhos de novo e ignora a provocação.

— Meu irmão está puto com você — diz ele.

— Seu irmão está sempre puto com alguma coisa.

Easton não responde. Leva a garrafa aos lábios.

Minha curiosidade me vence.

— Tudo bem, vou perguntar. Por que ele está puto?

— Porque você caiu na porrada com Jordan hoje.

— Ela mereceu.

Ele toma outro gole.

— Mereceu mesmo.

Levanto as sobrancelhas.

— Não vai ter sermão? Nada de "você está manchando o nome dos Royal, Ella. É uma decepção para todos nós"?

Os lábios dele tremem.

— Que nada. — Outro sorriso surge, malicioso desta vez. — Aquilo foi a coisa mais sexy que vi em muito tempo. Vocês duas rolando no chão daquele jeito... *Caramba*. Tenho material pra descabelar o palhaço durante anos.

— Que nojo. Não quero saber sobre você descabelando o palhaço.

— Claro que quer. — Toma mais um gole e estica a garrafa. — Beba.

— Não, obrigada.

— Puta que pariu, para de ser tão difícil o tempo todo. Viva um pouco. — Ele coloca a garrafa na minha mão. — Beba.

Eu bebo.

Não sei bem o motivo. Talvez seja porque quero a sensação. Talvez por ser a primeira vez que algum Royal sem ser Callum foi um pouco legal comigo desde que me mudei para cá.

Os olhos de Easton brilham de aprovação quando tomo um gole grande. Ele passa a mão pelo cabelo e faz uma careta por causa do movimento. Sinto pena dele. É um hematoma horrível.

Ficamos sentados em silêncio por um tempo, passando a garrafa de um para o outro. Paro de beber assim que me sinto tonta, e ele me cutuca na lateral do corpo, ainda com o olhar grudado na TV.

— Você não está bebendo o bastante.

— Não quero mais. — Eu me encosto na cabeceira e fecho os olhos. — Não gosto de ficar bêbada. Eu paro quando fico tonta.

— Você já ficou bêbada? — desafia ele.

— Já. E você?

— Nunca — diz ele com inocência.

Eu dou uma risada debochada.

— Aham. Você já devia ser alcoólatra aos dez anos. — Assim que as palavras saem da minha boca, solto um suspiro.

— O que foi? — Ele me olha com curiosidade. Ele fica bem mais atraente quando não está fazendo cara de raiva nem de deboche.

— Nada. Só uma lembrança idiota. — Eu devia mudar de assunto, falar sobre meu passado é algo que costumo evitar, mas a lembrança veio com força, e não consigo evitar uma gargalhada. — É meio errado, na verdade.

— Agora estou intrigado.

— Eu tinha dez anos na primeira vez que fiquei bêbada — eu confesso.

Ele sorri.

— É mesmo?

— É. Minha mãe estava namorando um cara. Leo. — Ele tinha ligações com a máfia, mas não conto isso para Easton. — Estávamos morando em Chicago na época, e ele nos levou a um jogo dos Cubs um fim de semana. Leo estava bebendo cerveja, e eu ficava pedindo para tomar um gole. Minha mãe ficou dizendo que de jeito nenhum, mas Leo a convenceu que um gole não faria mal.

Fecho os olhos e sou transportada para aquele dia quente de junho.

— Eu experimentei e achei o gosto horrível. Leo achou hilária a cara que fiz quando bebi, então, cada vez que a mamãe dava as costas, ele me passava a garrafa e mijava na calça de tanto rir da minha cara. Não devo ter bebido mais do que um quarto da garrafa, mas fiquei *bêbada*.

Ao meu lado, Easton cai na gargalhada. Percebo que é a primeira vez que ouço uma gargalhada genuína no palácio Royal.

— Sua mãe surtou?

— Ah, surtou. Meu Deus. Você tinha que ter visto. Uma garota de dez anos andando de um lado para o outro do corredor e falando arrastado como uma maluca: "Comassim cê num vai comprar um cachor quente?".

Estamos os dois rindo agora, o colchão balançando embaixo de nós. É divertido. Então, claro que isso quer dizer que não dura muito.

Easton fica em silêncio por um momento, depois vira a cabeça para me olhar nos olhos.

— Você foi mesmo stripper?

Eu fico tensa. A palavra *não* surge na minha língua. Mas que sentido faz a essas alturas? O pessoal da escola vai dizer que sim, independentemente de ser verdade ou não.

Faço que sim com a cabeça.

Ele parece impressionado.

— Isso é bem foda.

— Não. Não é.

Ele se mexe e seu ombro roça no meu. Não sei se é intencional da parte dele, mas, quando vira o rosto para mim novamente, sei que ele está totalmente ciente do contato entre nossos corpos.

— Sabe, você é gata quando não está rosnando. — O olhar dele gruda na minha boca.

Estou paralisada, mas não é medo o que faz meu coração disparar. Os olhos de Easton estão escuros de desejo. São do mesmo tom de azul dos de Reed.

— É melhor você ir. — Engulo em seco. — Quero ir dormir agora.

— Não quer, não.

Ele está certo. Eu não quero. Meus pensamentos estão confusos. Estou pensando em Reed, no maxilar forte e no rosto perfeito. Easton tem o mesmo maxilar. Antes que eu consiga me impedir, estico a mão e toco nele.

Um som rouco escapa dos lábios dele. Ele apoia o rosto nos meus dedos. A barba por fazer roça na minha pele macia. Fico perplexa de sentir uma onda de calor entre as pernas.

— Você tinha que chegar e estragar tudo, né? — murmura ele.

E seus lábios se encostam nos meus.

Meu coração bate mais rápido, junto com a pulsação do álcool que corre em mim. Inspirando, separo nossas bocas antes que o beijo possa ir mais longe.

Solto o ar, preparada para fingir que nada aconteceu. Subestimei o *sex appeal* de Easton. Ele é lindo. Os olhos têm pálpebras pesadas, o maxilar é forte como o do irmão. O irmão idiota. Por que não consigo tirar Reed da cabeça?

Easton enfia os dedos no meu cabelo e me puxa para perto. Os lábios roçam nos meus de leve, antes de ele recuar. Seu olhar carrega um convite.

Toco na bochecha dele e fecho os olhos. Um sinal claro. Eu não tinha me dado conta do quanto estava desejando contato humano. Os lábios quentes de um garoto nos meus, a mão dele acariciando meu cabelo. Posso ser virgem, mas já fiquei com garotos, e meu corpo se lembra de como é gostoso. Eu me apoio no peito de Easton quando nossas bocas se encontram de novo.

Quando percebo, ele está em cima de mim, o peso do corpo dele me apertando no colchão. Ele move os quadris, e um prazer toma conta de mim, me fazendo tremer de desejo.

Easton me beija de novo. É um beijo profundo e faminto. A língua dele entra na minha boca na mesma hora que uma voz incrédula diz:

— Vocês estão de sacanagem comigo?

Easton e eu nos separamos, e nossas cabeças se viram para a porta, onde Reed está parado, olhando para nós sem acreditar.

— Reed... — diz Easton, mas não adianta. O irmão dá meia-volta e sai andando.

Os passos de Reed soam altos como meu coração disparado.

Easton rola para o lado, olha para o teto e sussurra:

— Merda.

Capítulo 17

Um segundo se passa. Dois. Três. Easton, então, pula da cama e corre atrás de Reed.

— Eu estava bêbado — eu o ouço exclamar no corredor.

E o ardor da humilhação, a vergonha que jurei que nunca senti, me queima. Ele só me beijou porque estava bêbado.

— Que se dane, East. Faça o que quiser. Você sempre faz. — Reed parece cansado, e meu coração idiota, o coração faminto e solitário que permitiu que Easton me beijasse, dói por Reed.

— Foda-se, Reed. Você queria que eu parasse de tomar analgésicos e eu parei, mas levei uma porrada de um touro de cento e trinta quilos e minhas costelas estão doendo pra caralho. Tem que ser álcool ou tarja preta. Pode escolher.

A voz de Easton vai ficando mais baixa, e não ouço a resposta de Reed. Apesar de saber que não devo, eu me aproximo da porta e espio o corredor. Chego a tempo de ver os dois desaparecerem para dentro do quarto de Reed. Meus pés descalços não fazem ruído enquanto sigo silenciosamente pelo corredor até a porta agora fechada.

— Por que você foi embora da festa? Abby estava se jogando para cima de você depois do jogo — diz Easton. — Trepada fácil, cara.

Reed faz um som de deboche.

— É por isso que estou aqui. Não posso voltar a cair nessa.

— Por que você saiu com ela na primeira vez?

Prendo a respiração, porque é uma resposta que eu gostaria de saber. Qual é exatamente o tipo de Reed?

Ouço um baque e depois outro, como se alguma coisa estivesse sendo jogada na parede.

— Ela... ela me lembrou a mamãe. Suave. Tranquila. Não é forçada.

— Como a Ella. — Easton ri com sarcasmo. Outro baque, desta vez meio abafado. — Ei, você quase me acertou com essa bola, babaca.

Os dois riem. Estão rindo de mim?

— Fique longe dela, East. Você não sabe com quem ela andou — avisa Reed. Agora parece que eles estão brincando de jogar bola enquanto discutem casualmente meu histórico sexual.

— Ela é mesmo stripper? — pergunta Easton depois de um tempo. — Ela me disse que foi, mas pode ser mentira.

— Foi o que Brooke disse. Além do mais, isso estava no relatório do papai.

Brooke contou que eu fiz striptease? Como fui burra de confiar nela! E o que ele quer dizer com *relatório* de Callum?

— Eu não li. Tinha fotos?

Reviro os olhos pela ansiedade na voz de Easton.

— Tinha.

— Dela tirando a roupa? — Ele está ainda mais empolgado.

— Não. Só fotos dela fazendo coisas normais. — Reed faz uma pausa. — Ela teve três empregos no verão. Foi atendente em uma parada de caminhões de manhã, vendedora à tarde e fazia striptease em um bar à noite.

— Caramba. Que puxado. — Easton parece quase impressionado. Mas não Reed. Reed parece repugnado. — Como Jordan descobriu?

— Um dos gêmeos falou. Provavelmente quando estava ganhando um boquete.

— Foi Sawyer, então. Ele não consegue ficar calado quando tem uma puta com a boca no pau dele.

— Verdade. — Uma gaveta é fechada. — Sabe, você podia usar isso. Caramba, se ela estiver na sua, você pode usá-la. Fique com ela. Descubra o que ela quer. Eu ainda não estou convencido de que não tem alguma coisa rolando entre ela e papai.

— Ela disse que não está trepando com ele.

— E você acreditou?

— Talvez. — A descrença de Reed contagia Easton. — Com quantos caras você acha que ela já transou?

— Quem é que sabe? Interesseiras como ela abrem as pernas pra qualquer um que sacodir uns dólares para elas.

Eu não sou interesseira!, tenho vontade de gritar. E esses babacas não podiam estar mais errados sobre minha "vida sexual ativa". Eu nunca fiz um boquete. Na escala sexual, estou mais perto de *pudica* do que de *profissa*.

— Você acha que ela pode me ensinar alguma coisa? — reflete Easton.

— Que tal uma DST? Mas, se quiser trepar com ela, vá em frente. Não me importo.

— É mesmo? Você está jogando essa bola de futebol americano com tanta força exatamente porque não se importa.

O barulho para.

— Você está certo. Eu me importo.

Minha mão sobe até o pescoço. Tum. Tum. Tum. Eles jogam a bola de um para o outro. Ou talvez seja a esperança no meu coração.

— Eu me importo com você. Me importo se você se magoar, ficar doente, o que for. Mas estou cagando pra ela.

Olho para a minha mão e espero ver o sangue do ferimento que ele acabou de abrir em mim. Mas não tem nada lá.

Meu despertador toca às cinco. Meus olhos estão grudentos e me sinto toda dolorida. Devo ter chorado um pouco antes de adormecer, mas esta manhã tenho uma sensação renovada de determinação.

Não faz sentido querer que os Royal gostem de mim, principalmente Reed. A viúva de Steve é uma filha da puta, mas pelo menos está óbvio, então sei o que esperar. O mesmo serve para Easton. Se ele tentar me usar, vou usá-lo também.

Afinal, eu não tenho segredos. Estão todos escritos em um *relatório* de Callum.

Amarro os tênis e coloco a mochila nos ombros, dez mil dólares mais leve. Decidi que era estressante demais ficar carregando aquele monte de dinheiro, então grudei na parte de baixo da pia do banheiro. Espero que fique em segurança lá.

Acordar tão cedo em uma manhã de sábado é desorientador, mas Lucy me pediu para ir hoje ajudar com uma encomenda de bolo, e não achei certo dizer não. Além do mais, qualquer dinheiro a mais que entrar é útil.

No corredor, tento andar o mais silenciosamente possível para não acordar os Royal. Estou tão concentrada em descer a escada nas pontas dos pés que quase tropeço quando ouço a voz grave de Reed atrás de mim.

— Aonde você vai?

Humm, não é da sua conta. Penso que, se eu não responder, ele vai voltar para o quarto dele.

— Que se dane — murmura ele quando continuo em silêncio. — Estou cagando.

Depois que a porta do quarto se fecha, eu me parabenizo por afastar mais uma pessoa na vida e saio pela porta da frente. Ainda está escuro quando ando até o ponto de ônibus. Chegando lá, fico dentro do abrigo e tento afastar todas as coisas ruins da minha cabeça.

Minha maior habilidade, se é que tenho alguma, não é dançar. É minha capacidade de acreditar que amanhã pode ser um dia melhor. Não sei de onde tirei esse otimismo. Talvez tenha sido da mamãe. Em algum momento, comecei a pensar que, ao superar uma experiência ou um dia ruim, eu sairia uma pessoa melhor, mais interessante, renovada.

Ainda acredito nisso. Ainda acredito que tem alguma coisa boa por aí me esperando. Só preciso continuar em frente até minha hora chegar, porque é claro, *claro* que nada disso aconteceria se não houvesse uma recompensa no caminho.

Respiro fundo. O sal do mar deixa o ar com gosto fresco e forte. Por mais terríveis que os Royal sejam, por mais cruel que Dinah O'Halloran seja, minha vida hoje *está* melhor do que estava uma semana atrás. Tenho uma cama quente, roupas bonitas, muita comida. Estou estudando em uma escola incrível. Tenho uma amiga.

Tudo vai ficar bem.

De verdade.

Chego à padaria me sentindo melhor do que me sinto há dias. Deve estar evidente, porque Lucy me elogia na hora.

— Você está linda hoje. Ah, ser jovem de novo. — Ela estala a língua em consternação fingida.

— Você é que está linda, Lucy — digo para ela enquanto amarro o avental. — E tem alguma coisa com cheiro delicioso. O que é? — Aponto para as pequenas bandejas com delícias brilhosas.

— Mini *monkey bread*. São pedacinhos de massa de pão com sabor de canela misturados com caramelo e manteiga. Quer um?

Faço que sim com tanto entusiasmo que minha cabeça quase cai.

— Acho que tive um orgasmo só com o cheiro.

Lucy ri de prazer, os cachos curtos balançando ao redor da cabeça.

— Então come um e mostro como fazer mais quatro dúzias.

— Mal posso esperar.

O doce é um sucesso. Vendemos tudo antes das oito da manhã, e Lucy me manda fazer mais antes de o meu turno acabar. Às onze e quarenta e cinco, Valerie aparece, e estou tão de bom humor que quase a derrubo com um abraço.

— O que você está fazendo aqui? — pergunto com alegria, apertando-a com força antes de soltá-la.

— Eu estava aqui perto. O que está rolando com você? — Valerie ri. — Transou ontem à noite?

— Não, mas tive orgasmos induzidos por doces a manhã toda. — Pego um doce recém-assado da prateleira e entrego para ela.

Valerie arranca um pedaço do pão e começa a gemer assim que o açúcar encosta na língua.

— Ah, meu Deus.

— Né? — Dou uma risadinha.

— Durand vem buscar você ou precisa de carona? Estou de carro hoje! — diz Valerie com a boca cheia de carboidratos.

— Eu adoraria pegar carona com você. — Tiro o avental e corro para pegar minhas coisas. — Tudo bem eu ir embora, Lucy?

Ela faz sinal para eu ir, ocupada com outro cliente.

O carro de Valerie é um Honda modelo antigo e parece deslocado em meio aos Mercedes, Land Rovers e Audis que enchem o estacionamento lá fora.

— É o carro da mãe de Tam — explica ela. — Eu me ofereci para buscar algumas coisas para ela.

— Legal. — Com timidez, conto: — Callum disse que vou ter um carro, e, quando chegar, você pode pegar emprestado sempre que quiser.

— Ah, obrigada. Você é a melhor amiga do mundo. — Ela ri e olha para mim. — Eu parei para ver se você queria ir a um lugar hoje à noite.

Meu bom humor diminui um pouco. Espero que ela não vá me chamar para ir a uma festa, porque a ideia de estar com alunos da Astor Park fora da escola não me é muito atraente.

— Bom, eu tenho dever de casa...

Valerie estica a mão e me belisca.

— Ai! Pra que isso? — Eu massageio o braço e faço cara feia para ela.

— Me dê um crédito. Não vou chamar você para uma festa da escola. Pode ser que tenha gente da Astor lá, mas é uma boate no centro que às vezes permite a entrada de menores de vinte e um anos, e hoje é um desses dias. Vai ter gente de todas as escolas, não só da Astor Park.

— Eu não tenho dezoito anos. — Afundo no banco. — E a única identidade que tenho diz que tenho trinta e quatro.

— Não importa. Você é gata. Vão deixar você entrar — diz Valerie com confiança.

Ela está certa. Não pedem identidade de nenhuma de nós duas na porta quando chegamos à boate naquela noite. O leão de chácara aponta a lanterna para Val e depois para mim, observa nossos cabelos arrumados, nossos vestidos curtos e saltos altos e nos deixa entrar com uma piscadela.

O lugar parece ser um armazém reformado. O baixo sacode as paredes e luzes estroboscópicas iluminam a pista de dança. Na frente da pista tem um palco, e algumas garotas dançam sensualmente em cima dele.

— Vamos dançar naquilo hoje — Valerie grita no meu ouvido e aponta para cima.

Sigo o braço dela. Acima da pista de dança, suspensas em alturas diferentes, há quatro gaiolas de tamanho humano. Tem gente dançando dentro de cada uma delas. Em uma delas, uma garota e um cara se esfregam, e as outras três gaiolas exibem garotas sozinhas.

— Por quê? — pergunto com desconfiança.

— Para a gente se sentir bem. Estou com saudade de Tam e quero dançar e me divertir.

— A gente não pode só dançar na pista?

Val balança a cabeça.

— Não. Metade da dança é a admiração da plateia. — Ela sorri para mim.

Olho para ela, impressionada.

— Isso não é nem um pouco a sua cara.

Ela ri e balança o cabelo.

— Eu não sou um rato que vive na toca. Adoro dançar e me exibir, e aqui é um lugar onde posso fazer isso. Tam me trouxe aqui e arrasamos na pista. Depois, arrasamos entre os lençóis. — Ela morde o lábio, e seu olhar fica meio brilhoso enquanto ela relembra a pós-festa com o namorado.

Então Val é meio exibicionista. Quem poderia imaginar? As quietinhas sempre supreendem. Nunca me incomodei de dançar na frente das pessoas, mas não me dá prazer como parece dar a Val. Quando começo a dançar, eu me perco na música e esqueço que tem gente olhando.

Talvez seja um reflexo de proteção que aprendi cedo, quando fazia striptease aos quinze anos. Mas, seja qual for o motivo, quando a batida penetra no meu sangue, não faz diferença se não tem ninguém ou se tem cem pessoas ao meu redor. Eu me mexo para a música, não para a plateia.

— Claro. Eu topo.

Ela parece empolgada.

— Legal. Uma gaiola ou duas?

— Que tal juntas? Vamos dar um show e tanto.

Os homens da Miss Candy's adoravam quando duas garotas dançavam juntas. Assim como os jogadores de futebol americano gostaram de ver minha briga com Jordan.

Valerie bate palminhas de alegria.

— Espere aqui. Volto logo.

Eu a vejo andar até um cara em uma cabine. Achei que era o DJ, mas parece que é ele quem controla o acesso às gaiolas. Eles trocam algumas palavras, e o cara levanta um dedo. Valerie estica a mão por cima da barreira e dá um abraço nele.

Depois de convencê-lo de que vamos fazer um show melhor, ela corre até mim.

— Uma música e é a nossa vez. — Ela pega dois refrigerantes de uma garçonete que passa com uma bandeja cheia de bebidas e me entrega um.

Val não parece muito paciente. Fica se mexendo. Bate com a palma da mão na perna. Finalmente, vira-se para mim.

— Por que a Jordan chama você de stripper?

— Porque eu fui stripper — admito. — Eu fazia strip para pagar as contas de hospital da minha mãe e, quando ela morreu, passei a fazer strip para pagar o teto acima da minha cabeça.

O queixo dela cai.

— Puta merda. Por que você não procurou um parente?

— Eu não sabia que tinha parente. — Dou de ombros. — Sempre fomos eu e minha mãe, desde que consigo lembrar. E, quando ela morreu, eu não queria ser adotada. Ouvi várias coisas horríveis sobre o sistema de adoção e concluí que vinha tomando conta dela e de mim por tanto tempo que cuidar de mim mesma por dois anos seria moleza.

— Uau. Você é impressionante demais para mim — declara Val.

Eu dou uma risada.

— Impressionante como? Tirar as roupas para ganhar dinheiro não é uma competência que a maioria das pessoas admira. — Minha mente volta involuntariamente para Reed. Ele definitivamente não acha que seja uma habilidade da qual eu deva me gabar.

— Você tem peito — diz Val. — E é isso que eu admiro.

— Tem peito? Quem fala assim?

— Eu! — Ela sorri e puxa minha mão. — Peito. Peito. Peito. — Começo a rir, porque Val é adorável e o sorriso dela é contagiante. Ela segura a minha mão. — Vamos. É nossa vez.

Eu a deixo me arrastar até a base da escada. O casal já saiu e a porta da gaiola está aberta. Corremos escada acima e entramos. Val fecha a porta.

— Vamos nos divertir! — grita ela mais alto que a música.

E nos divertimos mesmo. Começamos dançando lado a lado, cada uma na sua. É como no videogame, mas de verdade. Garotos abaixo de nós param de dançar e começam a olhar, e os olhares de admiração começam a me motivar de uma forma que achei que fosse impossível. Dezenas de homens já ficaram me olhando em outras ocasiões, mas esta é a primeira vez que gosto da atenção. Passo as mãos pelas laterais do corpo e rebolo até o chão da gaiola. Val está encostada nas barras, se apoiando nelas enquanto rebola com a música.

Quando começo a subir é que o vejo. Reed. Está encostado no bar, com uma garrafa de cerveja na mão. Os lábios estão entreabertos... de surpresa? De desejo? Não sei, mas mesmo de longe consigo sentir o calor dos olhos dele percorrendo meu corpo.

Ele é o cara mais lindo da boate, sem dúvida. É mais alto do que quase todo mundo, mais musculoso, mais tudo. Não consigo deixar de admirar a forma como a camiseta preta fica grudada no seu peito perfeito, e sinto um formigamento subir pela coluna. Lambendo os lábios, fico de pé. Val coloca as mãos na minha cintura. De salto, ficamos quase com a mesma altura. Sinto os peitos dela nas minhas costas enquanto ela usa meu corpo como apoio para exibir seus movimentos.

Os gritos das pessoas lá embaixo estão ficando mais fortes, mas, para mim, a única coisa que existe é Reed Royal.

Eu olho para ele.

Ele olha para mim.

Eu coloco o dedo na boca e puxo devagar. Ele não afasta o olhar.

Passo o dedo pelo pescoço, entre os seios, pela barriga. O barulho está ficando cada vez mais alto. Minha mão está indo mais para baixo.

Os olhos de Reed estão grudados em mim. Sua boca se move. *Ella... Ella...*

— Ella.

Valerie segura minha cintura e apoia a cabeça no meu ombro.

— A música acabou. Vamos?

Olho para o bar, mas Reed sumiu. Balanço a cabeça. Será que imaginei tudo? Ele estava mesmo lá?

— Sim — murmuro. — Vamos.

Meu corpo todo está latejando. Não sou tão inexperiente a ponto de não saber o que o incômodo entre as minhas pernas significa. É só que... não sei se me masturbar vai me dar o alívio de que preciso.

— Legal, meninas. Muito bom — grita o leão de chácara quando saímos. — A gaiola é de vocês quando quiserem.

— Valeu, Jorge! — diz Val.

Ele entrega duas garrafas de água para ela.

— Foi um prazer, gata. Um prazer.

— Ele quer você — eu digo para ela quando nos afastamos.

— É, mas eu não quero ninguém, só Tam. — Ela bebe água e passa a garrafa fria na testa. — Mas estou sentindo aquilo agora. Sabe o que quero dizer?

Para minha consternação infeliz, sei.

— Bom, preciso fazer xixi. Quer ir?

Balanço a cabeça.

— Vou esperar aqui.

Quando ela desaparece na multidão, termino minha garrafa de água e olho ao redor. O local está bem mais cheio agora, e reparo em alguns olhares interessados direcionados a mim.

Faço contato visual com um cara bonito de corte de cabelo punk. Ele está usando calça jeans, camiseta apertada e All Star. Uma luz estroboscópica ilumina um piercing na sobrancelha e outro no lábio superior.

Ele parece... à vontade. Sinto como se eu o conhecesse. Como se fôssemos farinha do mesmo saco. Dou um sorriso hesitante, que ele retribui. Vejo-o murmurar alguma coisa para um amigo e começar a andar na minha direção. Eu me endireito...

— Ei, maninha. Vamos dançar. — Easton aparece do nada, o corpo enorme, bem mais alto do que eu.

O garoto que estava vindo na minha direção recua. Bosta.

— Estou fazendo uma pausa. — Devo acenar para ele para dizer que está tudo bem? Que Easton não morde?

Easton acompanha meu olhar. Faz uma careta para o cara de piercing, até ele levantar as mãos em rendição e voltar para a mesa.

— Onde estávamos? — pergunta Easton com inocência. — Ah, é, vamos dançar.

Suspiro e desisto. Easton acabou de deixar claro que vai espantar qualquer cara que se aproximar de mim hoje. Ele me segura pela cintura e praticamente me carrega para a pista de dança.

— Você está gata hoje. Se não fosse minha irmã, eu pegava você.

— Você já me pegou. — Franzo a sobrancelha para a sua expressão de incompreensão. — Ontem à noite.

Ele sorri.

— Ah, é. Aquilo. Venha, vamos dançar.

Alguns caras dão tapinhas nas costas dele quando passamos e gritam coisas do tipo "você é o cara". Ignoro e concluo que, se Easton está aqui, devo realmente ter visto Reed. Foi para Reed que eu dancei. Foi Reed que me devorou com os olhos e me fez me sentir tão gostosa que meu corpo ainda parece estar pegando fogo.

— Tenho certeza de que você pegaria qualquer uma no estado em que está — comento.

Easton passa as mãos pelas laterais do meu corpo, desliza pelo meu vestido e para na pele exposta pelas aberturas.

— Eu tenho alguns padrões. Não muitos, mas alguns.

— Que bom que passei no corte — eu digo secamente.

Ele me puxa para mais perto, mas, surpreendentemente, as mãos não se deslocam. Passo os braços pelo pescoço dele e me pergunto qual é o jogo agora.

— Você deu um show e tanto. Eu gostaria de ver você fazer um strip.

— Se você fizer primeiro, e, quem sabe, se você for bom, eu retribua o favor.

Os olhos dele se enchem de alegria. Ele adora a ideia de um espetáculo.

— Maninha, não posso mostrar meus atributos para você. Sou tão incrível que, se você me visse, não conseguiria mais olhar para outro homem.

Dou uma risada contra a vontade.

— Você é demais, Easton.

— Sou. — Ele assente solenemente. — É por isso que transo com várias. Porque nenhuma garota pode dar conta de mim sozinha.

Essa declaração me faz revirar os olhos.

— Se dizer isso para si mesmo faz você se sentir melhor, fique à vontade.

— Ah, eu estou à vontade, não se preocupe. — Ele chega a cabeça para perto da minha, e o bafo de álcool quase me derruba.

— Caramba, você está parecendo um barril de cerveja. — Eu o empurro para botar uma certa distância entre nós.

Ele sorri, mas não é um sorriso bonito.

— Eu sou alcoólatra, você não sabia? Tenho problemas com o vício. Herdei da minha mamãe, assim como a sua mãe passou a piranhagem dela para você. Não são presentes incríveis?

Se não fosse a dor nos olhos dele, eu teria dito que prefiro me vestir como piranha a me afogar numa garrafa de ácool, mas reconheço a dor dele, então, em vez de fazer um comentário qualquer em resposta, encosto a cabeça dele no meu ombro.

— Ah, Easton, eu também sinto falta da minha mãe — digo perto do cabelo suado dele.

Ele treme e me aperta com mais força. Vira o rosto para o meu pescoço e pressiona os lábios contra uma veia. Não é muito erótico. No caso... ele está procurando consolo com uma pessoa que não o está julgando.

Por cima do corpo encolhido, vejo um par de olhos ardentes.

Reed.

E estou tão cansada disso. Easton pode querer me usar, e também não sou contra usá-lo.

Nós dois queremos uma coisa... consolo, afeto, uma forma de atacar o mundo. Puxo a cabeça de Easton para cima.

— O que foi? — murmura ele.

— Me beija com vontade — eu digo para ele.

Os olhos dele ficam sombrios, e a língua aparece para umedecer o lábio superior. É sexy demais.

Meu olhar se desvia para Reed, que não parou de olhar e fazer cara feia.

— Me beija — repito.

Ele baixa a cabeça e sussurra:

— Não me importo com o fato de você estar fingindo que eu sou Reed. Eu também estou fingindo que você é outra pessoa.

As palavras dele se perdem quando a boca encosta na minha. Os lábios estão tão quentes. E o corpo, forte e firme, tão parecido com o do irmão, pressiona o meu. Eu me entrego ao momento. Nós nos beijamos e nos beijamos e dançamos com a música, até alguém nos separar e sermos arrastados para fora da pista de dança.

Um leão de chácara bravo cruza os braços.

— Nada de sexo na pista de dança. Hora de irem embora.

Easton joga a cabeça para trás e dá uma gargalhada. O segurança não relaxa e apenas aponta para a saída. Olho ao redor, mas Reed desapareceu de novo.

— Onde está o Reed? — pergunto como uma idiota.

— Deve estar comendo Abby no estacionamento.

Felizmente, Easton está distraído procurando alguma coisa nos bolsos e não vê quanto suas palavras magoam. Ele encontra o que estava procurando e me entrega a chave do carro.

— Estou bêbado demais para dirigir, mana.

Procuro Valerie, que diz que pode ir para casa sozinha. Ela está subindo a escada para dançar na gaiola de novo. Resignada, levo Easton lá para fora. O álcool parece estar fazendo efeito, porque ele se apoia pesadamente em mim.

— Onde você estacionou?

Ele aponta para a esquerda.

— Ali. Não, espere. — Ele vira para a direita. — Ali.

Vejo a picape, e vamos cambaleando até lá. A três vagas está o carro de Reed. Está... balançando.

Easton também vê o Rover e bate no capô. Solta outra gargalhada alta.

— Se a picape está balançando, não fique atrapalhando.

Fico pensando no que devia estar acontecendo naquele carro até chegar em casa. Pelo menos, não tenho que trocar farpas com Easton, pois ele desmaia cinco minutos depois que arranco com o carro.

Na mansão, eu o ajudo a sair da picape e a subir a escada. Ele entra no meu quarto e cambaleia até a cama, caindo de cara. Depois de duas tentativas malsucedidas de deslocá-lo, desisto e vou ao banheiro. Quando volto, ele está roncando e babando no edredom.

Penso em ir para o quarto dele e dormir na sua cama, mas decido que vou cobri-lo e dormir debaixo do edredom. Encontro uma colcha e jogo em cima dele. Um bocejo sacode meu corpo todo quando tiro o pedaço de tecido que Val chamou de vestido e o deixo cair no chão. Só de lingerie, entro embaixo das cobertas e deixo o sono tomar conta de mim.

Quando acordo, a cara de raiva de Reed está na minha frente. Olho para o lado da cama onde Easton estava, mas ele sumiu.

— Eu mandei você ficar longe dos meus irmãos — rosna Reed.

— Eu não sou boa ouvinte. — Começo a me sentar, mas puxo o lençol contra o peito. Esqueci que tirei o vestido e estou só de calcinha.

— Sexo é sexo — responde ele com voz sombria. — Se tiver que trepar com você para você não estragar minha família, eu faço isso.

E ele sai, batendo a porta com força. Fico sentada ali, em choque.

O que ele quis dizer com isso?

Capítulo 18

Depois *daquele* despertar grosseiro, não tem a menor chance de eu voltar a dormir. Não me dou ao trabalho de correr atrás de Reed para pedir que se explique, porque sei que ele não vai se explicar, mas agora — olho no despertador — são sete horas da manhã e estou bem desperta. Que maravilha.

Não trabalho nos fins de semana, então já estou temendo o dia de hoje. Conhecendo Callum, sei que ele vai sugerir várias atividades em conjunto e vai obrigar os filhos a irem conosco. É melhor me matar logo.

Eu me arrasto para fora da cama e tomo um banho rápido, depois coloco um vestido amarelo que comprei no dia em que Brooke e eu fomos às compras. Pela luz do sol entrando pelas cortinas, percebo que vai ser um dia lindo, e, quando abro a janela, uma brisa quente entra e me surpreende. Estamos quase no final de setembro. O tempo não devia estar tão bom.

Será que Gideon vem para casa hoje? Semana passada ele veio em uma sexta-feira, então é improvável que apareça no final do fim de semana, mas eu até queria que aparecesse. Talvez ele distraia o pai e os irmãos e eles esqueçam que estou aqui.

Saio do quarto na mesma hora em que a porta do quarto de Sawyer se abre. A pequena ruiva com quem ele estava se pegando na festa de Jordan sai do quarto e ele vai atrás, com a mão na cintura e se inclinando para beijá-la.

Ela ri baixinho.

— Eu tenho que ir. Preciso chegar em casa antes dos meus pais perceberem que não voltei para casa ontem.

Ele sussurra alguma coisa no ouvido dela e ela ri de novo.

— Amo você.

— Eu também amo você, gata — responde ele. O garoto só tem dezesseis anos, mas a voz é grave e rouca como a dos irmãos mais velhos.

— Me liga depois?

— Claro. — Sorrindo, Sawyer estica a mão, prende uma mecha de cabelo atrás da orelha dela e...

Ah, meu Deus. Não é Sawyer.

Meu queixo cai. A queimadura horrível na mão dele, que aconteceu no começo da semana quando ele queimou o jantar, sumiu. Mas estava lá ontem, eu me lembro de ter visto.

Isso quer dizer que o cara com a namorada de Sawyer não é Sawyer. É Sebastian. Eu me pergunto se a garota sabe.

Ela ri de prazer quando ele beija o pescoço dela de novo.

— Para. Eu tenho que ir!

Talvez ela saiba.

Quando eles se separam, os dois reparam em mim ali, e a garota parece insegura por um momento. Ela murmura um "oi" apressado e desce a escada correndo.

Sawyer, não, *Sebastian* olha para mim com raiva, depois desaparece no quarto dele, não, do *irmão*.

Tudo bem. Melhor cuidar da minha vida.

Na cozinha, encontro o outro gêmeo comendo cereal à mesa. Meu olhar segue imediatamente para a mão esquerda. É, a queimadura está lá. Só para testar a teoria, digo:

— Bom dia, Sebastian.

— Sawyer — diz ele antes de botar mais cereal na boca.

Engulo um arquejo. Ah, cara. Esses garotos estão fazendo troca de gêmeos com a namorada de Sawyer? Que coragem. E que sujeira.

Sirvo uma tigela de cereal para mim e me encosto na bancada para comer. Alguns minutos depois, Sebastian entra na cozinha. Quando passa pela mesa, Sawyer murmura para o irmão:

— Valeu, mano.

Não consigo evitar. A gargalhada sai espontaneamente.

Os dois se viram e me olham com irritação.

— O quê? — murmura Sawyer.

— Sua namorada sabe que passou a noite com seu irmão? — eu pergunto a ele.

As feições dele ficam rígidas, mas ele não nega. Só dá um aviso:

— Diga uma palavra sobre isso e…

Eu o interrompo com uma gargalhada.

— Relaxem, pequenos Royal. Vocês podem fazer os jogos sexuais doentios que quiserem. Meus lábios estão selados.

Callum entra na cozinha, usando uma camisa polo branca e calça cáqui. O cabelo escuro está penteado para trás com gel, e, pela primeira vez, não parece que ele visitou o armário de bebidas.

— Que bom, vocês estão acordados, meninos — diz ele para os gêmeos. — Onde estão os outros? Mandei que estivessem aqui embaixo às sete e quinze. — Ele se vira para mim.

— Você está linda, mas talvez queira colocar um traje mais apropriado para velejar.

Eu olho para ele sem entender.

— Velejar?

— Eu não falei para você ontem à noite? Vamos todos velejar hoje.

O quê? Não, ele *não* me falou, e, se eu soubesse disso, teria fugido de casa com a namorada de Sawyer e me escondido no porta-malas do carro dela.

— Você vai adorar o *Maria* — diz Callum, parecendo empolgado. — Não tem muito vento hoje, então acho que não vamos usar as velas, mas vai ser divertido mesmo assim.

Eu e os Royal em um barco? Em alto-mar? Acho que Callum não entende o sentido da palavra *divertido*.

Easton cambaleia para dentro da cozinha nessa hora, vestido com um short cargo amassado, uma regata cavada e um boné puxado sobre a testa. Ele está de ressaca da noite anterior, e de repente tenho visões do barco sacudindo nas ondas enquanto Easton passa a manhã vomitando no mar.

— Reed! — grita Callum na direção da porta. — Anda logo! Ella, troque de roupa. E use os docksides que Brooke comprou. Ela comprou *docksides*, não?

Não faço ideia, porque *docksides* não é uma palavra que faça parte do meu vocabulário. Faço uma tentativa de sair desse pesadelo que ele acabou de criar.

— Callum, eu tenho um monte de dever de casa...

— Leve com você. — Ele balança a mão e grita de novo: — Reed!

Droga. Pelo jeito, vou velejar.

O *Maria* é tudo o que você esperaria de um barco de um gazilionário. *Barco*. Rá. É um iate, claro, e sinto como se estivesse vendo um vídeo de rap. Fico encostada na amurada tomando goles da taça de cristal que Brooke colocou na minha mão quando Callum não estava olhando. Ela piscou e sussurrou que eu devia dizer que era refrigerante se Callum perguntasse, coisa que ele nunca faz.

Callum estava certo: o passeio de barco é lindo, e o Atlântico se espalha ao redor de nós, calmo e deslumbrante.

Fui até a marina com Callum e Brooke, e os rapazes foram no carro de Reed. Isso foi um alívio, porque a ideia de me sentar no carro de Reed depois de vê-lo balançando no estacionamento ontem à noite me deixou enjoada.

Queria saber com quem ele estava. Com a doce e pura Abby, aposto. Só não sei se o satisfez. Ouvi que o sexo deixa a pessoa tranquila e relaxada, mas o corpo todo de Reed está encolhido de tensão desde que subimos no iate.

Ele fica do outro lado da amurada, o mais distante possível de mim e de Callum sem cair no mar. No convés superior, que abriga uma área de jantar e um ofurô, Brooke está tomando banho de sol nua, o cabelo dourado brilhando. O tempo não está quente o bastante para trajes de banho, menos ainda para ficar sem traje nenhum, mas ela não parece se importar.

— O que você acha? — Callum indica a água. — Pacífica, né?

Na verdade, não. Não existe paz quando Reed Royal está encarando você. Não, *fuzilando* você com o olhar, coisa que ele está fazendo comigo há uma hora.

Easton ainda está lá embaixo fazendo Deus sabe o quê, e os gêmeos estão dormindo em duas espreguiçadeiras próximas de nós, então Callum é minha única companhia, e Reed não está feliz com isso.

— Querido! — chama Brooke do convés superior. — Vem passar óleo nas minhas costas!

Callum evita meu olhar, provavelmente por não querer que eu veja a expressão de desejo.

— Você fica bem sozinha aqui por um tempo? — pergunta ele.

— Tudo bem. Pode ir.

Fico aliviada de ficar sozinha, mas o alívio não dura. A tensão aumenta novamente quando Reed se desloca para perto de mim com passos predatórios. Ele apoia os antebraços na amurada e mantém o olhar direcionado à frente.

— Ella.

Não consigo saber se é um cumprimento ou uma pergunta. Reviro os olhos.

— Reed.

Ele não continua. Só fica olhando para a água.

Dou uma espiada nele, e meu coração dá aquele salto irritante que sempre dá quando Reed está por perto. Ele é a masculinidade personificada. É alto e largo, com feições lindas, talhadas à perfeição. Minha boca fica seca enquanto admiro os braços, cobertos de músculos, vibrando de poder.

Ele é uns trinta centímetros mais alto do que eu, então, quando finalmente se vira para olhar para mim, preciso inclinar a cabeça para olhar para ele.

Os olhos azuis percorrem meu corpo, param brevemente no meu short jeans e no top apertado amarrado no pescoço. Observam meus docksides azul-marinho e brancos, e o canto da boca levanta discretamente.

Eu me pergunto se ele vai debochar dos meus sapatos, mas o quase sorriso some quando um gemido rouco ecoa de cima de nós.

— *Isso*. — A voz grave de Brooke faz com que Reed e eu nos encolhamos.

Um grunhido masculino vem na sequência. Aparentemente, Callum não se incomoda de curtir com os filhos por perto.

Acho nojento, mas, ao mesmo tempo, não consigo odiá-lo, não depois da confissão de que ele ainda sofre com a falta da esposa. A perda nos leva a fazer coisa malucas.

Reed engole um palavrão.

— Vamos.

O aperto de aço captura meu braço, impossibilitando que eu faça qualquer coisa além de segui-lo na direção da escada que leva para baixo do convés.

— Aonde estamos indo?

Ele não responde. Abre a porta e entramos na luxuosa sala principal, mobiliada com sofás de couro e mesas de vidro. Passamos pela cozinha completa e pela área de jantar em direção às cabines nos fundos.

Ele bate em uma porta de carvalho.

— East. Acorda, porra.

Um gemido alto soa lá dentro.

— Vai embora. Minha cabeça está latejando.

Reed entra na cabine sem bater. Espio por trás dos ombros largos e vejo Easton espalhado em uma cama enorme, segurando um travesseiro em cima da cabeça.

— Levanta — ordena Reed.

— Por quê?

— Você precisa manter o papai ocupado. — Reed dá uma risada sardônica. — Bom, ele está bem ocupado no momento, mas quero você lá em cima caso isso mude.

Easton empurra o travesseiro para longe do rosto e se senta com um grunhido.

— Você sabe que sempre ajudo você, mas ouvir aquela mulher é um verdadeiro pesadelo. Aqueles barulhos agudos que ela faz quando o papai... — Ele para no meio quando repara que estou atrás de Reed.

Não consigo ver o rosto de Reed, mas o que os olhos dele demonstram faz Easton sair da cama.

— Pode deixar.

— Não deixe os gêmeos chegarem perto também — diz Reed.

O irmão desaparece sem dizer mais nada. Em vez de ficar na cabine de Easton, Reed vai até a porta ao lado e faz sinal para eu entrar com ele.

Fico onde estou e cruzo os braços.

— O que você quer?

— Conversar.

— Então converse aqui.

— Entra, Ella.

— Não.

— Sim.

Abaixo os braços e entro na cabine. Tem alguma coisa nesse cara... Ele dá uma ordem e eu obedeço. Luto no começo, claro. Eu sempre luto, mas ele sempre vence.

Reed fecha a porta depois que eu entro e passa a mão pelos cabelos desgrenhados pelo vento.

— Ando pensando no que conversamos antes.

— Nós não conversamos antes. *Você* falou. — Minha pulsação acelera, porque agora estou lembrando o que ele disse.

Se tiver que trepar com você para você não estragar minha família, eu faço isso.

— Quero que você fique longe do meu irmão.

— Ah, está com ciúme? — Como Callum diria, estou cutucando a onça com vara curta, mas não me importo. Estou cansada desse cara me dizendo o que devo ou não fazer.

— Eu entendo, você está acostumada com outro estilo de vida — diz Reed, ignorando a minha provocação. — Aposto que os caras faziam fila para pegar você na sua antiga escola.

Meu coração para quando ele segura a barra da camiseta dele.

— Você tem necessidades. — Ele dá de ombros. — Não culpo você por isso, e, claro, não facilito as coisas para você fazer amizades na Astor Park. Não tem muitos caras lá com coragem de ir contra mim e convidar você para sair. Mas eles acham você gata. Todos eles.

Aonde ele quer chegar com isso? E por que, meu Deus, por que ele está tirando a camisa?

Olho para o peito nu. Ele tem um tanquinho que me faz babar, e os músculos oblíquos são rígidos e deliciosos. Um calor se espalha pelo meu corpo. Aperto as coxas para tentar sufocar o latejar entre elas, mas isso só piora as coisas.

Ele sorri para mim. Ah, sim, está bem ciente do efeito que tem sobre mim.

— Meu irmão é uma boa trepada. — Os olhos dele brilham. — Mas não é tão bom quanto eu.

Reed abre o botão do short cargo e puxa o zíper. Não consigo respirar. Fico paralisada quando ele tira o short e chuta para longe.

Minhas pernas começam a tremer. Para onde quer que eu olhe, vejo pele dourada lisa e músculos.

— O acordo é o seguinte — diz ele. — Meu irmão e meu pai são território proibido. Se você tiver alguma sede que precisa ser saciada, me procure. Eu resolvo.

Ele apoia a palma da mão grande entre os peitorais e arrasta para baixo.

Todo o oxigênio fica preso nos meus pulmões. Não consigo fazer nada além de seguir a trajetória da mão dele. Desliza pelo abdome e pela barriga, para acima da virilha e desce mais um pouco, por dentro do elástico da cueca boxer.

Os dedos de Reed se fecham ao redor da ereção bem óbvia, e alguém geme. Acho que sou eu. Deve ser, porque ele sorri.

— Você quer? — Ele passa a mão no pênis lentamente.
— Pode pegar. Lamber, chupar, foder, o que quiser, gata. Desde que seja só comigo.

Meu coração bate ainda mais rápido.

Reed inclina a cabeça.

— Temos um acordo?

É o tom calculado da voz dele que me tira do transe. Horror e indignação tomam a vez, e cambaleio para trás, batendo as canelas na cama.

— Vá se ferrar — eu digo, engasgada.

Ele não parece impressionado com a minha explosão.

Lambo os lábios. Minha boca está mais seca do que o Saara, mas nunca me senti mais viva. Todos os anos como stripper, todas as fugas dos namorados abusados da minha mãe não me prepararam para isso. Talvez *houvesse* uma fila de rapazes querendo transar comigo, mas eu estava concentrada em trabalhar, cuidar da minha mãe e sobreviver. Não consigo lembrar nem o rosto de um único garoto com quem estudei no ano passado.

A imagem de Reed ali, de pé, musculoso, bronzeado e nu, com o pau na mão, vai ficar marcada na minha memória para sempre.

Ele tem tudo que uma garota poderia querer: corpo firme, rosto bonito que ainda vai estar bonito daqui a muitos anos, dinheiro e aquela coisa extra. Carisma, acho. A capacidade de derrubar qualquer uma com um único olhar.

A maçã está pendurada na minha frente, vermelha, suculenta e deliciosa, mas, como num conto de fadas, Reed Royal é o vilão disfarçado de príncipe. Dar uma mordida nele seria um erro enorme.

E posso me sentir atraída por ele, mas me recuso a permitir que minha primeira vez seja com alguém que me despreza. Alguém que está tentando proteger o irmão perfeitamente capaz da minha destruição inocente.

Mas não quero ir embora sem antes dar uma provadinha, porque não sou tão forte... e nem burra.

Ele pode me odiar, mas também me *quer*. O jeito como segura o pau não muda. Na verdade, os músculos parecem ficar mais retesados, como se estivessem esperando meu toque.

Era disso que Valerie estava falando outro dia, quando estávamos dançando. Eu não reagi à multidão, mas os olhos quentes de Reed acompanhando todos os meus movimentos me fizeram me sentir viva. Sei que não há nada além de *mim* na cabeça dele agora.

Vou até a cadeira no canto, onde um roupão dobrado está enrolado na faixa que serve de cinto. Pego a faixa e passo o tecido atoalhado pelos dedos.

— Qualquer coisa que eu quiser? — eu pergunto.

Os olhos dele se fecham por um momento, mas se abrem com tanto desejo que meus joelhos quase se dobram.

— Sim. Qualquer coisa. — A resposta parece ser arrancada dele. — Mas só comigo.

— Por que você está tão desesperado? — provoco. — Você fez sexo ontem à noite.

Ele faz um som de nojo no fundo da garganta.

— Eu não fiz porra nenhuma ontem à noite. Foi você que se pegou com o East.

— Vai dizer que você não estava balançando o Range Rover com tanta força que os pneus estavam até se levantando do chão? — digo com sarcasmo.

— Era Wade. — A confusão na minha cabeça deve ficar óbvia, porque ele esclarece. — O *quarterback* da Astor Park, amigo meu. O banheiro estava cheio. Ele não conseguiu esperar.

Uma espécie de alívio toma conta de mim. Talvez esse seja o único jeito do orgulho dele permitir que fiquemos juntos.

Talvez eu possa tê-lo. Talvez essa seja minha recompensa. Decido testá-la.

— Eu quero amarrar você.

O maxilar dele se contrai. Ele deve achar que é meu fetiche, uma coisa que já fiz dezenas de vezes antes.

— Claro, gata, o que você quiser.

Ele não está cedendo; está jogando uma isca. Eu me repreendo por acreditar por um único momento que sou qualquer coisa para Reed além de um corpo conveniente.

Eu me aproximo com determinação crescente.

— Isso é legal, não é?

Ele me olha com cautela quando faço sinal para ele esticar os braços. E, com toda minha indiferença fingida, mal consigo sufocar um gemido quando a mão dele roça na minha barriga nua. Nota mental: usar mais roupas perto de Reed, por questão de autopreservação.

Não sou escoteira nem marinheira. Conheço um nó, o que a gente dá em cadarços. Enrolo os pulsos dele duas vezes, e nós dois inspiramos fundo quando a faixa encosta na cueca não uma vez, mas duas.

— Você está me matando — diz ele por entre dentes trincados.

— Que bom — murmuro, mas minhas mãos estão tremendo tanto que mal consigo dar meus nós simples.

— Você gosta disso? De eu ficar à sua mercê?

— Nós dois sabemos que você nunca fica à minha mercê.

Ele murmura alguma coisa baixinho sobre eu não saber de porra nenhuma, mas o ignoro. Olho ao redor em busca de um lugar onde amarrá-lo. A melhor coisa em barcos é que tudo fica preso em algum lugar. Tem um aro de metal brilhante ao lado da cadeira, e levo Reed até lá.

Depois de empurrá-lo para baixo, para se sentar na cadeira, eu me ajoelho entre as pernas dele com a faixa na mão. Ele se senta como um Deus, um rei Tut moderno observando a escrava a seus pés.

O latejar entre as minhas pernas é quase doloroso. Só consigo ouvir uma vozinha demoníaca me perguntando que mal há nisso.

Esse cara me quer tanto que não perdeu um centímetro da ereção. Debaixo do algodão, o pau dele está esperando meu toque, como ele mandou... ou implorou. Nunca coloquei a boca em um pau. Queria saber como é.

Antes que consiga me impedir, estico a mão e puxo a cueca o suficiente para libertá-lo. Ele sibila quando toco nele. Ah, uau. A maciez me surpreende. A pele dele parece de veludo.

— Você é... — Perfeito, é isso que quero dizer, mas tenho medo de ele debochar de mim se eu disser. Passo as pontas dos dedos nele e respiro fundo. O desejo pulsa no meu sangue.

— É isso que você quer? — pergunta Reed. É para ser uma provocação, mas sai como um apelo.

Olho para a ereção, intimidada. Tem uma pérola de líquido na ponta e... eu lambo. Mas um gostinho não basta. Volto por alguns segundos e lambo a ponta como se estivéssemos no dia mais quente de julho e ele fosse uma casquinha prestes a derreter nos meus dedos.

— Caramba. — As mãos atadas se apoiam no alto da minha cabeça. — Chupa. Porra. Chupa. Do jeito que eu sei que você sabe.

As palavras cruéis rompem a névoa de desejo. Eu recuo.

— Do jeito que você sabe que eu sei? — Minhas defesas estão tão baixas que a vulnerabilidade que tentei esconder dele fica clara.

— Como você... — Ele hesita por um momento, abalado pela mágoa na minha voz, mas alguma coisa o faz seguir em frente. — Como fez mil vezes antes.

— Certo. — Dou uma gargalhada trêmula. — Então você precisa ficar bem preso para isso, porque sei fazer coisas com as quais você nunca sonhou.

Puxo a faixa com força e amarro no aro no chão. Amarro bem. Ele me observa com olhos brilhantes. Quero dar um soco nele, fazer com que sinta dor. Mas ele aguenta dor física, então a única coisa que posso fazer é levá-lo a acreditar que vou estragar a preciosa família dele de maneira irreparável. Assim como ele está me quebrando, em pedacinhos tão pequenos.

Subo na cadeira, meus joelhos dos dois lados das coxas fortes.

— Eu sei que você me quer. Sei que está doido para que eu fique de joelhos. — Levo os dedos ao cabelo dele, fecho a mão com as unhas no couro cabeludo, e puxo a cabeça para trás, para ele poder ver meus olhos. — Mas vai ter que nevar no inferno para você poder me ver de joelhos de novo. Eu não tocaria em você nem que você me pagasse. Não tocaria nem que você implorasse. Nem se jurasse que me amava mais do que o sol ama o dia ou a lua ama a noite. Eu transaria com seu pai antes de transar com você.

Eu o empurro para trás e desço da cadeira.

— Quer saber? Acho que vou fazer isso agora mesmo. Eu me lembro de Easton ter dito que seu pai gosta das novinhas.

Vou até a porta com uma confiança que não sinto. Reed se debate nas amarras, mas meus nós simples o seguram.

— Volta aqui e me desamarra — grunhe ele.

— Que nada. Você vai ter que resolver isso sozinho. — Vou até a porta e coloco a mão na fechadura. Viro-me para ele, coloco a outra mão no quadril e provoco: — Se você é melhor do que Easton, então, seguindo a lógica da experiência, seu pai deve ser espetacular.

— Ella, volta aqui agora.

— Não. — Dou um sorriso e saio. Atrás de mim, eu o escuto gritando meu nome. O som vai ficando mais baixo, até a voz dele ser só uma lembrança ruim.

No convés, Callum está enchendo a cara enquanto Easton dorme ao lado dele em uma espreguiçadeira.

— Ella, você está bem? — Callum fica de pé rapidamente e se aproxima.

Ajeito o cabelo e finjo não estar abalada.

— Estou ótima. Na verdade... eu estava pensando em Steve e, bem, eu gostaria de saber mais sobre ele, se você estiver disposto a contar.

O rosto todo de Callum se ilumina.

— Sim, claro. Venha se sentar.

Mordo o lábio e olho para os pés.

— Podemos ir para algum lugar particular?

— Claro. Que tal minha cabine?

— Seria perfeito. — Abro um sorriso.

Ele abre a boca de leve.

— Deus, esse sorriso é Steve todinho. Venha. — Ele passa o braço pelo meu ombro. — Steve e eu crescemos juntos. O avô dele, que fundou a Atlantic Aviation com meu avô, era marinheiro. Steve e eu nos sentávamos e ouvíamos as histórias dele durante horas. Acho que foi por isso que sentimos vontade de nos alistar.

A cabeça de Easton se levanta quando Callum me leva na direção da cabine. Ele olha para mim e para o braço de Callum. Eu me preparo para um comentário grosseiro, que devo merecer desta vez. Mas ele faz uma cara de que dei um chute na barriga dele — ou que menti para ele, o que é quase pior.

Deixo Callum falar sobre o velho Steve por uns dez minutos e o interrompo.

— Callum, isso é interessante e agradeço por você me contar, mas... — Eu hesito. — Preciso fazer uma pergunta que está me incomodando desde que botei o pé na sua casa.

— Claro, Ella. Pode me perguntar qualquer coisa.

— Por que seus filhos são tão infelizes? — Penso na cara perpétua de mau humor de Reed e engulo em seco. — Por que vivem com raiva? Nós dois sabemos que eles não gostam de mim, e quero saber por quê.

Callum passa a mão no rosto.

— Você precisa dar um tempo. Eles vão mudar.

Cruzo as pernas em cima da cama. Só tem uma cadeira na cabine, e Callum se sentou nela enquanto eu me sentei na cama. É estranho estar sentada em um colchão enquanto converso com minha nova figura paterna sobre meu recém-descoberto e falecido pai.

— Você disse isso antes, mas acho que não vão — eu digo baixinho. — E não entendo. É o dinheiro? Eles realmente se incomodam por você me dar dinheiro?

— Não é o dinheiro. É... merda. Quer dizer, droga. — Callum tropeça nas palavras. — Deus, eu preciso de uma bebida. — Ele dá uma risadinha. — Mas aposto que você não me deixaria ir pegar uma.

— Não agora. — Cruzo os braços. Callum quer que eu seja durona com ele? Posso fazer isso, sem problemas.

— Na cara, sem enrolação. É assim que você quer, né?

Tenho que dar um sorriso.

— É.

Ele inclina a cabeça para trás e olha para o teto.

— A essas alturas, meu relacionamento com os garotos está tão destruído que eu poderia levar a Madre Teresa para casa e eles a acusariam de estar transando comigo. Eles acham que traí a mãe deles e provoquei a morte dela.

Faço um esforço para manter o queixo fechado. Tudo bem. Uau. Bom, isso explica uma parte. Respiro fundo.

— E você traiu?

— Não. Eu nunca a traí. Nunca senti a menor tentação, nenhuma vez durante nosso casamento. Quando eu era jovem, Steve e eu tivemos um período selvagem, mas depois que me casei com Maria, eu nunca olhei para outra mulher.

Ele parece sincero, mas sinto que não estou ouvindo a história toda.

— Então por que seus filhos estão sempre de mau humor?

— Steve era... — Callum afasta o olhar. — Droga, Ella, eu queria dar um tempo para você aprender a amar seu pai, não contar todas as merdas que ele fez porque se sentia solitário.

Eu me agarro a cada detalhe que consigo para obrigar Callum a contar o que ele está se esforçando tanto para esconder.

— Olha, não quero ser cruel, mas eu não conheço Steve e, agora que ele morreu, nunca vou conhecer. Ele não é uma pessoa de verdade para mim, não como Reed e Easton e você. Você quer que eu seja uma Royal, mas eu nunca vou ser se ninguém da família me aceitar. Por que eu voltaria depois da formatura para um lugar onde sinto que não me querem?

Minhas tentativas de chantagem emocional são um sucesso. Callum começa a falar na mesma hora, e fico genuinamente tocada com quanto ele quer que eu seja parte da família dele.

— Steve ficou solteiro por muito tempo. Ele se gabava muito, e acho que, quando os garotos eram mais novos, eles achavam que o tio Steve era a epítome da masculinidade. Ele contava histórias dos nossos dias loucos e eu nunca o impedi. Nós passamos muito tempo viajando a negócios, e Steve aproveitava isso. Juro que eu não, mas... nem todo mundo acreditava.

Como seus filhos e sua mulher.

Ele se mexe na cadeira, obviamente desconfortável com a história.

— Maria ficou deprimida e eu não reconheci os sinais. Ao olhar para trás, percebo que o distanciamento e as variações de humor eram sintomas de um problema sério, mas eu estava ocupado demais tentando não deixar o negócio entrar no vermelho durante a recessão. Ela estava tomando mais e mais comprimidos, e só tinha a companhia dos garotos. Quando ela tomou a overdose e eu estava do outro lado do mundo, em Tóquio, tirando Steve de um prostíbulo, eles me culparam.

Talvez eles estivessem certos de culpar você, penso.

— Steve não era um cara ruim, mas você... você é... *prova*, eu acho. Prova de que ele me arrastava para as coisas que acabaram matando a mãe deles. — Os olhos imploram por compreensão, até perdão, mas não sou eu quem pode dar isso a ele. — Quando recebeu a carta da sua mãe, Steve mudou. Virou um novo homem da noite para o dia. Eu juro, ele teria sido um pai atencioso e carinhoso. Queria filhos, e ficou no céu quando descobriu você. Teria saído para procurar você imediatamente, mas tinha uma viagem planejada com Dinah havia muito tempo. Eles iam voar de asa-delta em um lugar que aparentemente não permitia, mas Steve conseguiu subornar autoridades locais para deixarem que eles voassem. Ele ia procurar você assim que voltasse. Não o odeie.

— Não odeio. Nem o conheço. Eu...

Paro de falar, porque meus pensamentos estão uma confusão. De alguma forma, na mente dos garotos Royal, a morte da mãe deles envolve Steve, então sou um alvo conveniente... e vivo. Não tem nada que eu possa fazer que vá mudar a opinião deles. Vejo isso agora. Mas eu pedi a verdade, e não vou culpar Callum por isso.

— Obrigada — digo com voz trêmula. — Agradeço sua sinceridade comigo. — Eu poderia ser totalmente virtuosa, mas eles me odiariam mesmo assim. Poderia ser como Abby, e... um pensamento me ocorre e sai pela minha boca antes que eu possa impedir. — Como a Maria era?

— Doce. Era doce e gentil. Era um fiapinho de um metro e meio, com a alma de um anjo. — Ele sorri, e nessa hora eu sei que ele amava Maria. Eu vi esse brilho de amor verdadeiro só uma vez, nos olhos da minha mãe. Ela podia ser uma pessoa toda errada, mas me amava.

Maria inspirou o mesmo amor nos filhos. O fato de Abby ser a réplica dela e o completo oposto de mim não devia me incomodar, mas me incomoda, porque, por mais que eu odeie admitir, a verdade é que quero que Reed sinta isso por *mim*.

E é o sentimento mais idiota que eu já tive.

Capítulo 19

Reed não olha para mim durante toda a viagem de volta, nem quando chegamos em casa. O silêncio mal-humorado dele fala bem alto. Ele está furioso, e vai ficar assim por um bom tempo.

Fujo do jantar alegando insolação. Não vou conseguir aguentar uma refeição inteira com Reed ignorando que eu existo ou me alfinetando a cada oportunidade.

Sei que quem causou isso fui eu, mas, quando percebo que até Easton faz cara feia quando estou indo para o quarto, eu me pergunto se cometi um erro.

— Achei que você não ia trepar com meu pai — sibila ele quando passo no corredor.

— Eu não trepei com ele. Só queria que Reed pensasse isso. — Como Easton continua parecendo não acreditar, solto um suspiro. — Callum e eu só conversamos sobre Steve. — *E sobre a sua mãe*, mas acho que Easton não ia gostar de ouvir isso, considerando o seu mau humor atual.

Ele não fica nem um pouco tranquilizado com a minha confissão.

— Não faça jogos com meu irmão. Você o provocou, e agora ele vai ter que botar isso para fora.

Eu empalideço.

— O que você quer dizer? — pergunto, mas temo a resposta. Ele vai correr para Abby? Isso me dá vontade de vomitar nos docksides de Easton.

— Não importa. — Ele me descarta com um gesto. — Vocês dois deviam ou transar ou ficar longe um do outro. Voto para ficarem longe um do outro.

— Registrado. — Eu começo a abrir a porta do quarto, mas Easton segura meu braço.

— Estou falando sério. Se precisar de alguém, me procure. Você não me incomoda muito.

Ugh. Estou cansada desses garotos Royal.

— Caramba, Easton. Que generoso. Sua proposta de sexo solidário tem data de validade? Ou é um cupom que posso usar quando tiver vontade?

Entro no quarto irritada e bato a porta na cara confusa dele. Está cedo, mas decido ir para a cama porque tenho que estar na padaria antes do sol nascer e depois tenho que ir para a escola. E, além disso, não tem uma pessoa nessa casa com quem eu queira falar agora.

Entro debaixo das cobertas e me obrigo a domir, mas adormeço e acordo a cada porta batida e barulho de passos em frente ao meu quarto.

Durante a madrugada, escuto sussurros furiosos no corredor. Do mesmo tipo que ouvi outro dia. Easton e Reed estão discutindo por alguma coisa. Verifico a hora. É mais ou menos a mesma, pouco depois da meia-noite.

— Eu vou — diz Reed secamente. — Da última vez, você ficou puto porque não deixei você ir, agora fica choramingando quando convido?

Ah, é uma provocação garantida.

— Ah, desculpa por ficar preocupado de você estar tão cego com a cara enfiada no cu que não vê um soco chegando no seu nariz — responde Easton com rispidez. É. Aí está a reação.

— Pelo menos eu não estou ofegando atrás da filha de Steve.

— Ah, tá — diz Easton com desprezo. — E foi por isso que encontrei você seminu e amarrado em uma cadeira. Porque você não quer a Ella.

Eles andam pelo corredor e não consigo ouvir a resposta toda de Reed, mas parece alguma coisa do tipo: "Prefiro comer a Jordan a enfiar meu pau naquela armadilha".

Minha raiva me faz jogar a coberta longe e pular da cama. Esses dois têm segredos que não querem que eu saiba? Bom, se estou em guerra aqui na casa Royal, preciso de toda a munição que conseguir encontrar.

Corro até o armário e visto a primeira coisa que encontro, que acaba sendo uma minissaia. Não é a melhor roupa para se esgueirar por aí, mas não tenho tempo a desperdiçar. Visto a saia e coloco uma camiseta, calço os docksides e saio do quarto o mais silenciosamente possível.

Desço a escada dos fundos sorrateiramente. Não tem ninguém na cozinha, mas ouço, baixinho, alguns barulhos lá fora. Alguém bate a porta de um carro. Merda. Preciso ir logo. Por sorte, os gêmeos deixam sempre roupas, chaves, carteiras e todo o tipo de porcaria no hall.

Corro pela cozinha até o hall e pego o primeiro moletom com capuz que vejo. Tem chaves e um bolo de dinheiro no bolso da frente. Perfeito. Passo embaixo da janelinha na porta, espio e vejo as luzes de freio do Range Rover de Reed piscando no caminho.

Abro a porta e voo até a garagem. Quando o botão do chaveiro eletrônico acende a picape dos gêmeos, dou um suspiro de alívio e entro.

É difícil seguir alguém secretamente em um carro, em uma noite escura e por uma rua tranquila, mas consigo, porque Reed não para nem vira o carro com irritação para me confrontar. Ele me leva até o coração da cidade, por várias estradas menores, até chegarmos a um portão.

Reed estaciona o carro. Eu desligo o motor e apago os faróis. Sob a luz da lua, mal consigo identificar os dois irmãos quando saem do Rover e pulam a cerca.

Em que estou me metendo? Eles traficam drogas? Seria maluquice. A família tem muita grana. O moletom que estou vestindo tem quinhentos dólares em notas de vinte e de cinquenta enroladas, e eu apostaria o valor todo que, se procurasse em cada bolso dos casacos pendurados no hall, encontraria montes de dinheiro em cada um.

Então, o que eles podem estar fazendo?

Corro até a cerca e verifico se consigo ver alguma coisa, mas só consigo identificar uma fileira de estruturas longas em forma retangular, todas mais ou menos do mesmo tamanho. Mas não vejo sinal de Reed nem de Easton.

Ignoro a voz interior que me diz que é burrice demais pular uma cerca e correr para a escuridão e vou mesmo assim.

Quando chego perto das estruturas, percebo que são contêineres, o que quer dizer que devo estar em um estaleiro. Meus docksides têm sola macia e não fazem barulho, e, quando deparo com Easton entregando uma pilha de dinheiro para um estranho de moletom com capuz, nenhum dos dois me escuta.

Recuo e me escondo atrás do contêiner enquanto espio pelo canto como uma espiã incompetente em um filme de ação ruim. Atrás de Easton e do estranho tem um círculo improvisado no meio de um espaço vazio, depois de quatro caixas grandes.

Dentro do círculo está Reed, só de calça jeans.

Ele cruza um braço na frente do corpo e depois troca para alongar o outro braço. Em seguida, dá pulinhos, como se estivesse tentando relaxar. Quando vejo o outro cara sem camisa, as peças se encaixam. As saídas secretas de madrugada. Os hematomas inexplicados no rosto. Easton deve estar apostando no irmão. Caramba, Easton talvez lute também, se me lembro bem da discussão entre os dois na semana passada.

— Achei que alguém estava nos seguindo, mas Reed não deu bola.

Eu me viro e vejo Easton de pé atrás de mim. Fico na defensiva antes que ele possa me dar um sermão por segui-los.

— O que você vai fazer, me dedurar? — eu debocho.

Ele revira os olhos e me puxa.

— Vem cá, sua dissimulada. Você é a causa disso. Agora vai acompanhar até o final.

Eu o deixo me arrastar até a beira do círculo, mas com protestos.

— Eu sou a causa disso? Como assim?

Easton empurra pessoas para o lado e abre caminho até a frente.

— Depois de amarrar Reed a uma cadeira, completamente nu?

— Ele estava de cueca — murmuro.

Easton me ignora e continua falando.

— De o deixar com mais tesão do que um marinheiro depois de nove meses no mar? Mana, tem tanta adrenalina no corpo dele agora que ele tem que brigar ou — ele olha para mim com especulação — transar e, como você não quer transar com ele, só resta isso. Ei, mano — grita ele. — Nossa maninha veio assistir.

Reed se vira.

— Mas o que você está fazendo aqui?

Resisto à vontade de me esconder atrás do corpo grande de Easton.

— Só vim torcer pela família. Vai... — Quase digo Royal, mas me pergunto se eles estão usando nomes falsos, por acaso. Eu levanto o punho. — Vai, família!

— East, se foi você que armou isso, juro que vou te dar uma surra que vai durar até domingo que vem.

Easton levanta as mãos.

— Cara, eu falei que tinha uma pessoa seguindo a gente, mas você não conseguia ouvir nada além do seu discurso de que ia dar uma lição em alguém. — Ele inclina a cabeça na minha direção.

Reed faz expressão de desprezo. Está na cara que quer me pegar e me jogar na escuridão. Antes que eu possa fazer alguma coisa, o outro cara sem camisa, com coxas que parecem troncos de árvores, bota a mão no ombro dele.

— Terminou sua reunião de família? Quero acabar com essa briga antes de o sol nascer.

A raiva nos olhos azuis de Reed se dissolve em diversão.

— Cunningham, você não vai durar cinco segundos. Cadê seu irmão?

Cunningham balança os ombros enormes.

— Tem uma ralé chupando o pau dele. Não fica com medo, Royal. Não vou machucar você demais. Sei que você tem que mostrar sua carinha bonita na Astor Park amanhã.

— Fica aqui. — Reed aponta para mim e para o chão. — Se você se mexer, vai ser pior para você.

— É, tem sido tão bom até agora — digo.

— Pare de falar e comece a lutar — grita alguém da plateia.

— Se eu quisesse ver novela, teria ficado em casa.

Easton dá um soco forte no ombro de Reed, e Reed devolve o soco. Qualquer um dos golpes teria me derrubado, mas os dois riem como malucos.

Cunningham recua até o centro e indica para Reed ir atrás dele. Reed não hesita. Não há enrolação, um não fica avaliando o outro. Reed parte para cima de Cunningham, e por uns cinco minutos os dois trocam golpes. Eu me encolho a cada contato que Cunningham faz, mas Easton só ri e estimula Reed.

— É o dinheiro mais fácil de ganhar, apostar em Reed — grita.

Cruzo os braços. Callum disse que estava em um período sombrio, mas não percebe que os filhos também estão? Que eles vêm para cá e recebem porrada atrás de porrada para se livrar das emoções que os assombram?

E o que significa o fato de as palmas das minhas mãos estarem ficando úmidas, assim como outras partes do meu corpo? E de a minha respiração estar acelerando e meu coração estar começando a disparar?

Não consigo tirar os olhos de Reed. Os músculos dele brilham sob o luar, e ele está tão incrivelmente lindo nessa forma animalesca que um instinto primitivo dentro de mim reage de uma forma com a qual não sei lidar.

— Está deixando você com calor, não está? — sussurra Easton no meu ouvido mostrando que percebeu.

Balanço a cabeça que não, mas meu corpo todo grita *sim*, e, quando Reed dá o golpe final, o que faz Cunningham girar e cair de cara no concreto, sei que, se ele dobrar o dedinho para mim, não vou conseguir recusar. Não desta vez.

Capítulo 20

Volto até a mansão dirigindo com Easton no banco do passageiro, porque Reed murmura que não confia em mim voltando sozinha. Quero observar que cheguei ao estaleiro muito bem sozinha, mas minha boca está selada. Está claro que não devo me meter com Reed hoje.

Ele lutou com mais dois caras depois de Cunningham, e deu uma surra nos dois. Easton contou o dinheiro na volta para casa, um total de oito mil. Isso é uma gota em um balde cheio de água em comparação à grana que eles têm, mas Easton me informa que o dinheiro sempre é mais doce quando você sangra por ele.

Mas Reed não sangrou. Acho que não vai ficar nem com hematomas. Ele estava selvagem e poderoso. Socou os outros caras sem parar.

Na frente de casa, desligo o motor, mas fico no carro porque Reed ainda não saiu do dele. Easton não espera, enfia o dinheiro no bolso e sai da picape a caminho da porta lateral sem nem olhar para trás.

Só quando vejo Reed sair pela porta do motorista é que faço o mesmo. Paramos a três metros de distância e nos olhamos.

Seus olhos duros e o maxilar contraído geram uma onda de exaustão em mim. Estou tão cansada, e não é porque são quase duas da manhã e estou acordada desde as sete.

Estou cansada do ódio que emana do corpo de Reed cada vez que ele me vê. Estou cansada de brigar com ele. Estou cansada dos joguinhos e da tensão e da hostilidade infinita.

Dou um passo na direção dele.

Ele vira as costas para mim e desaparece na lateral da casa.

Não. Não desta vez. Ele não pode fugir de mim. Não vou deixar.

Corro atrás dele, agradecida pelas luzes ativadas por movimento que cercam a casa. Elas me guiam até o quintal e depois pelo caminho que leva ao mar.

Reed está com uma vantagem de seis metros, além da vantagem de ter morado aqui a vida toda. Com facilidade, segue pelas pedras da praia até chegar ao mar.

Ainda estou andando pela areia coberta de pedras quando o vejo tirar os sapatos e as meias e ir para a beira da água. Ele não parece se importar de as pernas da calça jeans estarem ficando encharcadas.

Está tarde, mas não está escuro como breu. A lua brilha e ilumina o seu rosto lindo. Os ombros estão murchos, e ele passa as duas mãos pelos cabelos quando finalmente chego ao lado dele.

— Nós já não torturamos o suficiente hoje? — A voz dele soa cansada.

Solto um suspiro fundo.

— Foi um dia bem agitado, né?

— Você me amarrou a uma cadeira — murmura ele.

— Você mereceu.

Ficamos em silêncio por um momento. Tiro os sapatos e dou um passo para a frente, mas solto um gritinho quando a água gelada molha meus pés. Reed dá uma gargalhada.

— O Atlântico é sempre frio assim? — pergunto.
— É.

Eu olho para a água e escuto as ondas baterem nas pedras. E suspiro de novo.

— Não podemos continuar assim, Reed.

Ele não responde.

— Estou falando sério. — Coloco a mão no braço dele e viro o rosto dele para mim. Os olhos azuis estão sem expressão, o que acho que é melhor do que o desprezo habitual. — Eu não quero mais brigar. Estou cansada de brigar.

— Então vá embora.

— Eu já falei que vim para ficar. Estou aqui para estudar, me formar e ir para a faculdade.

— É só o que você diz.

Solto um grunhido exasperado.

— Você quer que eu diga outra coisa? Tudo bem. Eu tenho muita coisa para dizer. Não estou tendo um caso com seu pai, Reed. E nunca vou ter, primeiro porque é nojento, e segundo porque é *nojento*. Ele é meu tutor, e eu agradeço tudo o que ele fez por mim. Só isso. Nunca vai ser mais do que isso.

Reed enfia as mãos nos bolsos e não diz nada.

— Eu e Callum só conversamos no barco hoje. Ele me contou sobre meu pai, e, sinceramente, ainda não sei o que acho disso tudo. Eu não conheci Steve e, pelo que ouvi, não sei se teria gostado dele. Mas não posso mudar o fato de que ele é meu pai, tá? E você não pode usar isso contra mim. Eu não pedi para Steve engravidar minha mãe, e não pedi para o seu pai invadir minha vida e me trazer para cá.

Ele faz um ruído debochado.

— Você está dizendo que preferia ainda estar tirando a roupa para ganhar dinheiro?

— Neste momento? Sim. — Respondo com sinceridade. — Pelo menos, eu sabia o que esperar daquela vida. Sabia em quem confiar e de quem ficar longe. E pode dizer o que quiser sobre fazer striptease, mas ninguém, nem uma pessoa sequer, me chamou de vagabunda nem de prostituta durante todo o tempo em que trabalhei nos clubes.

Reed revira os olhos.

— Porque é uma profissão tão respeitável.

— É um sustento — eu respondo. — E quando você tem quinze anos e está tentando pagar as contas médicas da sua mãe, é *uma questão de sobrevivência*. Você não me conhece. Não sabe nada sobre mim e nem tentou me conhecer, então não tem permissão para julgar. Não tem permissão para falar merda sobre uma coisa da qual não faz ideia.

Os ombros dele ficam rígidos de novo. Ele dá outro passo para a frente, fazendo respingar água nos meus tornozelos.

— Você não sabe nada sobre mim — repito.

Ele me olha de um jeito sombrio.

— Eu sei o suficiente.

— Eu sou virgem, você sabia *disso*? — As palavras saem antes que eu possa impedir, e ele dá um pulo de surpresa.

Mas se recupera rapidamente, e uma expressão cínica surge em seu rosto.

— Claro, Ella. Você é virgem.

— É verdade. — O constrangimento aquece minhas bochechas, apesar de eu não saber bem por que estou constrangida. — Você pode continuar achando que eu sou uma vagabunda, mas está enganado. Minha mãe ficou doente quando eu tinha quinze anos. Quando é que eu teria tempo para sair transando com garotos?

Ele dá uma risada cruel.

— Agora só falta você me dizer que nunca beijou um garoto.

— Não, eu beijei. Eu fiz... algumas coisas. — Minhas bochechas estão pegando fogo. — Mas não o principal. Não aquilo de que você vive me acusando.

— É esse o momento em que você me pede para fazer de você uma mulher?

Minha pele fica arrepiada com o insulto.

— Você é um grande babaca às vezes, sabia?

Ele franze a testa.

— Só estou contando essas coisas porque quero que você perceba quanto está sendo injusto — eu sussurro. — Eu entendo, você tem problemas. Odeia seu pai, sente falta da sua mãe e gosta de dar porrada nas pessoas só pela farra. Sua cabeça está cheia de problemas, isso é óbvio. Não espero que a gente seja amigo, tá? Eu não espero nada de você, na verdade. Mas quero que você saiba que, para mim, acabou essa... guerra entre a gente. Peço desculpa pela maneira como agi mais cedo. Peço desculpa por ter amarrado você em uma cadeira e deixado você pensar que havia alguma coisa entre mim e Callum. Mas, a partir de agora, não vou mais lutar. Diga o que quiser para mim, pense o que quiser sobre mim, continue sendo um babaca, eu não ligo. Não vou mais fazer esse jogo. Acabou para mim.

Como ele fica em silêncio, saio da água e caminho em direção à casa. Já falei o que queria, e cada palavra foi sincera. Ver Reed dar uma surra naqueles caras hoje botou tudo em perspectiva para mim.

Os irmãos Royal são mais complicados do que eu. Estão sofrendo e estão atacando, e eu sou o alvo mais conveniente, mas reagir só piora as coisas. Só alimenta a raiva que eles têm de mim. Eu me recuso a continuar envolvida nisso.

— Ella. — A voz de Reed me faz parar quando chego ao deque superior.

Paro perto da piscina e engulo em seco quando vislumbro remorso nos olhos dele.

Ele chega até mim, a voz grave e rouca quando diz:

— Eu...

Uma voz alta soa atrás de nós.

— O que vocês estão fazendo aqui fora tão tarde, crianças?

Sufoco minha irritação quando Brooke aparece na porta que leva ao pátio. Ela está usando um robe de seda branca, o cabelo louro caindo sobre um ombro. Na mão direita está segurando uma garrafa de vinho tinto.

Reparo que Reed se encolhe ao ouvir a voz dela, mas, quando fala, ele soa frio e indiferente.

— Estamos no meio de um assunto. Vá para a cama.

— Você sabe que não consigo dormir sem seu pai aconchegado ao meu lado.

Brooke consegue descer os degraus sem tropeçar. Chega até nós, e suspiro quando vejo seus olhos vidrados de álcool. Callum é profissional quando o assunto é beber, mas é a primeira vez que vejo Brooke bêbada.

— Onde está Callum? — Eu estico a mão para dar apoio a ela.

— Foi para o escritório — resmunga ela. — Em uma noite de *domingo*. Disse que tinha que resolver uma emergência.

Não consigo deixar de sentir uma pontada de solidariedade. É óbvio que Callum não se dedica a esse relacionamento com Brooke, e igualmente óbvio que ela quer muito que ele a ame. Eu me sinto mal por ela.

— Eu não sabia que comer a secretária era considerado emergência — diz Reed com deboche.

Os olhos dela se viram fulminantes na direção de Reed.

— Vou levar você para dentro — eu digo para Brooke. — Vamos para a sala. Vou pegar um cobertor e...

Ela se solta das minhas mãos.

— Você é a mulher da casa agora? — A voz dela fica aguda. — Porque você é uma otária se acha que vai ser qualquer coisa para esses Royal. E você... — ela se vira com um olhar selvagem na direção de Reed —, é melhor você parar de falar assim comigo.

A resposta que tenho certeza de que Reed daria não sai. Lanço um olhar de interrogação na direção dele, mas já era. Sua expressão está fechada, quase neutra.

— Eu vou ser sua mãe um dia. Você devia aprender a ser mais gentil comigo. — Brooke dá um passo incerto para a frente e passa as unhas bem-feitas na bochecha dele.

Ele se encolhe e afasta a mão de Brooke.

— Sobre o meu cadáver.

Ele passa por ela e vai na direção da porta de vidro. Eu corro atrás dele e deixo a namorada de Callum no pátio.

Desta vez, sou eu que o chamo.

— Reed.

Ele para na frente da escada da cozinha.

— O quê?

— O que... o que você ia dizer antes da Brooke nos interromper?

Ele vira a cabeça. Os olhos azuis carregados de malícia me observam.

— Nada — murmura ele. — Absolutamente nada.

Atrás de mim, ouço um estrondo. O que mais quero é ir atrás de Reed, mas não posso deixar Brooke sozinha e bêbada perto da piscina.

Corro até ela e a encontro cambaleando perto da água.

— Vem, Brooke. — Eu puxo o braço dela. Ela é mais dócil, desta vez, e apoia o peso leve em mim.

— Eles são todos terríveis — choraminga ela. — Você precisa ficar longe deles para se proteger.

— Vai ficar tudo bem. Você quer subir ou prefere ficar na sala?

— Com o fantasma da Maria me olhando? — Brooke treme. — Ela está. Sempre aqui. Quando eu estiver no comando, vamos nos mudar. Vamos derrubar esta casa e erradicar Maria.

Parece improvável. Eu a levo, meio carregando e meio arrastando, até a sala de estar, onde, de fato, tem um retrato de Maria acima da lareira. Brooke levanta o dedo e faz o sinal da cruz quando passamos na frente.

Tenho que engolir uma gargalhada pelo quanto isso é ridículo. A sala é na verdade um aposento comprido que ocupa toda a frente da casa. Tem duas áreas com assentos, e levo Brooke para a segunda, mais perto da janela e mais longe do retrato de Maria.

Ela afunda com gratidão no sofá, dobra os joelhos e coloca as mãos embaixo da bochecha. As lágrimas mancharam a maquiagem, e ela parece uma boneca de filme de terror. É como uma stripper que tem muita certeza de que o homem rico que dá gorjeta de cem dólares vai voltar para levá-la para casa. Mas é claro que ele não volta. Ele só a está usando.

— Brooke, se estar com Callum faz você sofrer assim, por que você fica?

— Você acha mesmo que tem algum homem por aí que *não* vai fazer você sofrer? É isso que os homens fazem, Ella. Eles fazem a gente sofrer. — A mão dela segura meu pulso. — Você devia se afastar daqui. Esses Royal vão arruinar você.

— Talvez eu queira ser arruinada — eu digo com leveza.

Ela me solta e puxa a mão de volta, recuando para debaixo da bochecha.

— Ninguém quer ser arruinada. Todas queremos ser salvas.

— Tem que haver pelo menos *um* homem decente por aí. Isso a faz rir. Histericamente. E as gargalhadas não têm fim.

Eu a deixo rindo e subo a escada com o som das risadas dessa mulher que não acredita que pode encontrar um homem que não a magoe.

Com essa convicção, eu tenho a sensação de que ela passou com uma faca pela minha coluna, e não sei bem o porquê.

Capítulo 21

Reed não me leva para o trabalho na manhã seguinte. Ele já foi para o treino de futebol americano quando saio de casa, e não fico surpresa. Tenho quase certeza de que a última coisa que ele esperava de mim na noite de ontem era uma proposta de trégua. O que quer dizer que deve estar indo para a escola agora obcecado para saber se meu pedido de desculpas foi mais um truque.

Mas não foi. Estou me atendo à decisão que tomei ontem. Não quero mais brigar com os Royal.

Pego o ônibus até a padaria e trabalho com Lucy por três horas, caminho até a escola e entro no banheiro para vestir o uniforme.

Quando saio do banheiro feminino, esbarro com a garota com quem Easton estava supostamente saindo. Claire, eu acho.

Assim que me vê, sua boca se aperta. Ela passa por mim e deixa uma palavra sibilada no ar.

— *Piranha*.

Essa única palavra é como um soco no estômago. Eu hesito e me pergunto se ouvi errado, mas, conforme sigo pelo corredor, reparo que todas as garotas do segundo ano por quem passo me olham de cara feia. Concluo que tem alguma coisa acontecendo. Dos garotos, recebo sorrisos e risadinhas. Está dolorosamente óbvio que, por algum motivo, sou o assunto da vez hoje.

Só quando Valerie me encontra no meu armário é que fico sabendo de tudo.

— Por que você não me contou que ficou com Easton Royal? — pergunta ela com voz baixa.

Meu livro de cálculo quase escorrega dos dedos. Espere, isso é por causa de *Easton*? Mas estávamos no meu quarto quando nos beijamos, e Reed jamais falaria sobre isso. Então, como é que todo mundo sabe...

A boate. Merda. A lembrança vem à minha mente na mesma hora que Valerie começa a rir.

— Eu sabia que devia ter ficado de olho em você naquela noite — provoca ela. — Mas a gente nem bebeu! Isso quer dizer que você ficou com ele *sóbria*! Preciso fazer uma intervenção para você?

Eu suspiro.

— Talvez.

As garotas que Val apresentou para mim na festa de Jordan, as que chamou de Pastéis, passam por nós. As três se viram para olhar para mim e cochichar.

— Foi um gesto estúpido — admito. — Eu não pensei direito. — Eu só estava pensando em Reed naquela noite, no jeito como ele olhou para mim quando eu estava na gaiola. — Todo mundo sabe, então?

Ela sorri.

— Ah, todo mundo sabe. É o assunto de todo mundo esta manhã, e o primeiro sinal ainda nem tocou. Claire está *puta da vida*.

Aposto que está. E, se Claire está com raiva, só posso imaginar o que Jordan vai ter a dizer sobre isso. Uma "ralé" como eu, colocando as mãos sujas em um dos preciosos Royal? Ela deve estar surtando agora.

— E você? — pergunto para a única pessoa que me importa. — Você está com raiva?

Valerie dá uma risadinha.

— Porque você enfiou a língua na boca de Easton? Por que eu me incomodaria com isso?

É a resposta que eu queria, e me agarro a ela antes de nos separarmos no corredor, seguindo para nossa primeira aula. Não importa que todo mundo esteja cochichando, nem que as garotas estejam me fuzilando com o olhar sempre que entro em uma sala. A opinião de Valerie é a única que importa para mim.

Mesmo assim, quando chega a hora do almoço, estou quase arrancando os cabelos. Todas as garotas que passam por mim no corredor parecem prontas para me assassinar. Easton piora tudo ao visitar meu armário e me dar um abraço prolongado e apertado. Ele finge não reparar em todos os olhares que estamos recebendo, mas estou excruciantemente ciente de todos eles.

— Você é a Ella, certo?

Acabei de colocar os livros no armário quando um garoto com cabelo louro espetado e a camisa de uniforme de rúgbi se aproxima.

A pergunta dele é ridícula, porque ele sabe muito bem quem eu sou. Essas pessoas estudam juntas provavelmente desde o jardim de infância, e não tem uma única alma na Astor Park Prep que não saiba sobre a nova "Royal".

— Sou. — Faço expressão indiferente. — E você é?

— Daniel Delacorte. — Ele estica a mão, mas baixa com constrangimento quando não a aperto. — Eu queria me apresentar tem um tempo, mas... — Ele dá de ombros.

Eu reviro os olhos.

— Mas era contra as regras de Reed?

Ele assente com timidez.

Meu Deus, essas pessoas são terríveis.

— Então por que está se apresentando agora?

Isso gera outro movimento de ombros.

— Dois amigos meus estavam na boate no sábado. Eles disseram que viram você com Easton.

— E daí? — Prevejo algum tipo de insulto, mas não é isso que recebo.

— E daí que as regras mudaram. Ninguém podia convidar você para sair por causa de Reed. Mas você estava com Easton outro dia, então as coisas estão diferentes agora.

Espera, ele está me chamando para sair?

Aperto o olhar para ele.

— E aí, você não vai me chamar de piranha por ter ficado com o Easton em uma boate?

Os lábios dele esboçam um riso.

— Se eu chamasse de piranha todas as garotas que ficaram com Easton, não sobraria ninguém na escola.

Não consigo segurar uma gargalhada.

— Estou falando sério — insiste Daniel. — Encher a cara e pegar o Easton é tipo um ritual de passagem na Astor Park.

— Você está falando por experiência própria? — pergunto educadamente.

Ele abre um sorriso. Ele é fofo, tenho que admitir.

— Por sorte, não. De qualquer modo, só vim perguntar se você quer sair para jantar um dia desses.

Uma onda de desconfiança surge em mim, e Daniel deve perceber, porque diz rapidamente:

— Não precisa ser um encontro. Podemos chamar outros amigos se isso deixar você mais à vontade. Só quero conhecer a garota que botou uma pedra no sapato de todos os Royal.

Ainda estou hesitante, então ele expira com força.

— Posso ver seu celular?

Apesar de não saber bem por que, levo a mão ao bolso de trás, pego o celular e passo para ele.

Os dedos percorrem a tela rapidamente.

— Pronto. Agora, você tem meu número. Que tal fazermos assim? Pense no assunto, e, se decidir que quer jantar, me mande uma mensagem.

— Hum. Tá. Tudo bem.

Daniel sorri de novo e faz uma pequena saudação antes de sair andando. Eu o vejo se afastar e grudo o olhar na bundinha bonita. Ele tem o corpo tonificado de um atleta, e de repente me pergunto se é do time de futebol americano. Espero que não, porque, se for, isso quer dizer que Reed vai saber que Daniel me chamou para sair quando eles forem para o treino da tarde.

Mas subestimo a rede de fofocas da Astor Park. A notícia do convite de Daniel se espalha cinco minutos depois de ele o ter feito. Estou a dois passos do refeitório quando recebo uma mensagem de Valerie.

Daniel Delacorte convidou vc p/ sair????

Eu respondo com um *sim*.

Vc disse sim?

Eu disse que ia pensar.

Não pense mto. Ele é um dos mais legais.

Outra mensagem aparece logo em seguida. *Capitão do time de lacrosse.* Ela acrescenta isso como se fizesse diferença para mim.

Reviro os olhos, entro no refeitório e procuro Val na nossa mesa de sempre, no canto. Ela sorri assim que me vê, guarda o celular e diz:

— Tá bom. Me conta tudo. Ele ficou de joelhos? Te deu flores?

Durante a hora seguinte, ela me enche de perguntas sobre um cara com quem só falei durante dois minutos. Para falar a verdade, é uma boa distração do festival de cochichos da manhã, e me impede de ficar pensando sem parar no que Reed vai dizer quando descobrir.

Capítulo 22

Só vejo Reed depois da aula, e, quando vejo, ele não vem correndo exigir que eu fique longe de Daniel. Na verdade, está apoiado na porta do motorista, conversando com Abby. E a loura está encostada no Rover de Reed com uma das mãos no quadril dele. A cena toda me dá vontade de vomitar.

— Eles parecem íntimos.

Eu me viro e vejo Savannah ao meu lado. Não nos falamos nenhuma vez desde que ela me levou para conhecer o campus, e fico surpresa de ela vir falar comigo.

— Parecem.

— Eu soube que Daniel Delacorte chamou você para sair. — Ela passa a mão pelos cabelos lisos.

— Aparentemente, é um dia fraco de notícias na escola hoje — respondo. — Mas sim.

— Não vá — diz ela abruptamente. — Você vai se arrepender se for.

Depois de soltar a bomba, ela desce da calçada e corre até o carro, me deixando boquiaberta e confusa.

Antes que eu consiga entender o aviso, um conversível rebaixado aparece na minha linha de visão. Daniel sorri para mim do banco do motorista.

— Carro legal. — Espio dentro. É preto e cheio de coisas iluminadas. — Parece animal.

— Obrigado. Foi presente dos meus pais quando fiz dezesseis anos. Fiquei meio preocupado quando soube que tinha quatrocentos cavalos. Me perguntei se meu pai achava que eu precisava usar o carro para compensar alguma coisa.

Dou um sorriso. O fato de ele ter a capacidade de fazer piada consigo mesmo me faz gostar dele.

— E precisa?

— Ella — diz ele em tom de brincadeira. — Você devia me garantir que não tenho nada com que me preocupar no departamento masculino.

— Como eu posso saber? — eu provoco.

— Vou contar um segredo. — Ele se inclina em frente ao painel e faz sinal para eu chegar mais perto. — Nós, homens, temos egos muito frágeis. É melhor sempre nos elogiar, para que não viremos psicopatas.

— Você não tem nada com que se preocupar no departamento masculino — respondo com obediência.

— Essa é minha garota. — Ele assente em aprovação. — Quer carona para casa?

Eu me endireito e procuro Easton, os gêmeos ou até Durand no estacionamento, mas não tem nenhum Royal ali, exceto Reed, que não me vê. A atenção dele está na fadinha angelical que o faz lembrar a mãe.

Daniel acompanha meu olhar até o casal.

— Abby e Reed — reflete ele. — Está aí um casal destinado a ficar junto.

— Por que você diz isso? — Pareço irritada, e estou, mas queria ter escondido melhor.

— Reed é seletivo, não é como Easton. Eu só o vi com uma garota nos últimos dois anos. Acho que é ela que ele quer.

— E por que eles não estão juntos?

Nós dois vemos a cabeça de Reed se aproximar da de Abby, como se eles fossem se beijar.

— Quem disse que não estão? — As observações de Daniel são indiferentes, sem a intenção de me magoar, mas a dor se espalha por mim mesmo assim. — Pensou melhor na minha proposta?

Meu olhar desvia de Reed na direção de Daniel. Daniel é o exemplo perfeito de garoto rico. Meio como eu achei que os Royal seriam: com cabelos louros, olhos azuis e um rosto que deve adornar quadros em museus ingleses antigos. Os Royal quase parecem brutos em comparação com a elegância tranquila dele. Qualquer garota ficaria animada de ser convidada por Daniel para sair, e acho que o fato de eu não conseguir sentir nenhuma empolgação por ele diz algo de ruim sobre mim.

— Não estou no meu melhor momento — eu digo para ele. — Tem peixes melhores no lago.

Ele me observa por um momento.

— Não consigo descobrir se você está tentando me dispensar com delicadeza ou se não está se dando crédito suficiente. Seja como for, não vou desistir.

Sou poupada de responder quando uma buzina alta soa atrás de nós. Nós nos viramos e vemos que Reed manobrou o Rover para tão perto do carro de Daniel que os para-choques estão quase se beijando. A justaposição dos dois veículos é quase risível, com o Rover bem mais alto do que o conversível pequeno de dois lugares. Parece que o Reed está esperando para passar por cima do carro de Daniel.

Daniel se ajeita no banco do motorista e engrena o carro. Com um brilho malicioso nos olhos, inclina a cabeça na direção de Reed.

— Alguém está querendo compensar alguma coisa, mas acho que não sou eu.

Com isso, ele acelera e deixa um espaço que Reed rapidamente ocupa. Daniel está errado. Reed não tem nada que compensar. A picape enorme combina perfeitamente com ele.

— Você vai sair com ele? — pergunta Reed assim que entro no carro.

— Daniel?

— Algum outro cara também chamou você para sair?

Eu queria que ele não estivesse de óculos escuros. Não consigo ver os olhos dele. Está com raiva? Frustrado? Satisfeito?

— Não, só Daniel. E ainda estou pensando. — Observo o perfil dele. — Tem algum motivo para eu não ir?

Um músculo no maxilar dele se contrai. Se ele me der a menor abertura, vou aproveitar. *Vamos lá, Reed. Vamos lá.*

Ele me lança o mais breve dos olhares antes de voltar a observar a rua.

— Acho que demos uma trégua ontem à noite, certo?

Quero que seja mais do que uma trégua, e o pensamento me surpreende. Um cessar-fogo é uma coisa, mas admitir para mim mesma (e para ele) que quero fazer alguma coisa em relação à atração que sentimos um pelo outro? Isso me parece um erro perigoso.

— É, mais ou menos isso — eu murmuro.

— Então eu seria um babaca se dissesse para você não sair com ele.

Não, penso, *você estaria me dizendo que gosta de mim.*

— Acho que cuidar do bem-estar de alguém não viola o espírito da nossa trégua — digo casualmente.

— Se você está perguntando se ele vai magoar você, eu diria que não. Nunca o ouvi se gabando no vestiário sobre garotas com quem ficou. Acho que todo mundo o considera um cara decente. — Reed dá de ombros. — Ele é do time de lacrosse. Eles costumam andar juntos, então não o conheço muito bem, mas sei o bastante, eu acho. Se eu tivesse uma irmã, não seria contra ela sair com ele.

Não foi essa a minha pergunta!, grito com ele em pensamento. Em voz alta, eu o cutuco por outro ângulo.

— Você e Abby estão voltando?

— Nós nunca namoramos — diz ele com rispidez.

— Vocês pareciam bem próximos agora. Daniel disse que vocês dois foram feitos um para o outro.

— Disse? — Reed parece achar graça. — Não sabia que ele tinha esse tipo de interesse na minha vida amorosa.

— Então Abby é parte da sua vida amorosa? — Devo estar pedindo para ser punida, fazendo todas essas perguntas.

— O que exatamente você está perguntando? — Ele vira para a esquerda, e não consigo ver o rosto dele.

Constrangida demais para insistir, afundo no assento.

— Nada.

Depois de um momento, Reed suspira.

— Olha, eu vou embora para a faculdade no ano que vem. E, diferentemente de Gideon, não vou voltar a cada dois finais de semana. Preciso de um tempo longe desta cidade. Desta família. Abby e eu nos divertimos, claro, mas ela não é meu futuro, e não vou enganar nem ela nem ninguém só para transar.

E aí está minha resposta. Mesmo que ele se sinta atraído por mim – apesar de eu reparar que ele teve o cuidado de não dizer –, não vai fazer nada. Vai embora assim que for possível. Eu devia admirar esse tipo de sinceridade, mas não é o caso. Uma parte boba de mim quer que ele declare que, se me quisesse muito, nada o impediria de ficar comigo. Deus, eu sou doente.

Eu me viro para longe dele e vejo a cidade passar enquanto Reed dirige para casa.

Finalmente, cansada do silêncio, digo:

— Por que você briga? É pelo dinheiro?

Ele solta uma gargalhada alta.

— Caramba, não. Eu brigo porque me faz sentir bem.

— É porque você não se permite transar com Abby? Então tem que sair e dar porrada em uns caras para se livrar do que fica acumulado dentro de você? — As palavras saem antes do meu cérebro alcançá-las.

Reed para o carro e eu olho para a frente, surpresa de ver que já estamos em casa. Ele tira os óculos de sol e olha para mim.

Minha garganta fica seca.

— O que foi?

Ele estica a mão e passa os dedos por uma mecha do meu cabelo. Os nós dos dedos estão a centímetros do meu seio, e preciso de força sobre-humana para não me inclinar na direção do toque dele, para não apertar a mão dele no meu corpo.

— Você acha mesmo que é Abby quem me faz ficar acordado à noite?

— Não sei. — Hesito. — Não quero que seja.

Prendo a respiração e espero que ele responda, mas ele só solta meu cabelo e abre a maçaneta.

Sem se virar para olhar para mim, ele diz:

— Daniel é um bom sujeito. Talvez você deva dar uma chance a ele.

Fico sentada no carro depois que ele sai, para poder me recompor. Nenhum de nós se declarou explicitamente, mas sei que está claro agora. Expus meus sentimentos, e ele me disse para ficar com eles só para mim. Fez de uma maneira gentil, mas uma faca limpa fere do mesmo jeito.

Brooke está sentada perto da piscina quando entro em casa. Parece ter se recuperado da bebedeira da noite anterior. Está falando sem parar com Reed, que está de pé ao lado da espreguiçadeira, rígido como uma tábua, enquanto ela passa a mão para cima e para baixo na panturrilha exposta dele. Também já a vi tocando em Gideon assim e me pergunto por que os garotos aguentam isso. Sei que eles não a suportam. Se tem uma coisa que Callum podia fazer para consertar seu relacionamento com os filhos, essa coisa seria dispensar Brooke.

Solitária e irritada, procuro Easton, que está deitado na cama vendo um programa sobre carros em que desmontam e montam os veículos para ficar parecendo carros de desenho animado.

— Então estamos treguando, é? — Ele sorri quando me vê.

— Essa palavra existe? — pergunto quando entro no quarto dele.

— Parece uma palavra que existe, então deve existir.

— Escrotardo também parece uma palavra que existe, mas tenho certeza de que não está no dicionário.

— Você está me chamando de escrotardo?

— Não. Você é só um escroto comum.

— Ah, obrigado, maninha.

— Você sabe que a gente tem a mesma idade, né? — Reviro os olhos e subo na cama ao lado dele. Easton chega para o lado para abrir espaço para mim.

— Eu sempre fui maduro e sábio para a minha idade.

— Aham. Claro.

— Mas falando sério. Reed diz que estamos na boa agora. É de verdade, ou você está fazendo algum outro joguinho?

— Eu nunca fiz joguinho nenhum — resmungo. — E é de verdade, sim. — Ele parece mais aliviado do que eu esperava.

— Eu queria perguntar uma coisa. O que você acha de Daniel Delacorte?

— Por que você quer saber?

— Ele me convidou para sair depois que soube que você me beijou. Aparentemente, foi tipo um beijo de aprovação.

Easton balança as sobrancelhas para mim.

— Eu sou foda, não sou?

— Você é uma peça. — Jogo um travesseiro na cabeça dele, mas ele pega e apoia na barriga. — Por que você me beijou?

— Eu estava com tesão. Você estava ali. Eu quis beijar você. — Ele dá de ombros e se vira para a televisão. Eu quis. Foi bom. É tudo tão simples para Easton. Ele é motivado por vontades básicas. Comer, beber, beijar, repetir.

— Por que *você* me beijou? — pergunta ele.

Meus motivos parecem mais complicados. Eu queria deixar Reed com ciúme. Queria provar para mim e para todo mundo naquela boate que era desejável. Queria um toque quente e afetuoso de alguém, qualquer um. Bem, acho que meus motivos não são tão diferentes assim dos de Easton.

— Eu quis.

— Quer outra dose minha? — Ele dá um tapinha na bochecha em um convite.

Rindo, faço que não.

— Por quê? — Ele não se deixa afetar pela minha rejeição.

— Porque... sim. — Desvio os olhos.

— Há-há, você não vai sair dessa com tanta facilidade. Quero que você diga. Conte para o seu irmão mais velho sobre sua paixonite pelo seu outro irmão mais velho.

— Você está imaginando coisas. Eu não estou a fim de Reed — eu minto.

— Mentira.

— Não estou — eu insisto, mas Easton me enxerga direitinho.

— Caralho, Ella, eu preciso sair de perto todas as vezes que vocês dois estão a menos de dois metros um do outro. — Ele sorri, mas fica sério quase imediatamente. — Olha, eu gosto de você. Não achei que ia gostar, mas gosto, e, porque gosto, sinto que preciso avisar que nós, Royal, somos todos errados. Somos bons na cama, mas fora isso? Somos uns furacões de categoria quatro.

— E Daniel?

— Ele é um bom sujeito. Não é um vagabundo que nem eu. Os caras do time de lacrosse gostam dele. O pai dele é juiz.

— Algum boato sobre ele?

— Não que eu saiba. Está pensando em ficar com ele?

— Savannah disse…

— Você não pode ouvir uma palavra do que ela diz — interrompe Easton.

Olho para ele com desconfiança.

— Por quê?

— Ela e Gid tiveram um rolo ano passado.

Meu queixo cai. Sério? Savannah e *Gideon*? Penso novamente no passeio pelo campus, na declaração direta dela de que os Royal mandam na escola, mas não me lembro de ela ter demonstrado nenhuma emoção quando falou. Só que… ela *ficou* olhando para ele durante a festa de Jordan. Olhando intensamente, como se estivesse tentando apagá-lo mentalmente de vista.

— Savannah era esquisita no fundamental II — continua Easton. — Usava aparelho. Tinha o cabelo estranho. Não sei o que ela fez. Talvez seja um corte diferente, sei lá. Mas ela voltou para o primeiro ano totalmente mudada. Gid deu uma olhada e demarcou terreno. Mas, por volta da época da morte do tio Steve, as coisas mudaram. Ele a deixou de lado, e ela vive amarga desde então.

— Caramba. — Eu assobio. Savannah e Gideon. Não consigo imaginá-los como casal.

— Eu falei. Furacão categoria quatro. — Ele faz um movimento de desastre com a mão, suspira e se vira para a TV.

Capítulo 23

Daniel está esperando em frente ao meu armário na manhã seguinte. Apesar de Reed e Easton terem aprovado, ainda estou dividida em relação a ele. Mas preciso superar Reed. Isso está claro.

Daniel mal tem chance de dizer oi e já vou logo ditando as regras.

— Preciso dizer de cara que sou o oposto de uma transa certa — explico com constrangimento. — Neste momento, estou lidando com grandes mudanças na vida e não consigo encarar nada pesado.

— Eu entendo — promete ele. Ele se inclina e dá um beijo suave na minha bochecha. — Você é doce. Mal posso esperar.

Eu sou doce? Fora minha mãe, ninguém nunca me chamou assim. Acho que meio que gostei.

Daniel me encontra em frente ao meu armário todos os dias depois disso, conta uma coisa engraçada e vai embora depois de me dar um beijo na bochecha. Easton pega no meu pé todas as noites, mas todas as vezes que olho para Reed em busca de uma reação, o rosto dele está impenetrável. Não tenho ideia do que ele acha sobre a atenção que estou recebendo de Daniel, mas pelo menos a nossa trégua continua intacta. Até Callum percebeu a diferença na mansão Royal. Quando passou pelo meu quarto uma noite dessas e me viu com Easton, nós dois vendo TV juntos, juro que as sobrancelhas dele quase pularam da cara.

Na sexta, levo uma rosca de maçã para Daniel, pois ele me disse que era o doce favorito dele da French Twist. E, desta vez, o beijo que ele me dá é diretamente nos lábios, macio e seco, mas surpreendentemente nada desagradável.

Um estrondo alto no final do corredor me assusta, dou um pulo e quase derrubo o presente dele.

— Calma. — Daniel pega a rosca na minha mão. — Você não pode danificar o doce. É uma violação séria da Convenção de Genebra. Vou ter que detê-la para ser punida. — Os olhos dele estão brilhando.

— Você está tentando sair comigo por causa do meu acesso aos doces da padaria? — pergunto com desconfiança fingida.

— Ah, cara. — Ele coloca a mão no coração. — Você me pegou. Estou encrencado? — A encenação dele desperta um sorriso em mim. — Aaah, eu fiz você sorrir, e isso é ruim, porque, lindinha, esse sorriso é assassino. Acho que meu coração parou. — Ele bate no peito. — Escuta só.

Daniel é tão propositalmente cafona e brincalhão que decido acompanhar a brincadeira. Eu me encosto no peito dele e ouço as batidas calmas e regulares do coração.

Ao meu lado, ouço um barulho de vômito. Quando me endireito, vejo Easton fazendo de conta que enfia o dedo na garganta. Ele revira os olhos para nós e segue andando. Ao lado dele, Reed não olha. Está tão gato com a camisa do uniforme para fora da calça que preciso me obrigar a afastar o olhar.

Daniel ri.

— Você vai ao jogo hoje?

— Acho que vou. — Travo os joelhos para não me virar e olhar o que Reed está fazendo. — Mas só devo chegar no segundo tempo. Eu trabalho até as sete às sextas.

— E à festa depois?

— Vou com Easton — admito. Combinamos na noite anterior que ele me levaria para a festa depois do jogo de futebol americano. Val vai ficar em casa porque marcou Skype com Tam. E isso é um saco, porque sempre me divirto mais com ela.

Durante toda a discussão entre mim e Easton sobre o jogo e sobre que carro vamos usar para ir à festa, Reed ficou parado como uma estátua. Não disse nada, e só tive vontade de esmagar o silêncio dele e o obrigar a falar comigo. Mas isso provavelmente destruiria a trégua.

Não consigo decidir do que gosto mais. Da casa Royal tranquila com o Reed mudo ou da casa em que ele grita para eu ficar longe e me ameaça com o pênis.

— Entendi. Mas a gente pode se falar lá, né? — pergunta Daniel.

— Pode.

Quando ele dá um dos sorrisos de um milhão de dólares e sai andando, eu me pergunto por que simplesmente não digo sim para ele.

A festa é na mansão de um dos jogadores de lacrosse. Farris alguma coisa. Não o conheço. Ele é do último ano, como Reed, e supostamente é nerd e fanático por Ciências. Ele e outro cara que curte Ciências estão misturando bebidas, que servem em béqueres de vidro. Estão totalmente comprometidos com o ato, de jalecos abertos exibindo barrigas tanquinho e destruindo qualquer estereótipo de nerd.

Escolho o daiquiri de morango, apesar de o barman/químico tentar colocar uma coisa verde de aparência estranha na minha mão.

Easton recusa tudo.

— Eu só bebo cerveja — declara ele. — Todo o lúpulo dentro de mim vai protestar se eu introduzir alguma coisa frutada no meu organismo.

Depois que pego meu béquer, Easton me leva para longe.

— Essas coisas podem ser bem fortes, então tome cuidado — avisa ele.

Dou um gole.

— Tem gosto de suco.

— Exatamente. Esses caras são mestres em deixar todo mundo bêbado sem nem perceber.

— Tá bom. Vou tomar só um. — Fico tocada de Easton estar cuidando de mim. Nunca tive isso antes. Observo a sala em busca de Reed, mas não o vejo em lugar nenhum. Pateticamente, verifico com Easton. — Reed vem?

— Não sei. Provavelmente, mas... eu o vi com Abby de novo hoje, depois do jogo.

Viro metade do béquer em resposta.

Easton observa meu rosto.

— Você vai ficar bem?

— Ótima — minto.

— Se precisar de alguma coisa, estou a uma ligação de distância. — Ele levanta o celular. — Mas agora preciso trepar, mana. — Ele dá um beijo na minha bochecha e vai na direção da piscina.

Daniel aparece no mesmo momento em que Easton desaparece. Os olhos brilham com humor.

— Caramba, achei que o vigia não iria embora. Venha, vou apresentar você para as pessoas.

Ele passa o braço pelo meu ombro e me leva de grupo em grupo. Gente que nunca olhou para mim de repente começa a acenar, sorrir e puxar papo sobre o jogo que ganhamos esta noite. Sobre o adversário da semana que vem, que vamos destruir. Sobre o professor de Química hobbit, de quem ninguém gosta, e sobre o professor de Artes, de quem todo mundo gosta.

A experiência é quase um sonho. Não sei se é porque Daniel está ao meu lado ou se porque a notícia da trégua dos Royal se espalhou entre as pessoas, mas todo mundo é legal comigo. Os sorrisos são largos, e a euforia compartilhada é contagiante. Minhas bochechas doem de tanto sorrir.

— Está se divertindo? — murmura Daniel, o rosto encostado no meu cabelo.

Eu me encosto nele.

— Estou. De verdade — digo, surpresa. Reed sumiu, e desta vez devem ser ele e Abby sacudindo o Range Rover, e não Wade, que vi lá dentro com uma garota sentada no colo. Mas e daí? O gentil Daniel está com o braço firme nos meus ombros e o corpo quente encostado no meu. Uma lerdeza estranha se espalha por mim. O álcool está derrubando minhas defesas, como Easton avisou que faria, e um formigar de alarme sobe até a base do meu pescoço.

— Vou pegar outra bebida — oferece Daniel.

— Eu acho... — Olho para ele, sem ter certeza do que acho.

— Ela precisa ir ao banheiro.

Franzo a testa com a invasão. Savannah Montgomery. O que ela está fazendo aqui? Antes que eu possa protestar, ela me arrasta até o banheiro mais próximo e fecha a porta.

Eu a vejo abrir a torneira e enfiar uma toalha de mão no fluxo de água.

— Que diabos está acontecendo agora? — eu pergunto.

Ela se vira para mim com expressão indistinta.

— Olha — diz ela —, eu não gosto muito de você...

— Nossa, obrigada.

— ...mas eu não deixaria nem minha pior inimiga ser enganada por Daniel.

Minha confusão triplica.

— Qual é o problema de Daniel? Reed e Easton falaram bem dele. Disseram que é um bom...

— Quer um conselho? — interrompe ela. — Não acredite na palavra de um Royal. Nunca.

Aquele amargor que Easton mencionou está agora dolorosamente óbvio. Está na contração do maxilar, na dureza das palavras dela.

— Eu sei que você não gosta deles — digo baixinho. — Fiquei sabendo sobre você e Gideon...

Ela me interrompe de novo, os olhos verdes ardendo de repulsa.

— Quer saber? Mudei de ideia. Você e Daniel são perfeitos um para o outro. Tenha uma ótima noite, Ella.

Com isso, Savannah joga a toalha molhada em mim, que bate bem na minha cara e encharca a frente da minha camiseta. Atordoada, penduro a toalha e afasto o tecido molhado do peito. O que acabou de acontecer?

Daniel está esperando do lado de fora do banheiro, parecendo preocupado.

— O que foi? Você e Savannah brigaram?

— Não exatamente. Não sei o que aconteceu lá dentro, além do fato de ela ter se irritado e molhado minha blusa. — Mostro a camiseta molhada do time da Astor Park que peguei emprestada de um dos gêmeos e amarrei atrás para ficar mais justa.

— Você precisa de outra camiseta? Posso pegar uma no quarto de Farris. — Ele aponta para cima.

— Não, tudo bem. Vai secar. — Eu puxo o tecido. É fino o bastante para secar rápido.

Ele assente.

— Olha, não quero dizer nada de ruim sobre ela, mas Sav não anda uma pessoa feliz ultimamente. Não deixe ela contagiar você.

— É, eu percebi isso.

— Estão montando um jogo de dardos na outra sala. Está interessada?

— Claro, por que não?

Ele me entrega uma garrafa de água.

— Não sei se você quer isso, considerando que já está encharcada, mas achei que poderia querer. Essas bebidas que Farris prepara são poderosas.

— Obrigada. — Abro a garrafa e reparo que o lacre não tinha sido rompido. Daniel está claramente na categoria dos bons rapazes, e eu seria muito burra de não dar ao menos uma chance a ele.

O braço dele esbarra no meu ombro quando seguimos pelo corredor.

— Sabe, Daniel... — Respiro fundo. — Acho que a gente devia sair.

— É? — Ele abre um sorriso.

— Sem dúvida.

— Tá bom. — Ele me puxa para perto e beija minha têmpora em outro gesto gentil e tranquilizador. — Mas, primeiro, vamos dar uma surra em todo mundo nos dardos.

O alvo dos dardos é uma coisa do tamanho de um bar, na casa da piscina na parte de trás da propriedade dos Farris. A visão de duas outras garotas já acomodadas em um sofá de couro me deixa tranquila de que Daniel não supôs imediatamente que o fato de eu ter aceitado sair com ele queria dizer que estou pronta para ir para a cama.

— Estas são Zoe e Nadine. Elas são da cidade.

Zoe levanta o pulso flexível.

— Nós estudamos na South East High.

— Nós não jogamos com seu time hoje?

— Foi — confirma ela. — E agora estamos comemorando.

Tenho que rir.

— Mas vocês perderam.

— Então acho que estamos sendo consoladas. — Ela e Nadine dão risadinhas.

— Que bom que temos Hugh aqui.

Hugh é um cara magro, alguns centímetros mais alto do que eu, que dá uma tragada no que está fumando e só assente.

Daniel pisca para a garota.

— Bem, Ella e eu temos um encontro com os dardos. Vocês três querem se juntar a nós?

— Não. Vamos só olhar. Hugh gosta de olhar, não gosta, Hugh?

Hugh sopra fumaça na cara delas, o que as faz rir ainda mais. Não é difícil perceber que essas garotas estão bêbadas ou chapadas.

— Quer o vermelho ou o amarelo? — Daniel mostra dois dardos.

— Vermelho.

Ele me entrega os dardos vermelhos e me puxa em direção ao alvo. Antes que eu possa lançar o meu primeiro dardo, sinto uma picada no braço.

— Ai! — Bato com a mão no local. — O que foi isso?

Ele levanta o dardo amarelo com expressão sem graça.

— Eu furei você com meu dardo.

— Caramba, Daniel, doeu. Não foi engraçado. — Massageio o local dolorido.

Ele franze a testa para a ponta do dardo.

— Desculpa. Devo ter espetado com força demais.

Eu me obrigo a relaxar.

— Só... não faz de novo, tá?

Ele me puxa para os braços dele.

— Não vai acontecer de novo.

Eu o deixo me abraçar por um minuto porque a sensação do contato é boa. Quando ele me solta, preciso me segurar em uma mesa próxima. Estou desequilibrada. Devo ainda estar sentindo os efeitos da bebida. Jogamos uma rodada e depois outra. Minha mira está péssima, e acerto mais a parede do que o alvo. Daniel faz algumas piadas dizendo que espera que eu nunca tenha que competir nos Jogos Vorazes.

Na terceira rodada, minha boca fica estranhamente seca. Estico a mão para pegar a garrafa de água, mas erro e a derrubo.

— Ah, bosta. Desculpa.

Ouço as garotas rirem atrás de mim. Fico de joelhos e procuro alguma coisa com que secar a água. Minha camiseta. Minha camiseta é absorvente e já está molhada. Além do mais, o tecido está me incomodando. Na verdade. Minhas roupas estão começando a me irritar. O sutiã está apertado demais e o elástico da calcinha está afundando na pele. Os fios da barra da saia arranham minhas coxas cada vez que me mexo. Eu devia tirar a roupa.

— Boa ideia — concorda Daniel.

Devo ter falado tudo isso em voz alta.

— Minhas roupas *estão* me incomodando — confesso.

— Isso, vamos tirar a roupa! — uma das garotas grita no sofá. Percebo que elas já começaram e ouço mais risadas.

— Minha cabeça está presa — diz uma delas.

— Por que vocês duas não se ajudam? — sugere Hugh.

Fico de pé e me apoio no ombro de Daniel. Zoe tira o top de Nadine e joga em Hugh. Ele larga no chão e anda até o sofá.

— Preciso ir — eu digo para Daniel. Tenho uma ideia do que vai acontecer entre os três e não estou a fim de ver.

Daniel me puxa para perto do corpo dele de novo e passa um braço na minha cintura. A reação física dele à cena se desenrolando à minha frente é inconfundível.

— Onde está Reed? — Eu me viro abruptamente. O formigamento entre as minhas pernas me faz pensar nele. — Preciso dele.

— Não, não precisa. Você tem a mim. — Daniel se esfrega lentamente em mim.

— Não. — Eu me solto das mãos dele. — Desculpa, Daniel. Eu não acho... Eu não... — Levo a mão até a cabeça e passo pelos cabelos, trêmula. Meu sangue está latejando de desejo. Consigo sentir meus batimentos, altos e rápidos, nos meus ouvidos. Eu me obrigo a me concentrar. — Eu preciso de Reed.

— Meu Deus, sua vaca idiota. Feche os olhos e se divirta.

A voz dele não está mais gentil. Está fria e irritada. Ele puxa a barra da minha camiseta. Eu bato nas mãos dele, mas meus movimentos não estão coordenados, e ele tira minha camiseta antes que eu consiga protestar.

— Como estão as coisas aí? — ouço Hugh dizer. A voz dele está próxima. Bem próxima.

— Ela está doidona. Dei ecstasy para ela. Ela achou que eu a espetei com o dardo. — Daniel parece satisfeito com seu truque. Tento dar um soco nele, mas meu braço está pesado demais.

Hugh faz uma pausa.

— Cara... Você acha que devia mesmo fazer isso com Ella Royal? Achei que a gente ia só ficar com as meninas de fora depois do problema com a prima da Savannah. Melhor não cagar onde se come.

Daniel ri com deboche.

— Os Royal não a suportam. Ela não vai dizer nada. Ela é um lixo. Essazinha me deu trabalho por uma semana.

Ele coloca a mão no meu rosto, e a sensação é tão boa. Eu queria que Reed estivesse aqui e que fosse a mão dele.

Digo o nome dele em um gemido.

— O que ela disse?

Daniel ri.

— Acho que essa garota trepou com Easton e com Reed. — Ele acaricia meus seios com grosseria, e o contato desperta outro grunhido em mim.

— Porra, ela está com tesão — diz Hugh com orgulho. — Incrível. Posso trepar com ela quando você acabar?

— Claro. Deixa só eu fazer minha parte e ela é toda sua.

— Quanto você acha que ela é arrombada? Ouvi que ela já fez muita coisa.

— Ainda não sei. Não consigo abrir as porras das pernas dela. — Ele me empurra em uma cadeira e enfia o joelho entre as minhas pernas.

— Por que você não dá um pouco de coca pra ela? Vai despertá-la um pouco.

— É, boa ideia.

A pressão desaparece quando Daniel se levanta e anda até a bancada. Olho alarmada enquanto ele remexe em uma gaveta.

— Onde Farris guarda aquela merda... Achei que estava aqui... Ah, talvez na geladeira.

— Reed. — Eu me forço a ficar de pé. — Reed. — Cambaleio passando pelas duas garotas, que estão ocupadas se beijando.

— Ei, espera aí. — Daniel fecha uma gaveta, corre até mim e coloca a mão na porta antes que eu possa abri-la. — Aonde você vai?

— Eu tenho que ir embora — insisto, e estico a mão para a maçaneta.

— Não, não tem. Volta aqui.

Nós lutamos pela porta. Daniel está com uma coisa afiada e brilhante na mão.

— Hugh. Uma mãozinha aqui, por favor — pede ele.

Bato na porta.

— Reed! Reed!

Daniel fala um palavrão e Hugh me puxa, mas é tarde demais. A porta se abre e Reed aparece. Os olhos azuis ficam enfurecidos na hora em que ele vê nós três.

Eu me lanço para ele. Daniel, com o susto, me solta, e eu caio no chão.

— Que *porra* está acontecendo? — rosna Reed.

— Merda, cara, ela está doidona — diz Daniel com uma gargalhada apressada. — Eu tive que trazê-la para cá para ela não passar vergonha.

— Não, não — protesto, tentando me sentar, mas tudo está confuso. Não consigo encontrar palavras para me explicar. Só consigo olhar para Reed em desespero. Ele vai me odiar agora. Vai mesmo acreditar que sou piranha. Toda a vontade de lutar some de mim. É o meu fim.

Mais pessoas chegam, e cinco pares de pés grandes se enfileiram na frente dos meus olhos. O número de pessoas presentes para testemunhar minha humilhação aumenta. Encosto a cabeça no chão de piso frio, torcendo para que se abra e me engula inteira.

— Você tem duas opções — Reed começa a dizer. A voz está forte e calma, como se ele estivesse fazendo um discurso para o corpo estudantil pela manhã. — Pode pedir desculpas e falar a verdade, e só um de nós vai arrebentar sua cara. Ou pode mentir, e vamos nos revezar para transformar seu corpo em um projeto de Ciências. Escolha suas palavras com cuidado.

Ele está falando comigo? Acho que pode estar. Levanto a cabeça para protestar que não fiz nada de errado, mas, quando olho, vejo um muro feito de irmãos Royal. Todos eles estão ali. Todos, inclusive Gideon. Os braços estão cruzados e os rostos, ameaçadores. Mas nenhum deles está olhando para mim.

Espio por cima do ombro e vejo Daniel, as mãos nas laterais do corpo e uma seringa pendurada entre os dedos.

Ele limpa a garganta.

— Reed, eu não fiz nada...

— Parece que você fez sua escolha.

— E foi uma escolha bem idiota — ouço Easton murmurar.

Desviando o olhar de Daniel, Reed se inclina e me pega nos braços. Ele me aconchega no peito, um braço embaixo da minha bunda e o outro apertado nos meus ombros. Esse cara é meu inimigo, a fonte de tanta dor emocional. Mas, agora, eu me agarro a ele como se ele oferecesse o único conforto que eu pudesse encontrar no mundo.

Dentro do Range Rover, começo a chorar.

— Reed, tem alguma coisa errada comigo.

— Eu sei, amor. Vai ficar tudo bem. — Ele coloca uma mão fria na minha perna, e a sensação é fenomenal.

— Preciso que você me toque. — Tento puxar a mão dele para cima.

Ele geme e aperta a minha perna com mais força, mas só por um segundo, logo ele se afasta.

— Não — protesto. — Estava gostoso.

— Daniel injetou ecstasy em você, Ella. Você está em um estado de tesão induzido por drogas, e não vou tirar vantagem de você.

— Mas... — tento argumentar, e estico a mão para ele.

— Não — responde ele com rispidez. — Agora, por favor, pelo amor de Deus, você pode ficar quieta e me deixar dirigir?

Eu me encolho, mas a sensação de formigamento na pele não passa. Esfrego as pernas uma na outra para aliviar um pouco da dor e percebo que ajuda um pouco. Preferia que fosse Reed me tocando, mas minhas mãos fornecem o alívio de que eu preciso, então aceito. Passo as mãos nas coxas, nas panturrilhas. Minha pele parece estar viva, e enfio a mão embaixo da camiseta que Reed me emprestou para aliviar a dor.

— Jesus, Ella. Por favor. Você está me matando aqui.

Constrangida, tento parar.

— Desculpa — eu digo com voz baixa. — Não sei o que está acontecendo.

— Vamos para casa. — Ele parece exausto.

O resto do trajeto de carro é agonizante. Preciso de toda a minha energia mental para não me tocar.

Reed para o carro na porta de casa e pula para fora antes de o motor morrer. Abre a porta, e eu caio nos braços dele. Nós dois gememos, eu de alívio, ele de frustração.

Outras portas são fechadas e os irmãos se juntam a nós. Sawyer vai na frente para abrir a porta.

Gideon fala primeiro.

— Ela vai ter uma longa noite. Um de vocês precisa ajudá-la.

— De que maneira? — diz Reed.

— Você sabe. — A voz de Gideon soa baixa.

— Porra.

— Quer que eu faça? — pergunta Easton.

Eu me encolho no colo de Reed. Ele me aperta mais.

— Não. Ninguém além de mim.

Minha cabeça está enevoada quando ele me carrega escada acima e me coloca na cama. Quando se afasta, estico a mão para ele, consternada.

— Não me deixe.

— Não vou deixar — promete ele. — Só vou pegar uma toalha.

Começo a chorar de novo quando ele some no banheiro.

— Não sei por que estou tão chorona.

— Você está drogada pra cacete. Ecstasy. Cocaína. Deus sabe o que mais ele deu pra você. — Reed parece enojado.

— Desculpa — sussurro.

— Não estou com raiva de você. — Ele aperta a toalha molhada na minha testa. — Estou com raiva de mim. Eu causei isso. Bom, Easton e eu. Eu fiz você passar por isso. Sou Reed, o Destruidor. — Ele parece triste. — Você não sabia?

— Não gostei desse nome.

Ele se senta ao meu lado e fica passando a toalha pelo meu rosto, pelo meu pescoço e pelos meus ombros. A sensação é divina.

— É? E como você preferia me chamar?

Abro a boca e digo:

— De meu.

Capítulo 24

Nós dois paramos de respirar.

— Ella — diz ele, mas não termina. Só fica olhando eu me sentar.

Tiro a toalha molhada da mão dele e jogo no chão. A camisa emprestada vai logo em seguida.

— Ella — tenta ele de novo.

Mas cansei de ele tentar ser nobre. Preciso dele agora mesmo.

Subo no colo dele e envolvo seus quadris com as minhas pernas.

— Me pergunte por que Daniel estava com tanta raiva de mim.

Reed tenta soltar minhas pernas.

— Ella...

— Me pergunte.

Um momento se passa, e ele para de tentar me tirar de cima dele. As mãos se apoiam nas minhas coxas, e um tremor toma conta do meu corpo inteiro.

— Por que ele estava com tanta raiva de você? — pergunta Reed com voz rouca.

— Porque eu não parava de dizer seu nome.

Os olhos dele se acendem.

— Porque é você. Sempre foi você, e estou cansada de lutar contra isso.

A expressão dele fica enevoada.

— Meu irmão...

— Você — repito. — Sempre você.

Junto as mãos na nuca dele, e ele geme.

— Você não está pensando com clareza.

— Não por causa das drogas — sussurro. — Não estou pensando com clareza desde que conheci você.

Outro gemido sai dos lábios dele.

— Sinto como se estivesse tirando vantagem de você.

Puxo a cabeça dele para perto da minha.

— Eu preciso de você, Reed. Não me faça implorar.

E, assim, ele cede. Uma das mãos sobe até meus cabelos enquanto a outra me puxa com força para perto.

— Você nunca mais vai ter que pedir. Vou dar tudo que você quiser.

A boca dele cobre a minha, suavemente no começo, com toques leves como penas, como se ele estivesse memorizando o formato dos meus lábios com os dele. E então, quando estou prestes a suplicar por mais, ele enfia a língua entre meus lábios entreabertos e me beija tão profundamente que fico tonta.

Caímos no colchão. As mãos dele encontram meus quadris e me puxam para perto. A boca está fundida na minha, faminta e exigente. Eu dou tudo de mim naquele beijo. Todo o meu amor, minha solidão, minhas esperanças, minha tristeza.

Reed recebe e me dá tudo de volta. Nós nos emaranhamos nos braços um do outro, e a boca dele encontra os pontos latejantes atrás da minha orelha e na base do meu pescoço, e ele me beija como se não ficasse satisfeito.

Ele enfia uma coxa entre as minhas pernas, e mesmo com as barreiras da minha calcinha e da calça jeans dele, encontro o alívio de que preciso. Quase. Ainda não é o suficiente, e deixo minha insatisfação clara na forma de um gemido de agonia.

Ele se apoia nos cotovelos e olha para mim, os olhos entreabertos, os lábios inchados dos nossos beijos. Ele é o cara mais lindo do planeta e é meu. Ao menos hoje.

— Mais — suplico.

Ele sorri, rola de lado e desliza uma das mãos entre as minhas pernas.

Uma onda de choque percorre meu corpo.

— Melhor? — sussurra ele.

Nem de perto. Eu me contorço, e outro sorrisinho surge nos cantos da boca antes do olhar dele arder de novo. A palma da mão se move em um pequeno círculo, e a base da sua mão aperta o ponto que dói de desejo por ele.

Meu corpo parece um fio desencapado, a segundos de explodir. Segundos mesmo, porque só é preciso mais um movimento da palma da mão de Reed para o prazer explodir dentro de mim. Ofego e tremo, atordoada pelo quanto tudo é incrível. Talvez sejam as drogas, mas gosto de pensar que é Reed. Ele solta um murmúrio baixo de encorajamento enquanto me mexo na sua mão. A prova da excitação dele apertando meu quadril.

Os lábios dele encontram os meus, e eu o beijo com desespero renovado, porque a necessidade está aumentando de novo, mais rápido do que nós dois esperávamos. Estico as mãos para ele e puxo os ombros até ele estar em cima de mim.

Nossas bocas se chocam, e ele geme quando arqueio o corpo para me roçar nele. A firmeza do corpo dele é a única coisa que me oferece alívio. Ele está enorme e pronto, mas, quando estico a mão entre nós, ele a afasta.

— Não. — A voz dele está torturada. — A questão aqui não sou eu. Não hoje. Não com você...

Drogada, eu acho que ele quer dizer, mas não me sinto mais doidona. Pelo menos, não de nada que não seja *ele*.

Reed gruda a boca no meu pescoço, beijando e sugando enquanto esfrega o corpo no meu. O prazer cresce, mas a calça jeans dele está atrapalhando. Não quero que tudo gire em torno de mim. Quero...

Ele bate na minha mão e sai de cima de mim. Mas não vai para longe. Um calor se espalha pela minha pele quando ele beija um caminho entre meus seios. Lábios quentes roçam no meu mamilo. Quando a língua sai para experimentar, vejo estrelas. Quando a boca se fecha, paro de respirar.

Cada lambida provocante me deixa mais e mais quente. Debaixo das mãos dele, eu me debato, o corpo querendo algo elusivo. Ele se mexe de novo e toma meu outro mamilo na boca. Depois, desce mais um pouco e passa os lábios pela minha barriga.

— Ah, meu Deus — sussurro. Minhas terminações nervosas latejam de desejo. — Reed — suplico.

— Está tudo bem, gata, eu vou cuidar de você. Sei do que você precisa.

Meu coração para quando ele vai para o meio das minhas pernas. Consigo sentir a mão dele tremendo quando ele puxa a calcinha fina para baixo. Uma inspiração profunda é o único ruído que ele faz antes de levar a boca até mim.

Eu grito com a sensação nova. É tão boa. *Tão* boa. A língua encontra o ponto sensível e faz meus quadris se moverem. Um gemido alto sai. Enfio os dentes no lábio inferior para tentar ficar quieta, mas Reed está me deixando louca. Eu quase desmaio e seguro a cabeça dele para puxar seus cabelos.

Ele olha para mim com olhos enevoados.

— Quer que eu pare?
— *Não.*
Ele continua. A língua dele é mágica e se move em mim em um ritmo incansável. Ele faz um barulho rouco, como se minha reação fosse tão maravilhosa quanto todas as coisas que ele está me fazendo sentir.

Os dedos dele seguem um caminho pela parte interna da minha coxa. Ele levanta a cabeça para pedir uma permissão silenciosa. Eu dou essa permissão com um aceno ansioso. Quero tanto isso.

Ele fecha os olhos quando desliza um dedo para dentro de mim, lentamente. Trinca os dentes.

— Você é tão apertada.
— Eu falei — consigo dizer.
Ele ri.
— É, falou. — Ele tira o dedo e passa a mão pela minha coxa. — Vou fazer isso ser tão bom para você.
— Eu já estou achando bom — protesto, puxando as pernas.

Um sorriso convencido e familiar brilha para mim.
— Você ainda não viu nada.

Ele desce para retomar o movimento, e seus ombros deixam as minhas pernas tão abertas que eu devia estar envergonhada, mas só consigo sentir expectativa. Com um braço ao redor da minha coxa, ele coloca o dedo dentro de mim novamente.

Os músculos das minhas pernas se contraem. Meus dedos afundam na cabeça dele, mas ele não para de me beijar nem quando o prazer explode dentro de mim. Quando fico mole, ele sobe e se deita ao meu lado, me puxando para perto.

Os lábios encontram meu pescoço de novo, e ele respira fundo.

— Por que você tinha que vir para cá?

Fico confusa com a pergunta.

— Eu... você sabe por quê. Seu pai...

— Quero dizer, por que agora? — As palavras frustradas dele aquecem minha pele. — Talvez em outra época, longe deste lugar, você e eu tivéssemos uma história diferente.

— Não entendo o que você está dizendo.

— Estou dizendo que isso não pode acontecer de novo. — Ele levanta a cabeça, e vejo a infelicidade dele. — Eu preciso ir embora daqui. Preciso sair deste maldito lugar e me transformar em algo melhor. Em alguém... digno... — A voz dele tropeça na última palavra.

— Digno — repito, em um sussurro. — Por que você acha que não é digno?

Ele fica em silêncio por um momento. A palma da mão acaricia distraidamente meu ombro.

— Não importa — diz ele. — Apenas esqueça.

— Reed...

Ele se senta e tira a camiseta que tinha vestido no carro. A outra, a que tirou e vestiu em mim quando estávamos saindo da festa, está caída no chão, junto com o resto das minhas roupas.

— Feche os olhos, Ella — diz ele com voz rouca, se posicionando ao meu lado de novo. Ele está sem camisa agora, mas ainda de calça jeans. O tecido arranha minha perna quando passo por cima dele. — Feche os olhos e durma.

Minha voz soa abafada no peito dele.

— Promete que não vai embora?

— Prometo.

Eu me aconchego e me perco no calor do corpo e no batimento firme do coração dele embaixo do meu ouvido.

Quando acordo de manhã, Reed foi embora.

Capítulo 25

— Você está bem, maninha? — Easton olha para mim da mesa da cozinha quando cambaleio para dentro do aposento com a sensação de que fui atropelada por um caminhão.

— Não. Estou péssima. — Eu me sirvo de um copo de água da torneira, bebo tudo e encho de novo.

O tom de Easton é cheio de solidariedade.

— A coisa foi feia, né? Aconteceu comigo também quando a droga do amor entrou na minha vida.

— Amor? — diz a voz curiosa de Callum na porta. — Está com namorada nova, Easton? O que aconteceu com Claire?

Consigo ver Easton segurando uma gargalhada.

— Claire já era. Mas esse novo amor é ótimo. — Ele dá um sorriso malicioso para mim.

Minha cabeça está latejando tanto que não consigo nem abrir um sorrisinho. O olhar de Callum se desvia para mim, e ele leva um susto.

— Ella, você está péssima. — Uma desconfiança surge no rosto dele quando ele se vira para o filho. — Em que tipo de problema você a meteu ontem à noite?

— Só o problema líquido de sempre. Acontece que Ella não sabe beber.

Lanço um olhar de agradecimento para ele pelas costas de Callum. Acho que a trégua Royal inclui ajudarmos uns aos outros. Não que eu tenha me drogado por vontade própria na noite anterior. Minhas mãos se apertam quando me lembro dos olhos vidrados de desejo de Daniel e do jeito como ele passou a mão em mim.

— Você encheu a cara ontem? — A boca de Callum está repuxada quando ele se vira para mim.

— Um pouco — eu confesso.

— Ah, para com isso, pai, não vem bancar o preocupado agora — diz Easton. — Você me deu minha primeira cerveja quando eu tinha doze anos.

— Eu tinha onze — diz Gideon, entrando na cozinha. Ele está sem camisa, e tem uma marca de arranhão visível no peitoral esquerdo. Ele olha para mim com solidariedade evidente. — Como você está?

— De ressaca — responde Easton por mim, e olha diretamente para o irmão quando o pai não está olhando.

Callum ainda não está feliz comigo.

— Eu não quero você bebendo demais.

— Está com medo de que ela tome o seu lugar de Bêbado Oficial da família Royal? — diz Easton.

— Já chega, Easton.

— Ei, só estou observando a hipocrisia, pai. E, aparentemente, aqui temos dois pesos e duas medidas. Você está cagando quando a gente enche a cara, então por que Ella também não pode?

Callum olha para os filhos e para mim, depois balança a cabeça.

— Acho que eu devia era ficar feliz de vocês estarem se defendendo agora.

Passos soam no corredor, e minha respiração entala na garganta quando Reed entra na cozinha. A calça esportiva preta está baixa nos quadris, e o peito musculoso está exposto e um pouco úmido, como se ele tivesse acabado de sair do chuveiro.

Ele não olha para mim quando vai até a geladeira.

Meu ânimo despenca, apesar de eu não ter certeza de que tipo de reação esperava dele. Acordar sozinha foi uma mensagem bem clara. E o que ele disse ontem, *isso não pode acontecer de novo*, só deixa essa mensagem ainda mais clara.

— Ah, Ella — diz Callum de repente. — Me esqueci de dizer. Seu carro chega amanhã, então você vai poder ir dirigindo para o trabalho na segunda de manhã.

Apesar de eu ficar aliviada por Callum finalmente conseguir dizer a palavra "trabalho" sem franzir a testa para mim, também sou tomada por uma onda de decepção. Na geladeira, as costas de Reed se contraem. Ele também sabe o que isso quer dizer. Nada de carona a partir de agora.

— Que ótimo — digo com docilidade.

— Então. — Callum olha ao redor. — Quais são os planos de vocês para hoje? Ella, eu estava pensando que você e eu poderíamos ir para...

— Eu vou para o píer com Valerie — interrompo. — Vamos almoçar em um restaurante de frutos do mar à beira d'água sobre o qual ela vive falando.

Ele parece decepcionado.

— Ah, tudo bem. Parece divertido. — Ele se vira para os filhos. — Alguém quer ir para o clube de golfe comigo? Faz séculos que não vamos todos.

Nenhum dos irmãos Royal aceita o convite, e quando Callum sai da cozinha parecendo um cachorrinho abandonado, não consigo deixar de franzir a testa.

— Vocês não podem nem tentar fazer um esforço? — eu pergunto.

— Acredite, nós fazemos. — É Gideon quem responde, e a cara feia de desprezo me pega desprevenida.

Quando ele sai andando, eu pergunto para Easton:
— O que deu nele?
— Não faço ideia.

Pela primeira vez, Easton está tão perdido quanto eu, mas Reed deve saber de alguma coisa que nós não sabemos, porque também faz cara feia e diz:

— Deixem Gid em paz.

Ele também sai. Não olhou para mim nem uma vez, e a dor que escorre do meu coração é mil vezes pior do que qualquer ressaca.

O almoço com Valerie é divertido, mas peço para ir embora cedo porque minha cabeça ainda parece que está sendo perfurada por facas enferrujadas. Ela ri e me diz que quanto maior a ressaca, melhor a festa deve ter sido. Deixo que ela acredite na mesma coisa que Callum: que bebi um pouco demais e agora estou sofrendo por isso.

Não sei por que não conto para ela sobre Daniel. Val é minha amiga, e devia ser a primeira pessoa da fila a dar uma surra em Daniel pelo que fez a mim. Mas alguma coisa me impede de contar para ela. Talvez seja vergonha.

Eu não devia sentir vergonha. *Não devia*. Não fiz nada de errado, e, se tivesse tido a menor desconfiança de que Daniel era tão maluco, jamais teria ido para a casa da piscina com ele. Nunca.

Mas, cada vez que penso na noite anterior, eu me vejo arrancando as roupas e sussurrando o nome de Reed enquanto as mãos nojentas de Daniel percorriam meu corpo. Relembro isso e sou tomada de vergonha.

E não consigo nem me distrair pensando no que aconteceu depois, a parte boa, quando sussurrei o nome de Reed por outros motivos. Não consigo pensar nisso porque me deixa triste. Reed me queria ontem à noite, e me deu tanto de si quanto estava disposto a dar, mas agora se recolheu novamente.

Valerie me deixa em casa e vai embora no carro da governanta. Ela me contou no almoço que o namorado vem para casa no próximo fim de semana, e estou ansiosa para conhecê-lo. Pela quantidade de tempo que ela passa falando sobre Tam, tenho a sensação de que já o conheço.

O dia está lindo do novo, então decido botar o biquíni e ficar um pouco na piscina. Com sorte, o sol vai me fazer sentir humana de novo. Pego um livro e me acomodo em uma espreguiçadeira, mas só tenho uns vinte minutos de solidão até Gideon aparecer de sunga.

De todos os irmãos Royal, Gideon deve ser quem tem menos quantidade de gordura corporal. Ele tem corpo de nadador, e Easton me disse que ele ganhou bolsa integral na faculdade por causa da natação. Os gêmeos insistem em dizer que ele vai ganhar medalha de ouro nas próximas Olimpíadas. Mas em dize que bom que não tem ninguém da comissão olímpica por perto hoje, porque o rejeitariam em um piscar de olhos. As braçadas são irregulares e o ritmo é alarmantemente lento.

Mas talvez eu esteja preocupada sem motivo. Só o vi nadar uma outra vez. Talvez ele esteja só pegando leve.

— Ella — diz ele quando sai da água quase uma hora depois.

— O quê?

Ele anda na minha direção, pingando água por todo o deque.

— Tem uma festa na praia hoje. Na propriedade dos Worthington. — Ele passa a toalha no peito. — Quero que você fique em casa.

Arqueio a sobrancelha.

— Você é o encarregado da minha agenda social agora?

— Hoje, sou. — O tom dele não aceita discussões. — Estou falando sério. Fique longe daquela festa.

Depois da noite de ontem, não tenho interesse de ir a outra festa nunca mais, mas continuo não gostando de me dizerem o que fazer.

— Talvez.

— Não tem nada de talvez. Fique em casa.

Ele desaparece dentro de casa e, nem cinco minutos depois, Easton se aproxima e para ao lado da espreguiçadeira.

— Brent Worthington vai dar uma...

— Festa — digo. — É, estou sabendo.

Ele passa a mão pela barba por fazer no queixo.

— Você não vai.

— Estou vendo que você andou conversando com Gideon.

A expressão dele revela que sim, mas ele tenta uma abordagem diferente e abre aquele sorriso de menino.

— Olha, não tem motivo para você sair, maninha. Tira a noite de folga, relaxa, vê uma novela...

— Novela? Quem você acha que eu sou, uma dona de casa de cinquenta anos?

Ele ri.

— Tudo bem, vê um filme pornô. Mas você não vem com a gente hoje.

— A gente? — eu repito. — Reed vai?

Easton dá de ombros, e a forma como evita meu olhar me deixa em alerta. O que eles planejaram para hoje? Sinto uma pontada de pânico nas entranhas. Daniel vai estar lá? É por isso que querem que eu fique longe?

Não tenho oportunidade de fazer a pergunta, porque Easton já está se afastando. Suspirando, pego meu livro e tento me concentrar, mas não adianta. Estou preocupada de novo.

— Oi.

Levanto o rosto e vejo Reed se aproximando. Pela primeira vez hoje, ele olha nos meus olhos.

Ele sinta na espreguiçadeira ao lado da minha.

— Como está se sentindo?

Coloco o livro de lado.

— Melhor. Minha cabeça não está mais latejando, mas meu corpo ainda parece meio fraco.

Ele assente.

— Você devia comer alguma coisa.

— Eu comi.

— Então coma mais.

— Acredite, estou de barriga cheia. — Um sorriso se abre nos meus lábios. — Valerie enfiou uma quantidade absurda de camarão e patinha de caranguejo pela minha goela no almoço.

Os lábios dele tremem.

Sorria, imploro silenciosamente. *Sorria para mim. Me toque. Me beije. Qualquer coisa.*

O sorriso não aparece.

— Escute, sobre ontem à noite... — Ele limpa a garganta. — Eu preciso saber uma coisa.

Minha testa se franze.

— Certo.

— Você... foi... — Ele solta o ar. — Você tem a sensação de que eu me aproveitei de você?

— O quê? Claro que não.

Mas a intensidade do olhar não oscila.

— Você precisa ser sincera comigo. Se sentir que me aproveitei ou que fiz qualquer coisa que você não queria... você tem que me dizer.

Eu me sento, me inclino na direção dele, e boto as duas mãos no rosto dele.

— Você não fez nada que eu não quisesse.

O alívio dele é óbvio. Quando passo o polegar pelo maxilar dele, sua respiração falha.

— Não me olha assim.

— Assim, como? — eu sussurro.

— Você sabe como. — Grunhindo, ele tira as minhas mãos do rosto dele e se levanta com desequilíbrio. — Não pode acontecer de novo. Não vou deixar.

Sou tomada de frustração.

— Por quê?

— Porque não é certo. Eu não sou... Eu não quero você, tá? — Uma expressão de desprezo surge. — Eu fui legal com você ontem porque você estava doidona daquelas merdas e precisava de alívio. Só fiz um favor, só isso. Eu não quero você.

Ele sai andando antes que eu possa responder. Ou melhor, antes que eu possa chamá-lo de mentiroso. Ele não me quer? Até parece. Se não me quisesse, não teria me beijado como se fosse um homem passando fome e eu fosse sua única fonte de alimento. Se não me quisesse, não teria idolatrado meu corpo como se fosse o melhor presente que já recebeu, nem me abraçado até eu dormir.

Ele está mentindo para mim, e agora meus níveis de preocupação estão altíssimos. Não só de preocupação, mas de determinação, porque está na cara que Reed Royal tem segredos que não consigo nem começar a decodificar.

Mas vou conseguir. Vou descobrir tudo. Por que ele mantém todo mundo longe, por que se sente indigno, por que está fingindo que não tem nada entre nós quando nós dois sabemos que tem. Vou descobrir todos os segredos dele, caramba.

O que quer dizer que... acho que vou a outra festa hoje.

Capítulo 26

Preciso de reforço ou, pelo menos, de informações. Pelo que Gideon disse, os Worthington moram na beira do mar e perto o bastante para dar para ouvir barulho na propriedade Royal. Eles também devem ter filhos com idade próxima da dos garotos. Mas só sei isso.

Que bom que conheço uma pessoa que é uma central de fofocas.

Valerie atende no primeiro toque.

— Está precisando de mais frutos do mar? Eu falei que a melhor cura para ressaca é comida.

A ideia de mais um pedaço de crustáceo no estômago me dá vontade de vomitar.

— Não, obrigada. Eu queria saber se você acabou o Skype com Tam e se quer vir espiar os Royal comigo.

Valerie inspira fundo.

— Estou a caminho.

— Ei — interrompo antes de ela desligar. — Você está de carro?

— Não. E você não pode pedir a um dos irmãos para vir me buscar, pode? — diz ela, desanimada.

— Não se preocupe. Durand vai buscar você. Olha, quando eu disser para Callum que quero convidar uma amiga, acho que até ele vai se oferecer.

— Ah, Callum. Legal. Ele é gato para um cara velho.

— Que nojo, Valerie. Ele tem mais de quarenta.

— E daí? Ele é tipo um don Juan de meia idade. Sabe quem gosta disso?

— Não faço ideia. Uma das Pastéis?

— Ah, não. Aquelas garotas não saberiam o que fazer com um homem adulto, ainda mais com algumas décadas de vida. Estou falando da irmã mais velha de Jordan! Ela tem vinte e dois e vive trazendo caras mais velhos para casa. O último tinha cabelo grisalho, e juro que era mais velho do que o tio Brian. Não consigo chegar a uma conclusão. Ou ela é superpervertida e esses são os únicos caras que sabem o que estão fazendo ou tem problemas de figura paterna.

— Meu insulto a Jordan na festa dela talvez tenha acertado bem perto do alvo, então.

— Não deve ter ajudado — diz Valerie com alegria.

— Vou desligar agora porque estou pensando seriamente em vomitar meu almoço depois dessa discussão. — Desligo o telefone e tento afastar da cabeça qualquer pensamento de Callum fazendo coisas pervertidas.

Felizmente, Durand está disponível, e Valerie é trazida para a propriedade dos Royal com rapidez.

— Uau, este quarto é tão… — Ela procura a palavra certa enquanto olha espantada.

Ofereço várias.

— Infantil? Bobo? Uma homenagem ao Dia dos Namorados que deu errado?

Ela cai para trás na colcha rosa de babados.

— Interessante.

— É uma forma de dizer. — Eu me acomodo na cadeira da penteadeira coberta de pelo e vejo Valerie afastar as cortinas finas penduradas ao redor da cama de dosséis. — Quer beber alguma coisa? Eu tenho um frigobar aqui. — Abro a porta de vidro da geladeira de bebidas que fica debaixo da penteadeira.

— Claro. Quero qualquer coisa diet. Fora o excesso de rosa, o quarto é incrível. Tem televisão, cama chique. — Ela toca na colcha. — Isso é seda?

Estou com a mão na geladeira quando ela solta essa bomba.

— Eu durmo em um cobertor de seda?

— Tecnicamente, você dorme embaixo dele. Quer dizer, não é obrigatório, mas o normal é dormir sobre o lençol e debaixo da coberta. — Valerie parece preocupada, como se minha criação tivesse sido tão bizarra que eu pudesse não saber como usar a roupa de cama. Infelizmente, ela não está *tão* longe da verdade.

— Eu sei disso, espertinha. — Pego uma Coca diet e coloco na mão dela. Abro uma para mim. — Só é estranho. Fui de sacos de dormir a cobertores de seda ou, me desculpe, colchas de seda. — Eu me corrijo antes de Valerie falar qualquer coisa. Mas chega de falar sobre cobertas. Preciso de informações. — Me conte tudo o que sabe sobre os Worthington — ordeno.

— Os Worthington das telecomunicações ou os Worthington do setor imobiliário? — pergunta ela, a boca ainda na lata de refrigerante.

— Não faço ideia. Eles moram perto daqui e vão dar uma festa hoje.

— Ah, então são os Worthington das telecomunicações. Eles moram a umas cinco casas daqui. — Ela levanta a lata. — Tem um descanso de copos?

Jogo um caderno, que ela usa para apoiar a lata.

— Brent Worthington é formando. Ele é superconservador, se bem que mais com sobrenomes do que com o dinheiro. Os pais da namorada dele, Lindsey, tiveram que declarar falência dois anos atrás, e tiraram Lindsey da Astor Park porque não podiam mais pagar, mas Brent não terminou com ela, porque Lindsey é uma DAR.

— E quem são os Dar? — eu pergunto.

Valerie ri e balança a cabeça.

— Não, não é o sobrenome. Significa Daughters of the American Revolution, as Filhas da Revolução Americana. A árvore genealógica dela chega comprovadamente até um dos três navios que vieram da Inglaterra.

— Existe isso? — digo, boquiaberta.

— Existe. O que está rolando?

— Os Royal vão lá hoje e me mandaram ficar longe.

— Por quê? Aquelas festas são bem fracas em comparação a todos os eventos da escola. Eles trancam todas as portas da casa, porque Brent não quer ninguém transando nos cômodos. As pessoas só têm permissão para usar um banheiro, e fica perto do pátio. A casa da piscina também fica trancada. Brent contrata serviço de bufê e gosta que todo mundo apareça como se estivesse indo velejar. Ele usa o paletó do country club e todas as garotas vão de vestido. Sem exceção.

Parece horrível. Se os Royal tivessem me dado essa descrição, não teriam nem precisado me mandar ficar longe. Mas mandaram, e isso quer dizer que vai acontecer alguma coisa que eles não querem que eu veja ou de que faça parte.

— Daniel Delacorte seria convidado?

Ela pensa e assente devagar.

— Sim. O pai dele é juiz. Acho que Daniel também planeja ser, e nunca é demais ter juízes como melhores amigos, né?

Nessa hora, me ocorre que é por isso que os ricos ficam cada vez mais ricos. Eles formam esses laços no ensino médio, talvez até antes e, quando ficam mais velhos, só continuam praticando a ideia de que uma mão lava a outra.

— Aconteceu alguma coisa entre você e Daniel naquela noite? Sei que você ficou de ressaca, mas Jordan disse que você estava tão mal que Reed teve que tirar você no colo da casa de Farris. Ele fez... alguma coisa? — Ela parece preocupada.

Não quero contar para Valerie sobre os horrores daquela noite, mas, se ela vai se envolver nisso, merece alguma explicação.

— Ele achou que eu era fácil. Mas não sou. E os Royal não gostam quando se metem com a possível, mas não exatamente, irmã postiça deles. Foi mais ou menos isso.

Ela contorce o rosto.

— Deus, que babaca. Mas por que estou aqui se os Royal já estão planejando a vingança?

— Não sei se estão, só que três deles me disseram que não era para eu ir para a festa dos Worthington hoje de jeito nenhum.

Os olhos de Valerie se iluminam.

— Adoro que você não liga para o que os Royal pensam. — Ela pula da cama e abre meu armário. — Vamos ver que vestidos aprovados pelos Worthington você tem.

Tomo o resto da minha Coca enquanto Valerie mexe nas roupas e descarta peça atrás de peça.

— Você precisa de mais roupas. Até os Carrington enchem meu armário de qualquer coisa que eu quiser. Sustenta as aparências, sabe. Eu não sabia que Callum era pão-duro com você.

— Não é — respondo, incomodada pelo insulto a Callum. — Eu tive que ir fazer compras com Brooke, e os lugares aonde ela me levou eram muito caros.

— Tudo por aqui é caro. — Valerie balança a mão. — Pense em suas roupas como uma extensão do seu uniforme.

Além do mais, se você estiver malvestida, as pessoas vão pensar a mesma coisa que eu, que Callum está sendo avarento com você. A-ha! — Ela pega um vestido azul-marinho com mangas copinho e um decote fundo em V com renda branca costurada em volta. Não me lembro de tê-lo visto, o que quer dizer que Brooke deve ter escolhido quando eu não estava olhando. — Este é bonito. Tem um decote fundo que diz sou sexy sem dizer cobro cinquenta pratas e gosto de receber adiantado em dinheiro.

— Acredito na sua avaliação. — Nos lugares em que eu trabalhava antes seria preciso um decote bem mais fundo do que aquele para receber cinquenta pratas adiantado. Atravesso o quarto e começo a trocar de roupa. Está ficando tarde, e quero chegar à festa antes de os fogos começarem.

— Você se importa se eu pegar este vestido emprestado? — Valerie encosta um de renda branca no corpo.

— Fique à vontade. — Ela é de dois a três centímetros mais baixa do que eu, e, considerando o comprimento da saia, a barra deve ficar bem no meio da coxa. — Só por curiosidade, de quantos vestidos eu preciso? — Dois me parecem suficientes.

— Uns vinte e poucos.

Eu me viro, e Valerie está com expressão séria.

— Você está brincando.

— Não estou. — Ela pendura o vestido de volta no armário e começa a passar os dedos de um em um. — Você precisa de vestidos de tarde, vestidos de iate, vestidos para o country club, vestidos para sair à noite — minha cabeça está girando —, vestidos para festas no jardim, vestidos para festas oficiais da escola, vestidos para depois da aula, vestidos de casamento, vestidos de enterro...

— Você disse vestidos de enterro? — interrompo.

Valerie aponta para mim e pisca.

— Só queria ter certeza de que você estava prestando atenção. — Ela ri quando eu reviro os olhos e começa a tirar a roupa. — Você precisa de bem mais roupas do que tem. As aparências são importantes, até para os Royal. — A voz fica abafada quando ela puxa a blusa pela cabeça. — Por exemplo, diga a menor coisa negativa sobre Maria Royal, e todos os filhos dela ficam loucos. Reed quase foi preso por agressão quando um garoto da South East High a chamou de suicida viciada em comprimidos.

— Ele acusou Maria de se matar? — exclamo, chocada.

Valerie olha ao redor, como se tivesse medo que Reed pulasse em cima dela. Em seguida, baixa a voz e diz:

— É um boato, um boato do qual os Royal não gostam. Até processaram o médico de Maria por erro.

— Eles ganharam?

— Houve um acordo, e o médico deixou de praticar a profissão e saiu do estado, então... sim?

— Uau.

— De qualquer modo — continua Valerie —, eles são intensamente protetores em relação à mãe, e eu acho que seria importante que as pessoas de fora da família acreditassem que eles estão tratando você bem.

Uma aflição me atinge. É isso que Reed está fazendo? Cuidando para manter a reputação da família? Não, não pode ser. Todas as coisas que fizemos aqui, naquela colcha de seda e embaixo dela, foram particulares e não tiveram nada a ver com a reputação dos Royal.

Olho o relógio e percebo que tenho que me apressar. Troco de roupa correndo, mas, quando olho no espelho, vejo um problema.

— Val, esse decote é fundo demais. — Eu me viro para ela poder ver que o lacinho branco do meu sutiã está aparecendo.

Ela dá de ombros.

— Você vai ter que ir sem sutiã. Coloque band-aids se está preocupada com o mamilo aparecer.

— Acho que vai ter que ser. — Se bem que estar até no mesmo bairro que Daniel sem estar de sutiã me deixa meio tensa.

Demoramos mais meia hora para fazer cabelo e maquiagem. Eu cuido do rosto de Valerie. Ela fica atônita com a quantidade de maquiagem que acumulei.

— Você pode precisar de vestidos, mas seu kit de maquiagem é demais — exclama ela.

— Obrigada, mas você precisa calar a boca para eu não passar batom nos seus dentes. — Balanço o pincel de batom para ela de forma ameaçadora, e ela fecha a boca com obediência.

Quando estamos prontas, esperamos que os Royal saiam. Ouvimos batidas de portas generalizadas e passos no corredor. Alguém para na minha porta e bate tão forte que eu faço uma careta. É a voz de Easton.

— Tudo bem aí? Vamos voltar meio cedo.

— Não me importo — respondo, fingindo estar com raiva. — E não bata na minha porta de novo. Estou com raiva de você. De todos.

— Até do Reed? — brinca Easton.

— De todos.

— Ah, para com isso, mana, é para o seu próprio bem.

De repente, não preciso fingir a raiva.

— Vocês, Royal, não saberiam o que é bom para mim nem que fosse esfregado na sua cara por uma coelhinha da Playboy.

Valerie faz sinal duplo de positivo para me encorajar.

Easton dá um suspiro alto.

— Claro que eu não conseguiria ver nada se uma coelhinha da Playboy estivesse na minha frente. Eu estaria ocupado demais olhando os peitos dela para poder prestar atenção em qualquer outra coisa.

Valerie não consegue deixar de rir.

— Não — sussurro. — Você só vai encorajá-lo.

— Estou ouvindo e, sim, estou encorajado — diz Easton atrás da porta. — Vamos voltar em duas horas. Se você esperar acordada, podemos ver um filme.

— Vai embora, Easton.

Ele sai andando.

— Easton é adorável. Se eu não estivesse tão apaixonada por Tam, iria atrás dele com tudo — admite Valerie.

— Acho que pegá-lo não é o problema — respondo secamente.

— Não? Então qual é?

— Segurá-lo.

Capítulo 27

Segurando os sapatos, Valerie e eu andamos pela areia na direção da casa dos Worthington.

— O que impede as pessoas de entrar de penetras na festa? — pergunto com curiosidade. — Elas não podem simplesmente andar pela praia e entrar na casa?

— Eles saberiam que você não é de lá só pelas roupas que estaria usando. Além do mais, as únicas pessoas com acesso a esta praia são as que moram nela, e, a não ser que tenha dinheiro para uma mansão de dez milhões, você não vai estar nesta areia.

— Nós vamos ser expulsas? — A ideia nem tinha me ocorrido porque eu nunca tinha ido a festas assim.

— Não, porque você é Ella Royal e, apesar de eu ser uma parente pobre, meu sobrenome ainda é Carrington.

Nem chegamos perto o bastante para sermos confrontadas por Brent Worthington, porque os cinco irmãos Royal estão amontoados do lado de fora da propriedade. Estão tramando alguma coisa, como eu sabia que fariam. E é um plano de vingança contra Daniel, porque quem mais poderia estar na mira?

Se alguém merece vingança, sou eu. Ando direto até o grupo, mas eles nem reparam.

— E aí, mano, o que está rolando? — Cutuco Gideon nas costas.

Reed se vira e me repreende primeiro.

— O que você está fazendo aqui? Eu mandei ficar em casa.

— Eu também. — Gideon olha para mim com o rosto franzido e os lábios repuxados.

— Eu também — diz Easton.

— E vocês dois? — Eu olho diretamente para os gêmeos, os dois usando bermudas cáqui idênticas e camisas polo brancas com um jacaré no lado esquerdo do peito. Eles olham para mim com inocência. Não dá para diferenciá-los hoje, e deve ser exatamente disso que a namorada deles gosta. Vou ter que marcar um com batom antes do fim da noite. — Bom, a novidade é que não sou um cachorro. Não fico parada e sentada só porque vocês mandaram. Por que eu deveria ficar longe? As bebidas estão com drogas aqui também?

Atrás de mim, Valerie ofega em choque, o que gera cinco olhares de raiva e irritação na minha direção.

— Não — diz Gideon —, mas se acontecer alguma coisa ruim, papai não ficaria tão furioso se você estivesse em casa, na cama.

— Ou se pegando com Valerie — diz Easton. — Estar na cama e em casa eram as partes mais importantes — acrescenta ele rapidamente quando é sua vez de receber olhares de condenação.

— Você estar aqui pode dar dica para Daniel de que estamos planejando alguma coisa — diz Reed, a cara feia aumentando.

Valerie para ao meu lado.

— Se o plano era não provocar desconfianças, Easton devia estar com a língua enfiada na boca de alguém, Reed devia estar sussurrando trivialidades doces para Abby — alguém cale a boca dela —, Gideon devia estar fazendo coisas da faculdade, e vocês dois — ela aponta um dedo para os gêmeos — deviam estar fazendo pegadinhas com as pessoas, porque, cacete, não dá para saber quem é quem.

Easton disfarça uma gargalhada com uma tosse falsa enquanto os gêmeos fingem estar olhando para qualquer lugar, menos para Valerie. Reed e Gideon trocam um longo olhar. Entre os irmãos Royal, quem manda são esses dois. Pelo menos esta noite.

— Como vocês já estão aqui, não faz sentido mandar que vão para casa, mas isso é coisa dos Royal. — Gideon olha diretamente para Valerie.

Ela é rápida.

— De repente, estou morrendo de sede. Acho que vou descolar uma taça de champanhe.

Depois que Val sai, eu esfrego as mãos.

— E qual é o plano?

— Reed vai puxar briga e dar uma surra em Daniel — Easton me informa.

— Que plano horrível.

Eles todos se viram para mim de novo. Ser o único foco de cinco Royal é meio avassalador.

Eu me concentro em Reed e Gideon, os dois que preciso convencer.

— Vocês acham que vão simplesmente atrair Daniel para uma briga? — Os dois irmãos dão de ombros. — Tenho certeza de que vocês acham que vai dar certo porque todos vocês lutariam para defender seu nome. Mas esse cara não tem honra. Ele não luta de forma justa. Ele é o tipo de cara que droga uma garota porque não foi confiante ou paciente o bastante para conquistá-la. Ele é um covarde. — Balanço a mão na direção do corpo absurdamente malhado de Reed. — Reed tem dez quilos a mais do que ele e luta com regularidade.

— Ela sabe sobre as lutas? — interrompe Gideon. Reed dá um aceno breve, e Gideon balança as duas mãos para nós, como se não quisesse mais saber de nossos assuntos de colégio.

— Ainda assim, ele vai querer se defender — argumenta Reed.

— Eu aposto cem dólares que ele vai rir e dizer que sabe que você vai ganhar. E, se você tentar forçar, vai parecer o vilão.

— Eu não ligo.

— Tudo bem. Se vocês só querem dar uma surra nele, vão lá e façam isso. — Aponto para o gramado dos fundos, que está ficando cheio.

— Reed não pode dar o primeiro soco — interrompe Easton.

Intrigada, olho de um irmão para o outro.

— É algum tipo de regra de clube da luta?

— Não. Papai pegou Reed brigando alguns meses atrás. Disse que, se o pegasse fazendo isso de novo, mandaria os gêmeos para o colégio militar.

Uau, que diabólico. Sei que Reed não ligaria de ir para um colégio militar, ou pelo menos não muito, mas odiaria que os gêmeos fossem. Callum vive me surpreendendo.

— Então você não pode bater em ninguém, nunca?

— Não, não posso dar um soco se não estiver me defendendo ou defendendo alguém da família de perigo iminente. Essas foram as palavras exatas dele — diz Reed por entre dentes. — Se tiver uma ideia melhor, pode botar pra fora.

Eu não tenho, e eles sabem. Gideon balança a cabeça, e até Easton parece decepcionado comigo. Olho para o céu azul-escuro, depois para o mar, para a casa e para os irmãos. Uma ideia surge.

— Os Worthington têm uma casa da piscina?

— Têm — diz Reed com cautela.

— Onde fica? — A casa da piscina dos Royal é quase toda feita de vidro, então dá para ver o mar de um lado e a piscina do outro. Cutuco o braço de Reed. — Me mostre.

Reed me ajuda a passar pela amurada de pedra até o gramado de trás. Ele aponta para uma estrutura escura na beirada do deque de concreto, ao redor de uma piscina grande e retangular.

— Worthington deixa trancada.

— Para ninguém poder transar lá. Valerie me contou. — Isso é tão perfeito.

Olho para os gêmeos.

— Se isso envolver me vestir de mulher, estou fora. — Sawyer levanta a mão em protesto. Ao menos, eu acho que é Sawyer, por causa da queimadura leve no pulso.

— Me deixem chamar Valerie. Vai ser preciso que sejamos duas. E vou precisar dos dois gêmeos. Vocês finjam que estão em uma festa. Quando chegar a hora, Sawyer vai sair e avisar. Vocês vão precisar reunir o máximo de gente que puderem perto da piscina. Talvez seja boa ideia estarem com as câmeras a postos.

— O que você planejou, maninha? — Easton para do meu lado.

— Não há coisa pior do que uma mulher desprezada ou uma garota drogada contra a vontade — digo misteriosamente, e saio para procurar Valerie.

Eu a encontro conversando com Savannah entre o mar e a piscina, um acaso perfeito.

— Ei, posso falar com vocês um minuto?

Valerie tem que arrastar Savannah, mas consigo puxar as duas para o lado.

Falo com Savannah primeiro.

— Olha, quero pedir desculpas por não ter ouvido você na outra noite. Eu estava solitária e querendo uma pessoa que não podia ter, então pensei em ficar com Daniel. Foi um erro.

Ela aperta os lábios, mas meu arrependimento genuíno ou nosso ódio mútuo por Daniel derruba as barreiras de gelo dela.

— Eu aceito seu pedido de desculpas — diz ela com rigidez.

— Ah, Sav, deixe de ser metida — repreende Valerie. — Estamos aqui para nos vingar de Daniel. Não é, Ella?

Savannah olha para mim e levanta uma sobrancelha interessada, e faço que sim com entusiasmo.

— O plano é o seguinte.

Depois que explico os detalhes para elas, Valerie comemora. Mas Savannah parece cética.

— Você acha mesmo que ele vai cair nisso?

— Savannah, o cara droga garotas para conseguir sexo. Ele não vai recusar essa proposta. É um exercício de poder para ele, e vamos alimentar isso.

Ela levanta um ombro elegante.

— Tudo bem. Contem comigo. Vamos acabar com esse babaca.

Daniel está sentado em uma espreguiçadeira perto da piscina, com uma Heineken na mão e a coxa de uma garota novinha na outra. Ela só pode ser caloura. Uma sensação renovada de justiça toma conta de mim. Alguém tem que parar esse cara. Como Savannah disse, está na hora de acabar com ele.

— Oi, Daniel. — Adoto o tom mais submisso que consigo.

Ele levanta a cabeça e olha para os convidados em busca dos irmãos Royal. Quando não os vê, encosta e puxa a garota para mais perto, quase como se ela fosse um escudo.

— O que você quer? Estou ocupado.

Passo a ponta da minha sapatilha no concreto.

— Eu queria pedir desculpas pela outra noite. Eu... eu exagerei. Você é Daniel Delacorte, e eu... — eu luto contra a vontade de vomitar — ...eu sou uma ninguém.

A garota se mexe, pouco à vontade.

— Há, acho que ouvi minha irmã me chamando.

Ela sai debaixo da mão de Daniel. Quando ele protesta, eu me intrometo.

— Só preciso de Daniel por um minuto, e depois ele é todo seu.

Daniel dá um sorrisinho irônico.

— Só um minuto? Eu levo bem mais do que isso.

A garota dá uma risadinha e sai correndo. Eu entendo. É constrangedor ver alguém se humilhar. Assim que ela se afasta, o sorriso descuidado de Daniel vira uma expressão aborrecida.

— O que você está tramando?

— Eu quero outra chance. — Eu me inclino para a frente para mostrar o decote. — Eu cometi um erro. Se você tivesse me dito o que queria, eu não teria reagido. — Deus, não consigo acreditar que tenho que dizer uma merda dessas para ele.

O olhar desce para meu decote, e ele lambe os lábios como um porco nojento.

— Os Royal não pareceram felizes.

— Eles ficaram com raiva porque eu fiz uma cena. Eles querem que eu cale a boca e fique no meu canto.

— Mas você está aqui.

— O pai deles os obriga a me trazerem.

Ele franze a testa.

— E você quer se vingar deles? É isso?

— Sinceramente? Mais ou menos isso — minto, porque acho que contrariar os Royal pode ser uma coisa de que ele vai gostar. — Estou cansada daqueles babacas querendo me obrigar a agir de uma forma como não sou. — Eu dou de ombros. — Eu gosto de farra e diversão. Estava tentando ser recatada pelo bem deles, mas... eu não sou assim.

Daniel parece intrigado.

— Então, vamos parar de fingir. O que você quiser, eu topo, e não só eu. — Aponto para um local vago atrás de mim. — Você conhece a Valerie, não conhece? — Ele assente, e o olhar volta para os meus peitos. — Eu contei para ela sobre suas amigas, Zoe e Nadine. Ela ficou interessada. Nós achamos... — Eu paro de falar e apoio a mão ao lado do joelho de Daniel. Levo os lábios para perto da orelha dele. — Nós achamos que podíamos mostrar a você o que as garotas da Astor Park sabem fazer. Nós duas somos dançarinas, sabe?

— É? — Os olhos dele se acendem.

— E você pode fazer o que quiser conosco — eu provoco.

Ele parece mais do que interessado agora.

— Qualquer coisa?

— Qualquer coisa... e muito mais. Fique à vontade para levar sua câmera. Pode ser que você queira guardar lembranças.

— Onde? — Ele leva a mão para entre as pernas. Ugh, ele está segurando o membro bem na minha frente? Aperto os lábios para não vomitar no colo dele.

— Na casa da piscina. Eu arrombei a fechadura. Nos encontre lá em cinco minutos.

Saio andando sem olhar para trás. Se avaliei Daniel mal, isso não vai dar certo e vou ter que assumir a culpa para os irmãos Royal. Mas acho que não errei. Daniel Delacorte tem uma oportunidade de degradar duas "ninguém" e tirar fotos para mostrar para os amigos pervertidos. Não tem como ele deixar passar essa oportunidade de ouro.

As meninas já estão na casa da piscina quando entro na pequena estrutura, Valerie se levanta de uma das duas cadeiras que ela e Savannah afastaram dos janelões. Assim como a casa da piscina dos Royal, esta é quase toda de vidro, para que a vista do mar não fique obstruída, mas tem cortinas, e as duas as fecharam todas.

— Gostei do que vocês fizeram no local — eu brinco.

Valerie me joga uma coisa, que pego por reflexo. Um cinto de roupão.

— Obrigada, optamos pelo minimalismo. Savannah e eu achamos que nossa obra de arte seria mais bem exibida se não houvesse distrações. A faixa está boa para você?

Penso no iate e em Reed e digo:

— Vai servir. — Enrolo na cintura. — Onde está Savannah?

— Estou no banheiro — sussurra ela.

Uma batida na porta sinaliza a chegada de Daniel.

— Hora do show — sussurro, e abro a porta.

Capítulo 28

— Eu até achei que você podia estar armando para mim, mas acabei de ver os Royal bebendo. Reed parece pronto para meter com tudo em Abby hoje. — Daniel passa os olhos com insolência pelo meu corpo e desvia para Valerie. — E você, Val. Nunca desconfiei que fosse tão pervertida. Mas eu devia ter adivinhado.

Porque vocês duas são de classe baixa e são um lixo, termino por ele em silêncio.

A boca de Valerie se contorce em uma expressão clara de desprezo. Como ela não está fazendo um trabalho muito bom de fingir que está a fim de Daniel, corro para distraí-lo.

— O que você quer fazer primeiro? — Passo a mão pelos ombros dele e o levo até a mesa no meio do aposento. Devia ser pesada demais para Valerie e Savannah afastarem.

— Que tal vocês duas caírem de boca uma na outra? — sugere ele.

— Sem preliminar? Direto para o ato? — Com uma mão mais pesada do que o necessário, eu o empurro na mesa. — Acho que você precisa de uma aulinha sobre expectativa. Vamos dançar um pouco para você.

Ele se apoia nos braços e dá um aceno superior com o queixo.

— Tudo bem. Mas quero ver as mãos de uma na outra e muita pele.

Valerie se recompõe e se aproxima.

— Que tal a gente fazer uma massagem em você? Já fizeram isso alguma vez?

— Massagem? Claro, sempre fazem em mim no clube do meu pai.

— Mas já ganhou massagem de duas garotas e com final feliz? — Ela balança os dedos. — Como Ella falou, não vamos apressar as coisas. Podemos fazer uma massagem em você, depois você pode nos ver em ação. Afinal, você merece ter prazer primeiro.

Daniel pensa na proposta por um momento e concorda.

— É, parece bom. As duas piranhas podem esperar sua vez. — Ele pisca no final, para sinalizar que devemos levar o "piranhas" como piada. Nenhuma de nós ri, e é preciso um esforço sobre-humano para eu não dar um soco na cara arrogante dele.

— Vamos ajudar você a tirar a roupa — digo, docemente.

Por sorte, Daniel não desconfia de nada. Ele não acreditaria em Reed e em Gideon, mas não desconfia de duas garotas vagabundas que, se não fossem os parentes ricos, estariam mesmo vendendo os corpos na rua. É assim que a mente dele opera, e é por isso que nosso plano é viável. Porque ele é Daniel Delacorte, filho de um juiz, jogador de lacrosse, um cara com reputação imaculada que ninguém desconfia que seja tão escroto. Não duvido nem por um segundo que a prima de Savannah seja de uma parte menos bem-sucedida da família.

Valerie e eu nos preparamos para botar as mãos no corpo dele, mas, para nosso alívio, ele não precisa de ajuda. Ele tira o short, abaixa a cueca e passa a camiseta pela cabeça antes que a gente possa respirar.

— Tem alguém ansioso — murmura Valerie baixinho.

Daniel lambe os lábios.

— Onde vocês querem que eu fique?

Ela coloca as mãos nos quadris e finge pensar na pergunta.

— Que tal ali? — Ela aponta para uma pilha de almofadas bem na frente da janela.

Daniel anda até lá e se ajoelha nas almofadas macias.

— Sejam boazinhas e não usem os dentes. Pode ser boa ideia cobrir com os lábios.

Essa é a última instrução que ele vai me dar, penso, e pego distraidamente uma fruteira na mesa e bato na cabeça dele.

Ele recua com um grito.

— Que porra é essa! — Perplexo, ele coloca a mão na parte de trás da cabeça.

— Eu falei que a fruteira era frágil demais — diz Savannah, saindo do banheiro. Antes que Daniel possa pular e se afastar, ela estica a mão com uma lata de laquê e aperta o spray na cara dele.

— Filhas da *puta*! Vocês três estão mortas! — ruge Daniel. Ele cambaleia para a esquerda e bate na janela.

Nós três rimos.

— Não quero matar, só aleijar — lembro a Savannah. — Que tal os castiçais? — Eu balanço a arma pesada de prata e acerto Daniel no ombro. Savannah bate com o outro par no alto da cabeça dele, e Daniel cai.

Valerie pega uma faixa e joga outra para mim.

— Você está certa, Ella. Esse cara é um cretino.

Nós o enrolamos como um peru o mais rápido que conseguimos. Com Daniel momentaneamente atordoado, é fácil prender as mãos nas costas dele, amarrar os tornozelos e passar uma outra faixa unindo as duas amarras.

— Que pena que não temos fita adesiva. — Eu pego uma banana no chão e jogo no ar. — Poderíamos colocar isso na bunda dele.

— Seria incrível — diz Valerie.

Savannah faz expressão de desprezo.

— Eu tenho uma coisa para enfiar na bunda dele.

Ela se aproxima, puxa a perna e dá o chute mais forte que já vi fora do cinema. Aparentemente, bater com um castiçal de mais de dois quilos na cabeça dele não diminuiu a raiva dela.

O impacto do pé delicado na bunda dele é surpreendentemente forte. Arranca Daniel do estupor, e ele solta um berro de dor. Um sorriso hediondo se abre no rosto de Savannah. Valerie e eu a vemos se inclinar e sussurrar alguma coisa para ele, uma coisa que o faz tremer.

Em seguida, ela se empertiga e passa a mão pelos cabelos, ajeitando as mechas na bela cabecinha.

— Estou pronta. Não quero passar nem mais um minuto com esse lixo.

— Esperem — diz Valerie. Nós nos viramos e a vemos jogando uma maçã para o alto.

Um sorriso se abre lentamente no meu rosto.

— Você está pensando o que eu estou pensando? — pergunto. O plano é tão cruel. Adorei.

Savannah começa a rir, e está rindo tanto que quase não consegue nos ajudar a abrir a boca de Daniel para enfiar a maçã, mas um garoto atordoado e nu não é páreo para nós três.

— Vamos. — Eu corro até a porta e encontro Sawyer lá. — Estamos prontas.

— Nós também — responde ele com um sorriso. — Vocês mataram ele? Porque aquele grito foi bem horrível.

— Acho que Savannah queria, mas nós a seguramos.

— Eu sempre gostei dessa garota — diz Sawyer.

Eu me inclino e faço sinal para as garotas saírem. Savannah e Valerie saem pelas portas de correr que levam à praia. Quando estão na areia, acendo as luzes e aperto o botão das cortinas de controle remoto. Os Worthington tornaram tudo fácil para nós. Quando as luzes se acendem e as cortinas se abrem, Sawyer e eu saímos correndo atrás das garotas, que encontramos junto com Sebastian.

Quando chegamos, Seb coloca as mãos nos ombros de Valerie e Savannah.

— Não consigo acreditar que estamos perdendo o show — diz ele com mau humor.

Também estou chateada, mas decidimos que não era boa ideia eu e as meninas sermos parte da plateia durante a revelação de Daniel. Se algum dos amigos dele perceber que estávamos por trás de tudo, poderia nos denunciar. Os gêmeos estão aqui servindo de guarda-costas para nós caso isso aconteça.

Ficamos esperando, tentando ouvir os sons que vão marcar a revelação de Daniel, amarrado e exibido como um porco em um festival.

Os primeiros ruídos que ouvimos são um coral de suspiros. Ouvimos um grito que não conseguimos identificar e então um momento de silêncio. Depois do que parece ser muito tempo, mas deve ser uma eternidade para o nu e amarrado Daniel, há um grito de "Ah, meu Deus!" e um de "Puta merda, é o Daniel Delacorte?". Outras vozes se juntam, até parecer que todos os convidados estão comentando a cena.

Há aplausos, assobios e gritos, e por algum motivo eu começo a tremer. Estou tremendo tanto que preciso me encostar em Sawyer. Ele passa o braço ao redor do meu corpo e a mão pela lateral.

— N-não sei por que sou tão fraca — gaguejo.

— Você está saindo de um pico de adrenalina. — Ele mexe no bolso e me dá uma embalagem de balas. — Só tenho isso. Foi mal.

— Tudo bem — murmuro, e enfio duas na boca. Concentro-me em mastigar as balas, e não sei se é a pequena ingestão de açúcar ou só o fato de eu estar me concentrando em outra coisa que não seja a peça da qual acabei de participar, mas meu tremor passa e começo a me sentir aquecida. — Onde está o resto da gangue Royal?

Sebastian me lança um olhar divertido, como se soubesse exatamente sobre qual irmão estou perguntando.

— Testemunhando a humilhação de Daniel com o resto da Astor Park e cuidando para que a história certa esteja sendo espalhada.

— E que história é essa?

— A verdade. Ele levou uma coça de uma garota.

— Três garotas — corrijo.

— A história é melhor com uma garota só — diz Sawyer.

— Mas vocês também não querem o crédito?

— Publicamente? Não. Acabaria chegando ao papai, e ele pegaria no nosso pé com aquele papo de colégio militar de novo. — Sawyer sorri. — Mas nós sabemos que fizemos isso, e é só isso que importa.

Uma agitação na areia chama a minha atenção. Os outros três Royal estão chegando. Sawyer me segura pelo braço e me leva pela praia. Valerie grita que vai pegar carona para casa com Savannah, dou um aceno rápido para ela e depois saio correndo com os gêmeos. Os irmãos deles não estão muito longe de nós.

— Vocês tinham que ter visto a cara dele... — diz Gideon.

— Cara, o pau dele é pequenininho — diz Easton. — Será que estava encolhido pela situação ou é mesmo pequeno daquele jeito...?

— O hematoma na testa dele estava horrível. Foi você? — Reed parece impressionado.

Os três irmãos se aproximam de nós, falando ao mesmo tempo.

— Calma, calma, calma. — Eu levanto as mãos. — Não consigo falar com todos vocês ao mesmo tempo.

— Você mandou bem. — Gideon me surpreende e bagunça meus cabelos.

— Foi perfeito — diz Reed, e a aprovação nos olhos dele me deixa quente e melosa por dentro.

Easton me pega no colo e me gira.

— Você é foda, Ella. Me lembre de nunca irritar você.

Um som de gritaria e palavrões nos faz olhar para a casa dos Worthington. Easton me coloca no chão, e vemos uma multidão se formar no topo da ladeira. Ouvimos um splash... alguém foi empurrado na piscina?

— Ele empurrou Penny Lockwood-Smith na piscina! — grita alguém na festa antes de cair na gargalhada.

— Aí vem ele — diz Gideon com um suspiro.

Ele é Daniel, correndo em meio a uma fila de pessoas. Até na escuridão da noite, conseguimos ver que está furioso.

— Não deixe que ele morda você — murmura Easton no meu ouvido. — Ele pode ter raiva.

Daniel para na beirada do gramado e olha para a praia. Quando nos vê, ruge, aponta e pula na areia. É um salto impressionantemente atlético.

— Olhem só para ele — digo, impressionada.

— Ele é do time de lacrosse — lembra Sawyer.

— Eu vou matar vocês. Todos vocês! Começando com você, lixo da sarjeta.

O rosto de Reed se abre em um sorriso quando ele se vira para nós. Faz sentido esse ser o momento em que ele abre um dos raros sorrisos.

— Pareceu uma ameaça, não foi?

Easton assente.

— Acho que Ella está em perigo iminente. Você sabe que papai não ia gostar disso.

Mais feliz do que eu já tinha visto, Reed me empurra para trás dele enquanto Daniel corre pela areia, só de short cáqui. Pontinhos de luz se acendem conforme várias pessoas da festa decidem que essa cena precisa ser imortalizada. Os Royal me empurram para trás, e tenho que abrir espaço entre os gêmeos para ver o que está acontecendo.

E é bem na hora, porque, assim que enfio a cabeça entre a montanha de músculos Royal, Daniel parte para cima de Reed com um rosnado. Reed dá um passo para a frente e acerta um soco no maxilar de Daniel.

Daniel cai como uma pedra.

Capítulo 29

Estamos todos animados quando voltamos para a mansão. Mando uma mensagem rápida para Valerie para ter certeza de que ela vai ficar bem pegando carona com Savannah, e ela me garante que não tem problema. Os Carrington moram pertinho dos Montgomery.

Easton anda ao meu lado. Os gêmeos vão na frente, ainda rindo da cena que deixamos na casa dos Worthington. As vozes deles flutuam ao nosso redor.

— Ele o derrubou em um segundo. — Sawyer está rindo.

— Novo recorde para Reed — concorda Sebastian.

Reed e Gideon andam atrás de nós. Toda vez que me viro, reparo que eles estão cochichando. É óbvio que esses dois têm segredos que Easton e os gêmeos não sabem, e isso me incomoda, porque eu estava começando a acreditar no lema de que os Royal são unidos.

Chegamos em casa, mas paro nos degraus que levam à propriedade.

— Vou andar um pouco na praia — digo para Easton.

— Eu vou com você.

Balanço a cabeça.

— É que eu queria ficar sozinha. Sem querer ofender.

— Não me ofendo. — Ele se inclina e dá um beijo na minha bochecha. — Foi uma vingança de primeira hoje, mana. Você é minha nova heroína.

Depois que ele vai, deixo os sapatos em uma pedra e ando descalça pela areia macia. A lua ilumina meu caminho, e não dei nem vinte passos quando ouço um barulho atrás de mim. Não preciso me virar para saber que é Reed.

— Você não devia estar aqui sozinha.

— Por quê? você acha que Daniel vai pular de trás de uma pedra e me atacar?

Reed chega até mim. Paro de andar e me viro para ele. Como sempre, o rosto lindo faz minha respiração saltar.

— É possível. Você o humilhou pra caramba hoje.

Tenho que rir.

— E você o derrubou. Ele deve estar em casa agora, botando gelo na cara.

Reed dá de ombros.

— Ele mereceu.

Eu olho para a água. Ele olha para mim. Consigo sentir o olhar dele queimando meu rosto e viro a cabeça de novo, dando um sorriso irônico.

— Pode dizer.

— Dizer o quê?

— Mais mentiras. Você sabe que ontem à noite você só me fez um favor, que não me quer, blá-blá-blá. — Eu balanço a mão.

Para a minha surpresa, ele ri.

— Ah, meu Deus. Isso foi uma gargalhada? Reed Royal gargalha, pessoal. Liguem para o Vaticano, porque um milagre acabou de acontecer.

Isso gera outra risadinha.

— Você é tão irritante — resmunga ele.

— É, mas você gosta de mim mesmo assim.

Ele fica em silêncio. Fico achando que ele vai continuar assim, mas ele fala um palavrão baixinho e diz:

— É, pode ser que goste.

Eu finjo estar impressionada.

— *Dois* milagres em uma noite? É o fim do mundo?

Reed pega uma mecha de cabelo meu e dá um puxão.

— Já chega de piada.

Chego mais perto da água, mas está mais gelada do que o habitual. Dou um gritinho quando molho meus dedos e pulo para trás.

— Eu odeio o Atlântico — declaro. — O Pacífico é *bem* melhor.

— Você morava na costa oeste? — Ele parece curioso contra a vontade.

— Oeste, leste, norte, sul. Nós moramos em toda parte. Nunca ficávamos muito tempo no mesmo lugar. Acho que o maior período foi de um ano, e isso foi em Chicago. Ou talvez Seattle tenha sido o mais longo, dois anos, mas não conta, porque minha mãe estava doente e não tínhamos escolha a não ser ficar lá.

— Por que vocês se mudavam tanto?

— Por causa de dinheiro, quase sempre. Se mamãe perdia o emprego, nós tínhamos que fazer as malas e ir para onde havia dinheiro. Ou ela se apaixonava e nós íamos morar com o namorado da vez.

— Ela tinha muitos namorados? — A voz dele soa severa.

Sou sincera com ele.

— Tinha. Ela se apaixonava muito.

— Então ela não estava amando de verdade.

Eu olho para ele sem entender.

— Isso é desejo — diz Reed, dando de ombros. — Não amor.

— Talvez. Mas, para ela, era amor. — Eu hesito. — Seus pais se amavam?

Eu não devia ter perguntado, porque ele fica mais rígido do que uma tábua.

— Meu pai alega que sim. Mas ele nunca agiu como um homem apaixonado.

Acho que Reed está errado. Só de ouvir Callum falando sobre Maria dá para ver que ele a amava profundamente. Não sei por que os filhos se recusam a ver isso.

— Vocês sentem falta dela, né? — Levo o assunto para uma área mais segura, mas isso não apaga a tensão no rosto dele.

Reed não responde.

— Não tem problema falar. Eu sinto saudade da minha mãe todos os dias. Ela era a pessoa mais importante da minha vida.

— Ela era stripper.

A resposta debochada dele faz meus ombros enrijecerem.

— E daí? — Vou em defesa da minha mãe instantaneamente. — O trabalho dela como stripper pagava nossas contas. Fazia com que tivéssemos um teto sobre a cabeça. Pagava minhas aulas de dança.

Seus olhos azuis se concentram em mim.

— Ela obrigou você a fazer strip quando ficou doente?

— Não. Ela nem soube. Eu falei que estava trabalhando de garçonete, e era verdade. Eu também fazia isso, além de trabalhar em uma parada de caminhões, mas não bastava para pagar todas as contas do hospital, então roubei a identidade dela e arrumei um emprego em um dos clubes. — Eu suspiro. — Não espero que você entenda. Você nunca teve que se preocupar com dinheiro na vida.

— Não mesmo — concorda ele.

Não sei se começo a me mover primeiro, ou se é ele, mas começamos a andar de novo. Há uma certa distância entre nós primeiro, mas, conforme andamos, vamos ficando mais e mais perto, até nossos braços estarem se roçando a cada passo. A pele dele está quente, e meu braço fica arrepiado cada vez que nos encostamos.

— Minha mãe era muito gentil — revela ele.

Foi o que Callum disse também. Penso na mulher com quem Steve se casou, Dinah, a bruxa horrível com pinturas dela própria nua em toda a casa, e me pergunto como dois amigos podem ter se casado com mulheres tão drasticamente diferentes.

— Ela se importava com as pessoas. Demais até. Caía em qualquer história triste. Sempre se esforçava para ajudar as pessoas.

— Ela era boa com você? E com seus irmãos?

Reed assente.

— Ela nos amava. Estava sempre ao nosso lado, nos dando conselhos, ajudando com o dever de casa. E, a cada dia, passava um tempo sozinha com cada um de nós. Acho que não queria que nenhum se sentisse negligenciado ou que achasse que ela tinha um favorito. E, nos fins de semana, nós fazíamos coisas juntos.

— Como o quê? — pergunto com curiosidade.

Ele dá de ombros.

— Museus, zoológico, pipa.

— Pipa?

Ele revira os olhos para mim.

— Soltar pipa, Ella. Não me diga que nunca fez isso.

— Não. — Repuxo os lábios. — Mas fui ao zoológico uma vez. Um dos namorados da minha mãe nos levou a uma fazendinha de merda no meio do nada. Tinha um bode, uma lhama e um macaquinho que jogou cocô em mim quando passei.

Reed inclina a cabeça para trás e dá uma gargalhada. É o som mais sexy que já ouvi.

— E, no fim das contas, o zoológico era fachada para uma operação de tráfico de drogas. O namorado foi lá só para comprar maconha.

Nenhum de nós comenta sobre as diferenças drásticas da nossa infância, mas sabemos que ambos estamos pensando nisso.

Continuamos andando. Os dedos dele roçam nos meus. Eu prendo o ar e me pergunto se ele vai segurar a minha mão, mas ele não faz nada, e a decepção é grande demais para suportar.

Paro e olho para ele. Não é uma boa ideia, porque sei que ele consegue ver o desejo no meu rosto. Ele, então, fecha os olhos, e eu engulo minha frustração.

— Você gosta de mim — declaro.

O maxilar dele treme.

— Você me quer.

Treme de novo.

— Droga, Reed, por que você não pode admitir? Qual é o sentido de mentir?

Como ele não diz nada, eu me viro e saio andando, os pés descalços levantando areia. De repente, sou puxada para trás, e meus ombros colidem com um peito rígido masculino que tira o ar dos meus pulmões.

O queixo de Reed se apoia no meu ombro, os lábios a milímetros do meu ouvido.

— Você quer que eu diga? — sussurra ele. — Tudo bem, vou dizer. Eu quero você. Quero você pra caralho.

Sinto o volume duro na minha bunda e sei que ele não está mentindo. Quando um arrepio sobe pela minha espinha, Reed me vira e sua boca cobre a minha.

O beijo é quente o bastante para transformar o Atlântico em lava. Meus lábios se abrem, e ele desliza a língua por eles, devorando minha boca em movimentos ávidos que me deixam sem ar. Eu me agarro aos ombros largos e deslizo a mão até a cintura.

Ele grunhe e segura minha bunda, movimentando os quadris para que eu consiga sentir cada centímetro dele. Depois de mais um beijo embriagante, ele me solta e cambaleia para trás.

— Eu vou para a faculdade no ano que vem — diz ele com voz rouca. — Vou embora, e tem uma boa chance de eu não voltar nunca. Não sou egoísta a ponto de começar uma coisa que não vou poder terminar. Não vou fazer isso com você.

Eu não ligo, tenho vontade de dizer. Aceito ficar com ele da forma que for, mesmo que por um tempo curto, mas não digo nada, porque sei que não vou afetá-lo.

— Vamos voltar para casa — murmura ele quando meu silêncio se prolonga.

Eu o sigo sem dizer nada, meus lábios ainda formigando do beijo, meu coração ainda dolorido pela rejeição.

Estou quase adormecendo quando a porta do meu quarto é aberta. Levanto a cabeça, grogue. Em segundos, estou totalmente desperta.

Reed se deita na cama ao meu lado. Não diz nada. O quarto está tão escuro que não consigo ver a expressão dele, mas consigo sentir o calor do corpo quando ele chega mais perto. O calor na palma da mão quando ele acaricia minha bochecha antes de segurar meu queixo e virar minha cabeça para ele.

— O que você está fazendo? — sussurro.

A voz dele está sofrida.

— Eu decidi ser egoísta.

A felicidade explode no meu peito. Passo os braços pelo pescoço dele e o puxo para mais perto. Seus lábios param acima do meu, mas ele não me beija.

— Só esta noite — diz ele.

— Foi o que você disse ontem.

— Hoje, estou falando sério. — E ele me beija, e qualquer protesto que eu poderia fazer se perde na junção apressada dos nossos lábios.

Ele geme quando minha língua toca na dele. Os quadris fortes se movem contra mim, a ereção na minha coxa. Eu me viro para ficarmos os dois de lado, cara a cara, as bocas fundidas.

— Porra — diz ele, e a mão desliza embaixo da minha blusa. Dentro da minha calcinha.

Os dedos dele me provocam, apertam meus pontos sensíveis e me fazem gemer com a boca nos lábios dele. Nós tocamos um ao outro, passamos as mãos por toda a pele nua que conseguimos encontrar, nenhum dos dois parando para respirar enquanto nos beijamos.

Não demora para que o nó de tensão dentro de mim se quebre em um milhão de pedacinhos. O prazer voa pelo meu corpo e suspiro na boca dele. Reed treme encostado em mim, e agora sou eu quem recebe o gemido de prazer dele.

Depois, ficamos abraçados, nos beijando pelo que parecem horas. Eu não quero que ele vá, nunca. Quero que fique nessa cama para sempre.

Mas, assim como aconteceu ontem, ele já foi embora quando abro os olhos de manhã.

Eu me pergunto se sonhei, mas, quando rolo na cama, sinto o cheiro dele nos travesseiros. O xampu, o sabonete, a loção pós-barba que ele usa. Ele esteve aqui. Foi real. Um sentimento de perda me atinge com tudo, e nem o sol entrando pelas cortinas consegue aliviar a decepção com que acordo.

Mas a decepção é substituída de repente por pânico. Um berro agudo soa na mansão. Acho que veio da sala da frente. Pulo da cama e abro a porta na hora em que outro grito agride meus tímpanos.

— Você *não* vai se safar dessa! — grita Brooke. — Não desta vez, Callum Royal!

Capítulo 30

Chego à escada na mesma hora em que Easton sai do quarto. O cabelo escuro está espetado em todas as direções, e os olhos estão vermelhos quando ele para do meu lado.

— Mas o que é isso? — murmura ele.

Nós dois olhamos para o saguão, onde Brooke e Callum estão se enfrentando. É quase cômico, porque ela é bem mais baixa do que ele e oferece a imagem menos ameaçadora do planeta.

— É direito meu estar aqui! — grita Brooke, cutucando o centro do peito de Callum com uma unha afiada.

— Não é, não. Você não é Royal e não é O'Halloran. Este não é seu lugar.

— Então, me diga, qual é o meu lugar? Por que aguento todas as suas merdas? Você me trata como se eu fosse amante em vez de namorada! Onde está minha aliança, Callum? *Onde está a porra da aliança?*

Não consigo ver o rosto de Callum, mas a tensão nos ombros dele não passa despercebida.

— O corpo da minha mulher nem esfriou ainda! — ruge ele.

Ao meu lado, Easton também fica tenso. Eu estico a mão e seguro a dele, e ele aperta meus dedos com força suficiente para gerar uma pontada de dor.

— Você espera que eu me case de novo como se não fosse nada de mais...

— Dois anos! — interrompe Brooke. — Ela está morta há dois anos! Supere!

Callum cambaleia, como se ela tivesse dado um golpe nele.

— Não vou deixar você me enrolar mais. *Não vou*. — Brooke dá um pulo para a frente e agarra a camisa dele com os dedos. — Não quero mais saber de você, está ouvindo? *Acabou*!

Com isso, ela empurra o peito dele e sai andando para a porta, os saltos estalando no piso de mármore.

Callum não vai atrás, e, quando ela percebe, se vira e aponta para ele.

— Se eu sair agora, não volto nunca mais!

A voz dele soa mais fria do que gelo.

— Não deixe a porta bater na sua bunda quando estiver saindo.

Easton dá uma risadinha.

— Seu... seu... seu *monstro*! — berra Brooke. Ela abre a porta com tanta força que sentimos o sopro de ar no segundo andar.

A cabeça loura e o corpo coberto por um minivestido desaparecem pela passagem. Ela bate a porta com a mesma força.

O silêncio se espalha pelo saguão. Vejo um movimento com o canto do olho, me viro e vejo os outros Royal atrás de nós. Os gêmeos parecem sonolentos. Gideon parece chocado. O rosto de Reed está impassível, mas juro que vejo um vislumbre de triunfo nos olhos dele.

Easton nem tenta esconder a alegria.

— Isso aconteceu mesmo? — pergunta ele, balançando a cabeça, impressionado.

Callum ouve a voz do filho e levanta a cabeça. Parece abalado, mas não está arrasado porque a namorada acabou de sair, furiosa.

— Pai — diz Easton, sorrindo de orelha a orelha. — Você é o cara! Bate aqui.

A expressão do pai fica cautelosa. Em vez de responder a Easton, Callum desvia o olhar para mim.

— Já que está acordada, Ella, por que não vem ao meu escritório? Precisamos ter uma conversinha. — Ele sai do saguão.

Mordo o lábio e fico hesitante em ir até lá. Lembro-me de repente do que ele acabou de dizer para Brooke, que ela não é Royal e nem O'Halloran, e minha ansiedade aumenta. Tenho a sensação de que eles estavam brigando por causa de Steve. O que quer dizer que, indiretamente, também era por minha causa.

— Vá — murmura Reed quando não me mexo.

Como sempre, obedeço à ordem dele por instinto. Parece que ele me controla, e não sei se gosto. Mas não consigo impedir.

Desço a escada com pernas bambas e encontro Callum no escritório. Ele já mexeu no armário de bebidas e está se servindo de um copo de uísque quando entro.

— Você está bem? — pergunto baixinho.

Ele acena com o copo na mão, derramando uísque pela borda.

— Estou bem. Sinto muito que você tenha acordado com aquilo.

— Você acha que acabou mesmo entre vocês dois? — Não consigo evitar sentir pena de Brooke. Já vi um lado cruel dela, definitivamente, mas ela também foi legal comigo. Ou pelo menos eu acho que foi. Brooke Davidson é osso duro de roer.

— Provavelmente. — Ele toma um gole da bebida. — Ela não está totalmente errada. Dois anos é muito tempo para uma mulher esperar. — Callum coloca o copo na mesa e passa a mão pelos cabelos. — A leitura do testamento está marcada para duas semanas a partir de amanhã.

Olho para ele sem entender.
— Testamento?
— É. Do Steve.
Ainda estou confusa.
— Isso já não aconteceu? Pensei que você tivesse dito que já houve enterro.
— Houve, mas a distribuição dos bens ainda não foi resolvida. Dinah e eu começamos a homologação depois da morte de Steve, mas a leitura foi adiada até que você fosse localizada.

Aposto que Dinah deve ter amado isso.
— Eu tenho mesmo que ir? Dinah não herda tudo porque é a mulher?
— É bem mais complicado do que isso. — Ele não elabora. — Mas, sim, você precisa estar lá. Eu também vou estar, como seu tutor legal, e Dinah e nossos advogados também. Ela viajou para Paris ontem à noite, mas vai voltar em duas semanas, e vamos resolver tudo. Vai ser indolor, prometo.

Com Dinah O'Halloran presente? Ah, tá. *Doloroso* é mais provável.

Mas eu só faço que sim e digo:
— Tudo bem. Se eu tenho que ir, eu vou.
Ele também assente e pega a bebida.

Callum sai logo depois para jogar golfe. Alega que andar pelos dezoito buracos do campo o ajuda a esfriar a cabeça. Fico preocupada com o quanto ele planeja encher a cara, mas lembro a mim mesma que ele é o adulto e eu tenho dezessete anos, então mordo a língua.

Um a um, os Royal saem. Gideon sai antes do almoço para voltar à faculdade. Ele sempre parece mais feliz quando vai embora do que quando chega.

Em pouco tempo, fico sozinha. Esquento uma sobra de quiche e penso em dar uma caminhada na praia.

Só estou há um mês na casa dos Royal, mas esse mês foi cheio de, bem, de vida. Tem sempre alguma coisa acontecendo. Nem sempre são coisas *boas*, mas quase não fiquei sozinha, e é só agora, neste momento de solidão, que percebo que não gosto de ficar sozinha. É legal ter amigos e familiares por perto, mesmo a família sendo superdisfuncional.

Eu me pergunto se é por isso que Gideon vive voltando.

— Você guardou um pouco daquela coisa de ovo para mim? — A voz de Reed me faz pular.

Coloco a mão no coração, como se fosse pular do meu peito.

— Você me assustou. Achei que tinha saído com Easton.

— Não. — Ele atravessa a cozinha e vai espiar por cima do meu ombro. — O que mais tem na geladeira?

— Comida — respondo.

Ele puxa meu cabelo de brincadeira, ou pelo menos eu espero que seja de brincadeira, e vai investigar as opções.

Segurando a porta aberta, ele fica parado na frente da geladeira, ou melhor, se inclina para a frente, com a outra mão apoiada no armário acima, até a cozinha toda estar refrigerada.

— Algum problema? — Paro de comer para poder admirar o contorno sexy do corpo dele e a forma como os músculos se contraem enquanto ele procura comida.

— Você não me faria um sanduíche, né? — diz ele de algum lugar dentro da geladeira.

— A resposta seria não.

Ele fecha a porta e se senta comigo à mesa, puxa o prato e o garfo de debaixo do meu nariz e enfia metade da quiche goela abaixo antes que eu possa protestar.

— Era minha! — Estico a mão e tento pegar de volta.

— Sandra ia querer que você dividisse comigo. — Ele me segura com uma das mãos... de novo.

Droga. Preciso começar a malhar. Tento pegar o prato de volta mais uma vez, e agora Reed não me empurra. Ele me puxa, e o movimento surpresa me faz perder o equilíbrio. Acabo caindo no colo dele com as pernas abertas dos dois lados das suas coxas largas.

Minhas tentativas de me soltar são encerradas quando ele coloca uma das mãos na minha bunda e me puxa para perto. Quando me beija, não consigo deixar de reagir com ansiedade, querendo que ele faça aqueles ruídos roucos que me dizem quanto eu o afeto.

— Você foi embora de manhã — falo quando ele liberta minha boca. Eu queria poder pegar as palavras de volta, porque tenho medo de ele dizer algo que me magoe.

— Não queria ter ido — responde ele.

— Por que foi embora? — Todo o meu orgulho está no chão, mas minha fraqueza não o afasta.

Ele passa os dedos pelos meus cabelos.

— Porque sou fraco quando se trata de você. Não confio em mim mesmo na sua cama a noite toda. Eu devia ser jogado na cadeia só por metade das coisas em que penso.

As palavras dele me deixam eufórica.

— Você pensa demais.

Ele faz algum ruído indecifrável, de impaciência, de cinismo, de humor, e me beija de novo. Em pouco tempo, os beijos não bastam. Eu estico a mão e puxo a barra da camisa dele. As mãos dele estão em todo o meu corpo também: dentro da camiseta, por dentro do elástico do meu short. Eu me mexo na direção dele, procurando a libertação que descobri que só Reed pode me oferecer.

Um ruído fora da cozinha nos separa.

— Você ouviu alguma coisa? — sussurro.

Reed se levanta em um gesto suave e poderoso, ainda comigo nos braços vai até o corredor. Está vazio.

Ele me coloca no chão e me dá um tapinha na bunda.

— Por que você não vai colocar um biquíni?

— Há, por que eu faria isso? — Só quero voltar para a mesa e me sentar no colo dele enquanto ele me beija até eu perder os sentidos, mas ele já está indo lá para fora.

— Porque a gente vai nadar — diz ele por cima do ombro.

Com um suspiro, subo a escada. Quando chego ao alto, vejo Brooke saindo do meu quarto. Ou, pelo menos, é o que parece.

Paro na mesma hora, a raiva e a desconfiança formando um nó apertado no meu estômago. O que ela estava fazendo no meu quarto?

Ah, merda. Meu dinheiro está lá dentro.

E se ela pegou?

Eu a observo rapidamente, mas ela não está com nenhuma bolsa, e sua roupa é tão justa que não teria como ela esconder uma pilha de dinheiro. Mesmo assim, ela não devia estar lá, e deixo minha insatisfação clara quando ando na direção dela.

— O que você está fazendo aqui? — eu pergunto.

Ela anda na minha direção.

— Ah, é a pequena órfã Ella, a nova princesa do Castelo Royal.

— Achei que você tivesse dito para Callum que ia embora e nunca mais voltar — eu digo com cautela.

— Era o que você queria. — Ela faz expressão de desprezo e joga os cabelos louros e compridos para o lado. Qualquer sentimento positivo que ela pode ter tido por mim um dia já não existe mais.

Não faz sentido discutir, então desvio dela e vou em direção ao meu quarto.

— Fique longe do meu quarto. Estou falando sério, Brooke. Se eu pegar você aqui de novo, vou contar para Callum.

— Certo. Callum. Seu salvador. O homem que tirou você da sarjeta e trouxe para o palácio dele. — A amargura toma conta dos olhos dela. — Ele fez o mesmo por mim. Também me salvou, lembra? Mas adivinha, meu bem... nós somos descartáveis. Somos todas descartáveis para ele. — Ela balança uma unha bem-cuidada na minha cara. — Sua vida foi transformada, não foi? Como a de uma princesa de um conto de fadas. Mas contos de fadas não são reais. As garotas como nós sempre se transformam em abóbora depois do baile.

Reparo que os olhos dela começaram a brilhar de lágrimas não derramadas.

— Brooke — digo gentilmente. — Vou chamar um táxi para você, tá? — Meu coração se derrete por ela. Ela está magoada e precisa de ajuda. Mas não sei o que posso fazer além de conseguir um carro para levá-la para casa em segurança.

— Ele também vai se cansar de você — continua Brooke, como se eu não tivesse falado nada. Minha resposta não importa. Ela só precisa de plateia. — Guarde as minhas palavras.

— Obrigada pela dica — respondo secamente. — Mas acho que está na hora de você ir.

Eu tento levá-la na direção da escada, mas ela desvia e cambaleia na direção da parede oposta. Uma gargalhada louca sai dos lábios vermelhos.

— Os Royal estão na palma da minha mão há bem mais tempo do que na da sua, meu bem.

Não quero mais ouvir. Ela só quer resmungar e falar mal dos Royal. Minha paciência evapora, então eu entro no quarto, fecho a porta e vou para o banheiro. Com a mão trêmula, tateio dentro do armário. Quando minha mão encosta na pilha de dinheiro grudada com fita adesiva, dou um suspiro de alívio.

Preciso levar o dinheiro para um lugar ao qual só eu tenha acesso. O mais rápido possível.

— O que foi? — pergunta Reed assim que saio para o pátio.

Não consigo responder de imediato porque minha língua está grudada no céu da boca. Não sei como posso agir normalmente com Reed ali, só com um short que parece prestes a cair dos quadris. O peito dele é um muro de músculos deliciosos, e é difícil me concentrar. Minha discussão com Brooke perde importância com o cara mais gostoso do planeta ali, exposto para mim.

— Ella? — pergunta ele, com humor na voz.

— O quê? — Eu me balanço. — Ah, desculpe. Foi a Brooke. Ela estava saindo do meu quarto. Ou pelo menos eu acho que era do meu quarto.

O quarto de Callum fica do outro lado da casa. A escadaria divide as duas alas. O meu quarto e os quartos dos meninos ficam de um lado e o de Callum do outro. Não havia motivo nenhum para Brooke estar do nosso lado da casa.

Reed franze a testa e começa a andar na direção da porta.

— Ela foi embora — digo. — Eu vi o carro dela saindo antes de vir para cá.

— Precisamos mudar o código do portão.

— Aham. — Não consigo parar de olhar para ele.

Antes que eu possa piscar, Reed me levanta nos braços e me joga na piscina.

Caio fazendo um barulho alto e cuspo água quando subo à superfície.

— Para que isso? — grito, tirando mechas molhadas de cabelo do rosto.

Ele dá um sorriso cruel.

— Parece que você precisava esfriar a cabeça.

— Olha quem fala! — nado até a beirada e, saindo da piscina, vou na direção dele.

Ele desvia com facilidade. Não faz sentido tentar pegá-lo. Ele é maior e mais rápido do que eu, então tenho que recorrer às minhas artimanhas.

Finjo bater o pé em uma espreguiçadeira.

— Ai! — grito, e cambaleio até a beirada da piscina, onde me inclino e seguro o pé.

Reed se aproxima imediatamente.

— Você está bem?

Levanto o pé supostamente machucado para a inspeção dele.

— Eu bati o dedão.

Ele se inclina, e eu o empurro na água.

Ele sobe à superfície na mesma hora, e balança a cabeça para tirar água dos olhos, e sorri.

— Eu deixei você fazer isso.

— Claro que deixou.

Vejo com fascinação a forma como a água escorre pelo corpo dele. Ele faz sinal para eu me aproximar.

— Nós dois já estamos molhados, então você podia muito bem trazer essa bundinha linda para dentro da piscina.

— Por quê? Para você me dar caldo?

— Eu não vou dar caldo em você. — Ele levanta dois dedos. — Palavra de escoteiro.

Aperto os olhos para os dedos afastados.

— Acho que isso é o cumprimento vulcano, não o sinal dos escoteiros.

Ele bate a mão na superfície com força, e uma onda enorme me molha.

— Espertinha. O cumprimento vulcano é com quatro dedos. Não me faça ir até aí.

— Só vou entrar porque eu quero, não porque você mandou.

Reed revira os olhos e joga água em mim de novo.

Eu recuo e saio correndo, dou um pulo alto, me encolho e caio como uma bomba ao lado de Reed. Ouço-o rir alto enquanto afundo na água.

Passamos uns dez minutos tentando afogar um ao outro. Durante o processo, talvez eu tenha puxado o short dele um pouco demais, e ele talvez tenha roçado o sutiã do meu biquíni com a mão. Meu corpo reage imediatamente, mesmo a essa carícia suave.

Quando mergulho na direção dos quadris dele de novo, ele fecha as mãos nos meus pulsos e me levanta na superfície. Arrasta-me para trás até estar sentado no degrau que cerca a piscina e eu estar de pé na frente dele, ainda na água.

— Você acha que pode tirar minha calça, é?

— Eu só estava nadando. — Eu pisco. — Sou inocente, policial. — Levanto meus pulsos ainda presos pelas mãos dele.

Reed dá um peteleco no meu seio.

— Você não parece inocente.

Em retaliação, passo o pé pela panturrilha dele e dou um sorriso arrogante enquanto ele se mexe com desconforto.

— Está frio aqui — digo. — Qualquer uma ficaria de farol aceso.

— Se você está com frio, eu devia esquentar você. — Ele levanta uma mão e puxa o sutiã do meu biquíni para o lado até eu estar totalmente exposta.

Acho que sempre fechei os olhos nas outras vezes que ele me tocou, e é incrivelmente erótico vê-lo em plena luz do dia tomar meu mamilo com a boca. Ele me dá uma mordidinha delicada e lambe o ardor antes de abrir a boca e sugar o mamilo todo.

Puta merda.

— Eu, ah, acho que vou me afogar aqui — digo, ofegante.

Ele levanta a cabeça e me olha com perversão.

— Isso não pode acontecer. — Ele me tira da água e me leva para a casa da piscina.

Sem ar, caímos no sofá, Reed se deita de costas e me puxa para cima. Fico montada nas coxas dele. Estamos encharcados, mas não ligo de meu cabelo estar pingando água no peito dele. Estou ocupada demais gemendo, porque as mãos dele estão puxando o sutiã do meu biquíni e os quadris estão se movendo embaixo de mim.

Ele solta as amarrações no meu pescoço e nas minhas costas, e o biquíni cai. Um calor enche instantaneamente o olhar dele.

— Eu te quis desde o primeiro segundo em que te vi — ele confessa.

— É mesmo? — provoco. — Você quer dizer quando eu entrei na sua casa pela primeira vez e você ficou parado em frente ao corrimão me olhando com raiva?

— Claro. Você entrou vestida como uma mendiga, com aquela camisa de flanela abotoada até o pescoço e os olhos ardendo para mim. Foi a coisa mais sexy que já vi.

— Acho que temos definições diferentes de *sexy*.

Ele ri.

Falando nisso, o peito dele está pegando fogo, queimando as palmas das minhas mãos enquanto acaricio os peitorais. Quando me inclino para beijá-lo, ele reage com tanta ansiedade que fico sem ar. Nossos lábios se encaixam perfeitamente. Passo as mãos pelo peito dele, e ele inspira. Os músculos tremem embaixo das pontas dos meus dedos.

Adoro saber que sou eu quem o está excitando. Estou excitando Reed Royal, o cara que faz cara feia em vez de sorrir, que esconde as emoções a sete chaves e não as mostra para o mundo.

Ele não está escondendo nada agora. O desejo por mim está escrito na sua testa. Consigo sentir quando ele se move embaixo de mim.

Inclino a cabeça para beijá-lo de novo e ele me faz ofegar ao chupar minha língua. Em seguida, me faz gemer ao usar os polegares para brincar com meus mamilos.

Respirando com dificuldade, eu me inclino nas palmas das mãos dele, e um ruído frustrado sai pela boca de Reed.

— Estou sendo egoísta de novo — murmura ele.

— Adoro quando você é egoísta — sussurro.

Ele dá uma gargalhada sufocada, depois nos rola novamente e enfia a mão dentro da calcinha do meu biquíni.

— Quero te dar prazer. — Os lábios dele encontram os meus, e um crescente de prazer percorre meu corpo. Fecho os olhos e navego pelas ondas incríveis de sensação até estarmos os dois ofegantes o bastante para embaçar todas as vidraças da casa da piscina.

— Reed. — O nome dele sai trêmulo da minha boca enquanto os arredores parecem sumir. Meu cérebro se desliga. Só consigo permitir que o prazer crescente tome conta de mim.

Quando volto à Terra, ele está sorrindo para mim, parecendo incrivelmente satisfeito consigo mesmo.

Aperto os olhos e tenho vontade de bater nele por ter o poder de me fazer perder o controle assim, mas é um pensamento idiota, porque, ah, Deus, como foi bom.

Mas não faria mal nenhum equilibrar um pouco o jogo. Eu o empurro para que fique deitado de costas de novo. E começo a beijar o peito dele. Cada centímetro glorioso.

A respiração de Reed fica irregular. Quando meus lábios viajam até a cintura do short, ele fica tenso. Levanto a cabeça para verificar a expressão do rosto dele. Está contraída de expectativa.

Meus dedos tremem enquanto brinco com o elástico.

— Reed?

— Hummm? — Os olhos dele estão fechados agora.

— Você pode me ensinar a... há... — murmuro de maneira vaga — ...você sabe.

Ele abre os olhos. Para minha irritação, parece que está tentando não rir.

— Ah. Sim... claro.

Eu me irrito.

— Tem certeza? Eu não preciso se você não quiser...

— Eu quero. — Ele responde tão comicamente rápido que quem ri agora sou eu. — Eu quero muito. — Ele abaixa rapidamente o short.

Meu coração dispara quando levo a boca para perto dele. Quero fazer isso do jeito certo, mas, como sinto que ele me observa, o constrangimento me deixa com vontade de correr.

— Você nunca fez isso mesmo? — pergunta ele com voz rouca.

Balanço a cabeça negativamente. Por algum motivo, ele parece bem aborrecido com isso.

— Qual é o problema? — Minha testa se franze quando a expressão dele fica ainda mais torturada.

— Eu sou tão babaca. Todas as coisas que falei para você no iate... Você devia me odiar, Ella.

— Mas não odeio. — Passo a mão no joelho dele. — Me ensine a fazer gostoso pra você.

— Já está gostoso. — Os olhos dele estão enevoados, e ele coloca a mão na parte de trás da minha cabeça e enfia os dedos delicadamente nos meus cabelos. A outra mão procura uma das minhas, e ele coloca meus dedos ao redor do pênis dele delicadamente. — Use a mão também — sussurra ele.

Faço um movimento delicado.

— Assim?

— É, assim. Isso é… bom…

Sentindo-me mais ousada, coloco a pontinha na boca e sugo. Ele quase pula do sofá.

— Assim está melhor ainda — geme ele.

Dou um sorriso com a boca nele e aprecio os ruídos que ele está fazendo. Posso não ter experiência, mas espero que meu entusiasmo compense, porque quero muito que ele sinta prazer. Quero que ele perca o controle.

Ele fica acariciando meus cabelos, e meu desejo é logo concedido. Ele desaba embaixo de mim, tremendo loucamente, e quando subo no corpo dele depois, ele me abraça com força e diz:

— Eu não mereço isso.

Quero perguntar o que ele quer dizer, mas não tenho oportunidade. Uma batida forte em uma das portas de vidro nos interrompe.

— Maninha! Manão! Acabou a farra. — É Easton, e está rindo histericamente enquanto bate com o punho no vidro.

— Se manda — grita Reed.

— Adoraria, mas papai ligou. Está vindo para casa e quer nos levar para jantar fora. Vai estar aqui em cinco minutos.

— Droga. — Reed se senta e enfia a mão nos cabelos. Olha para nossos corpos nus e sorri. — A gente devia se vestir. Papai vai tirar a calça pela cabeça se nos encontrar assim.

Vai? Pela primeira vez desde que essa coisa com Reed começou eu me permito pensar em como Callum reagiria se soubesse. Meu coração despenca até o fundo do estômago, porque acho que Reed pode estar certo. Estou em Bayview há apenas um mês e Callum já é superprotetor comigo. Caramba, ele era protetor antes mesmo de me conhecer.

Callum não vai gostar disso.

Meu olhar se fixa na bunda de Reed enquanto ele se levanta e puxa o short pelos quadris.

Não, Callum vai *odiar* isso.

Capítulo 31

— Ella! — chama Callum do pé da escada trinta minutos depois. — Desça, tenho uma coisa para mostrar para você!

Eu rolo na cama e coloco um travesseiro sobre a cabeça. Não quero sair do quarto. Subi para trocar de roupa para o jantar, mas, na verdade, só fiquei deitada na cama revivendo cada momento incrível que aconteceu na casa da piscina.

Não quero descer, ver Callum e me preocupar com o que ele diria ou como se sentiria se soubesse o que eu e Reed andamos fazendo. Só quero ficar neste casulo rosa e abraçar minhas lembranças com força. Porque o que fizemos na casa da piscina foi bom e certo, e nada vai estragar essa lembrança para mim.

Mas o chamado insistente para eu descer é difícil de ignorar, principalmente porque Easton está agora do lado de fora da minha porta, batendo na madeira.

— Venha, Ella. Estou com fome, e papai não vai nos deixar ir para o restaurante enquanto você não descer.

— Estou indo. — Saio da cama e enfio os pés nos docksides, que estão virando meu calçado favorito. São tão confortáveis.

Eu me pergunto por um segundo se usar sapatos de barco para o jantar é uma gafe muito grande, mas decido que não me importo.

Quando chego ao patamar do segundo andar, todos os Royal estão me esperando lá embaixo, com sorrisos de vários graus diferentes, desde um malicioso no rosto de Reed até um largo, de orelha a orelha, no de Callum.

— Algum de vocês pode olhar para o teto? — resmungo. — Vocês estão me deixando sem graça.

Callum faz um gesto impaciente.

— Venha para fora, e vamos todos olhar o que tem na entrada de casa.

Contra a minha vontade, sinto uma onda de empolgação. Meu carro, ou pelo menos o carro que Callum comprou para eu dirigir, deve ter chegado. Tento não descer a escada correndo, mas Easton está cansado de esperar. Ele sobe dois degraus de cada vez e me puxa para o saguão, e todos eles me levam para fora.

Ao pé dos degraus largos da entrada tem um conversível de dois lugares. O interior é de couro creme e madeira escura brilhante. O cromado do volante brilha tanto que quase preciso proteger os olhos.

Mas nada disso é tão chocante quanto a cor. Não rosa. Não vermelho. Mas um verdadeiro azul royal, o mesmo azul do avião que me trouxe até aqui, o mesmo dos cartões de visita de Callum.

Meus olhos voam até Callum, e ele assente.

— Mandei pintar na nossa fábrica da Califórnia. É azul royal, e a fórmula da cor é patenteada pela Atlantic Aviation.

Reed empurra a mão na base da minha coluna, e eu cambaleio até o carro. É tão lindo e limpo e novo que sinto medo de dirigir.

— Pronta para dar uma volta?

— Na verdade, não — eu confesso.

Todos eles riem, não de mim, mas com diversão genuína e sincera. Meu coração dá um pulo. Esta é mesmo a minha família? Este pensamento faz as poucas barreiras que eu ainda tinha desmoronarem.

Callum me entrega a chave junto com um pedaço de papel.

— Este é o documento de proprietária do carro. Aconteça o que acontecer, é seu.

O que quer dizer que, se eu decidir ir embora, por qualquer motivo, ele espera que eu leve o carro comigo. O que é loucura, porque tenho medo até de sentar nele.

— Vem, vamos dar uma volta com essa belezinha. — Reed abre a porta do passageiro e se senta.

Com todos eles olhando com expectativa, não tenho escolha além de andar até o banco do motorista. Reed explica como chegar o banco para a frente, inclinar o volante e mexer no rádio, o detalhe mais importante.

E, literalmente com um apertar de botão, o motor ganha vida, e saímos rodando.

— Eu odeio dirigir — admito enquanto guio o carro pela rua tranquila de duas pistas que leva até a residência Royal. Meus dedos seguram o volante com força, e não consigo me obrigar a dirigir a mais do que quarenta quilômetros por hora. As casas neste bulevar arborizado têm um caminho de entrada tão longo que não dá para ver nada além de uma pista de asfalto engolida por árvores e buganvílias.

O carro é pequeno o bastante para Reed conseguir esticar o braço e apoiá-lo no encosto do meu banco. Ele passa os dedos pelas pontas do meu cabelo.

— Que bom que você me tem, então, porque eu gosto de dirigir.

— É mesmo? — pergunto baixinho, quase feliz de ter que olhar para a rua e não para os olhos azuis dele. — Eu tenho você?

— É, acho que tem.

E, durante o resto do passeio, sinto como se estivesse voando.

— Parece que vocês se divertiram — diz Callum quando voltamos.

— Foi o melhor passeio do mundo — declaro. E então, eufórica de felicidade, eu me jogo nos braços dele. — Você é bom demais para mim, Callum. Obrigada. Obrigada por tudo.

Callum fica surpreso com minha explosão de emoção, mas me abraça rapidamente. Os garotos nos separam, reclamando que estão de estômago vazio, e vamos para um restaurante especializado em carnes no fim da rua, onde os Royal comem uma quantidade suficiente para cinco famílias.

Quando voltamos para casa, subo correndo para acrescentar o *primeiro passeio no meu carro* no catálogo mental de coisas maravilhosas que aconteceram na minha vida. Coloco logo depois de *boquete*.

Naquela noite, tão tarde que até os ratos já botaram os ratinhos na cama, Reed se deita na minha cama.

— Eu estava tendo um sonho maravilhoso — murmuro quando ele abraça meu corpo pelas minhas costas.

— O que era? — pergunta ele com voz rouca.

— Você aparecia no meu quarto e me abraçava a noite toda.

— Gostei do sonho — sussurra ele no meu ouvido, e faz exatamente isso: me abraça até eu adormecer.

Mais uma vez, ele já foi embora quando acordo, mas o cheiro está nos meus lençóis.

No andar de baixo, eu o encontro encostado na mesa da cozinha.

— Você não tem treino? — pergunto casualmente, sem querer acreditar que ele ainda quer me levar para o trabalho.

— Não posso deixar você sair pelas ruas tão cedo com um carro tão novo. Você precisa amaciá-lo um pouco mais antes de dirigi-lo com tanto sono.

Tento disfarçar a forma como meu coração empolgado quica nas paredes do peito.

— Ei, eu estava dormindo inocentemente até que um ursão entrou no quarto e decidiu que a minha cama que era a boa.

Ele puxa meus cabelos.

— Acho que você citou o conto de fadas errado.

— Qual seria o certo? *Aladdin*, porque você planeja me levar em um passeio de tapete mágico? — Levanto as sobrancelhas.

Reed cai na gargalhada.

— É isso que você pensa do meu pau? Que é mágico? — Fico tão vermelha que ele ri ainda mais. — Caramba, você é mesmo virgem, não é?

Com as bochechas ainda em chamas, levanto o dedo do meio.

— É isso que eu penso de você e desse seu negócio mágico.

— Pau — diz ele entre gargalhadas. — Vamos lá, virgem, é só falar: pau.

— Ah, você é cara de *pau* mesmo. — Vou fazendo cara feia até o carro.

Reed consegue parar de rir enquanto coloca o cinto. Inclina-se para me beijar, e isso basta para minha irritação passar.

Estou praticamente flutuando no ar durante meu turno da manhã na French Twist, e meu bom humor permanece comigo durante o dia na escola. Encontro Reed no corredor algumas vezes, mas, fora alguns olhares roubados e uma piscadela dele, não nos falamos. Não me importo, porque não sei se estou pronta para anunciar para todo mundo da Astor Park que estou meio que envolvida com um cara que é meio que meu irmão adotivo.

No almoço, Valerie e eu ficamos chocadas quando Savannah faz sinal para nos sentarmos com ela e as amigas. Acho que a Operação Humilhação de Daniel Delacorte foi um sucesso em vários sentidos, embora Savannah ainda não pareça totalmente à vontade perto de mim.

Depois da aula, fico deitada no gramado sul fazendo meu dever até Reed e Easton terminarem a reunião do time, e depois Reed me leva de volta para casa, mantendo o braço em volta de mim durante toda a viagem.

Quando chegamos, descobrimos que Callum viajou a negócios para Nevada, o que quer dizer que vamos ter a casa só para nós até sábado. Viva!

Naquela noite, Reed entra no meu quarto quando estou lendo.
— Claro, pode entrar. Não me importo — digo com sarcasmo. Rolo na cama até ficar deitada de costas e o vejo colocar uma tigela enorme de pipoca na minha mesa de cabeceira.
— Obrigado. Entro, sim. Quer alguma bebida? — Ele espia dentro do meu frigobar. — Você não tem nada que não tenha escrito a palavra *diet* aqui?
Ele anda até a porta e se inclina para fora.
— Traz cerveja. Ella só tem merda diet.
Ouço um "pode deixar" baixinho do final do corredor.
Eu me encosto na cabeceira.
— Estou com medo de perguntar o que está acontecendo.
— Nós vamos ver o jogo.
— Nós?

— Você, eu, Easton. Nós — explica ele, e sobe na cama. Chego para o lado para ele não se sentar em cima de mim.

Olho ao redor com dúvida. A cama é grande o bastante para mim e Reed, mas para mim, Reed e Easton?

— Acho que não vai caber.

— Claro que vai. — Com um sorrisinho, Reed me levanta, me coloca entre suas pernas e me acomoda encostada em seu peito.

Easton chega logo depois e assume meu lugar abandonado. Ele nem pisca ao nos encontrar nesta posição. Reed coloca a tigela de pipoca entre nós e liga a televisão.

— Onde estão os gêmeos? — pergunto. Minha cama parece lotada com dois Royal gigantes em cima, mas, se acrescentássemos os gêmeos, a sensação seria de colocar peitos tamanho GG em um sutiã PP.

— Eles vão para a casa de Lauren — responde Easton antes de enfiar um punhado de pipoca na boca.

— Os dois?

— Não faça perguntas se não quer saber a resposta — diz Reed, e eu calo a boca na hora.

Mesmo que eu tivesse mais perguntas, acho que não conseguiria ouvir as respostas. Quando o jogo começa, parece que nem estou ali. Reed e Easton torcem, resmungam e comemoram com *high-five*. Passo meu tempo admirando todas as bundas duras na tela e dando risadinhas dos comentários de duplo sentido, como "o cara com a bola precisa meter no buraco" ou "o outro time não está tendo penetração suficiente na linha de defesa".

Os garotos não apreciam minhas observações. Eu me acomodo entre as pernas de Reed e só aproveito a companhia. Ocasionalmente, ele estica as mãos e massageia minhas costas ou as passa pelos meus cabelos. São gestos descuidados e casuais, como se fôssemos um casal há anos, e absorvo tudo como um gatinho sedento. Tem jeitos piores de se passar a noite, reflito.

O placar está muito desproporcional, e em algum momento eu cochilo, cheia de pipoca na barriga e entediada com o jogo. Acordo com o som do celular de Easton tocando. Ele sai para atender, e Reed estica as pernas na lateral do meu corpo, como um aquecedor particular.

— Quem era? — murmuro, me sentindo grogue.

— Vai saber. Você estava dormindo?

— Não, só descansando os olhos. O que está acontecendo no jogo?

— Os Lions estão arrasando com os Titans.

— Esses nomes são de verdade ou você está inventando?

— São os nomes de verdade dos times. — Ele fala com diversão na voz. Um dedo quente passa pelo cós do meu short. Eu me espreguiço e sinto um calor familiar penetrar nos meus ossos.

— Acabamos de ver o futebol americano? — É mais uma sugestão do que uma pergunta.

Os olhos azuis de Reed ficam agitados. Ele sobe em cima de mim e me prende com os braços e pernas.

— É, acho que acabamos.

A cabeça dele desce lentamente, e eu passo a língua nos seus lábios com tesão...

— ...mas que diabos, os Lions acabaram de marcar ponto? — Easton entra de repente.

Reed suspira e sai de cima de mim.

— Veja como seria bom se as pessoas começassem a bater na porta antes de entrar — sussurro enquanto Easton pega o controle remoto na cama e aumenta o volume da TV.

Reed só cruza os braços e grunhe. Nós dois assistimos a Easton andando de um lado para o outro.

O time usando azul e prateado e com leões nos capacetes está avançando pelo campo. O adversário, com um T chamejante nos capacetes, não está protegendo muito bem sua defesa. Nos vinte minutos seguintes, o time azul marca um *touchdown* atrás do outro até o jogo empatar.

Easton está fora de si. Quando o apito toca, ele está branco como as cortinas penduradas nas janelas.

— O que foi? — pergunta Reed. — Quanto você apostou nesse jogo?

Herdei problemas de vício da minha mãe. Ah, Easton.

Easton dá de ombros, tentando agir como se não fosse nada demais.

— Está sob controle, mano.

O maxilar de Reed treme como se ele estivesse lutando para não gritar com Easton. Finalmente, ele diz:

— Se precisar de alguma coisa, fale comigo.

Easton dá um sorriso cansado.

— Sim, claro. Tenho que fazer uma ligação agora. Não façam nada que eu não faria — diz ele com alegria forçada.

— Easton tem problemas com jogo? — pergunto quando a porta de Easton é fechada no corredor.

Reed expira com frustração.

— Talvez. Não sei. Acho que ele e joga e bebe por causa do tédio, não por vício. Mas não sou psiquiatra, né?

Procuro alguma coisa para dizer, mas só encontro uma:

— Sinto muito.

Ele dá de ombros.

— Não tem nada que você e eu possamos fazer.

Pela tensão no maxilar de Reed, percebo que ele não acredita nem um pouco nisso.

— Vou para a cama. — Reed se levanta do colchão.

Encolho as pernas embaixo do corpo e luto contra a vontade de implorar para que ele fique.

— Tá — digo, a voz baixa.

Ele franze as sobrancelhas.

— Acho que eu não seria boa companhia hoje.

— Tudo bem. — Eu me levanto da cama e vou na direção do banheiro. Se estou magoada por ele não querer ficar comigo hoje? Um pouco.

Ele segura meu pulso quando eu passo.

— Eu só estou nervoso e... não quero pressionar você a nada.

— Esse é um daqueles discursos de *não é você, sou eu*? Esse é o pior de todos. Ninguém quer ouvir isso.

Um sorriso relutante surge no rosto dele.

— Não. É um discurso de *você é gostosa até demais*, e estou tendo dificuldade de não botar as mãos em você.

Eu me viro para ele e encosto um dedo no peito duro como pedra.

— Quem disse que eu quero que você segure suas mãos?

Ele segura meu dedo e me puxa para perto.

— Você está mesmo pronta, Ella? Pronta para tudo?

Eu hesito, e isso é tudo de que ele precisa. Ele chega a cabeça perto da minha e passa o nariz pela minha bochecha.

— Você não está, e não tem problema, porque eu posso esperar. Mas dormir do seu lado é tortura demais para mim. Seu corpo encostado no meu... e eu acordo... — Ele para de falar, mas sei o que ele está querendo dizer, porque sinto o mesmo.

De repente, sinto dor em lugares que não sabia que podiam doer.

— A gente pode fazer outras coisas. — Lambo os lábios e penso na casa da piscina.

Ele grunhe e afunda o rosto no meu pescoço.

— Não tem pressa. Falando sério. Vamos devagar e vamos fazer isso direito. — Respirando fundo novamente, ele me afasta e tira uma mecha de cabelo dos meus olhos. — Combinado?

Não faz sentido discordar. Conheço Reed bem o bastante para saber que, quando ele decide uma coisa, não é fácil fazer com que ele mude de ideia, o que quer dizer que vou passar a noite sozinha.

— Sim. — Fico nas pontas dos pés para beijar a bochecha dele, mas Reed vira o rosto para nossos lábios se encontrarem.

O beijo longo e carinhoso que ele me dá ajuda a aliviar os sentimentos de mágoa. A sensação do seu corpo rígido no meu também não faz mal nenhum.

E as últimas ideias de rejeição são descartadas quando Reed volta para a minha cama de madrugada. Silenciosamente, puxo o braço dele ao redor do meu corpo e caio em um sono profundo e necessário.

Capítulo 32

Na quinta-feira, Valerie me questiona na hora do almoço.

— O que está rolando entre você e Reed?

Tento parecer o mais inocente possível quando respondo.

— O que você quer dizer?

— Ao que parece, ontem ele passou por você a caminho da aula de Biologia e mexeu no seu cabelo — anuncia ela.

Fico olhando fixamente para ela e depois caio na gargalhada.

— E isso é alguma grande declaração da parte de Reed Royal? — pergunto com incredulidade.

Ela assente.

— Reed *não* dá demonstrações públicas de afeto. Mesmo quando estava supostamente saindo com Abby…

Eu franzo o nariz. Não gosto de ouvir esses dois nomes na mesma frase.

Valerie me ignora e continua.

— …ele a evitava. Não trocavam beijos encostados no armário. Não segurava a mão dela. Claro, ela ia aos jogos de futebol americano, mas ele estava no campo, então eles não ficavam se pegando durante os jogos nem nada. — Ela olha pensativa ao longe, como se os visualizando. Seguro minha vontade de vomitar. — Acho que a única vez que os viram juntos foi numa festa. Então, a questão é que o fato de ele ter intencionalmente esticado a mão para tocar em você é uma coisa enorme.

Olho para minha bandeja com peito de frango orgânico de um produtor local e legumes frescos da fazenda para que Valerie não veja que também é enorme para mim. O toque dos dedos dele na base do meu pescoço na manhã de terça ficou comigo durante horas.

Quando estou sob controle de novo, eu olho para Valerie.

— Nós demos uma trégua. — É tudo o que admito.

Ela me lança um olhar preocupado, mas não insiste, porque é minha amiga.

Diabolicamente, estico a mão por cima da mesa, seguro a dela e levo ao meu coração.

— Você é a primeira no meu coração, Val.

— Acho bom, sua vaca. — Ela aperta meu peito, e eu bato na mão dela.

Rindo, ela coloca uma cenoura na boca. Depois que terminamos o almoço, ela me diz que o Moonglow vai fazer outra noitada para menores de vinte e um anos.

— Quer ir?

Eu hesito, porque meu primeiro instinto é mandar uma mensagem para Reed e perguntar o que ele vai fazer à noite, mas percebo que eu me entregaria para Valerie e penso que, independentemente do que esteja acontecendo entre mim e Reed, eu preciso ter uma vida separada da dele. Então, faço que sim com firmeza.

— Pode contar comigo.

Ela bate o ombro no meu com cumplicidade conforme vamos andando para os nossos armários.

— Nós vamos dançar nas gaiolas? — pergunto com um sorriso.

— O Papa é católico?

— Vou precisar de outra roupa?

Ela balança a cabeça em consternação fingida.

— É como se fosse seu primeiro dia de aula de novo. Você não aprendeu nada desde que chegou aqui? É claro que você precisa de outra roupa.

Valerie e eu fazemos planos de ir às compras mais tarde.

— Pego você depois do trabalho — digo para ela, lembrando que meu carrinho novo está me esperando em casa.

Ela para abruptamente e segura meu braço.

— O que você quer dizer com me pega? Você ganhou um carro?

Faço que sim.

— Um conversível. Callum me deu.

Ela dá um assobio longo e grave, mas alto o bastante para fazer todo mundo num raio de três metros virar a cabeça para nós.

— Você veio para a escola com ele? — Ela bate palmas. — Eu quero ver!

— Ah, não. — Eu enrolo e tento pensar em uma desculpa plausível para ter vindo com Reed hoje de manhã. — Peguei carona com Reed. Ele tem treino de futebol americano cedo, então faz mais sentido eu vir com ele.

Valerie revira os olhos.

— Quanto tempo vocês dois vão fingir que não estão juntos?

Sufoco um sorriso.

— Enquanto as pessoas acreditarem. — E isso é o mais perto que vou chegar de admitir que ela está certa.

Previsivelmente, Valerie adora o meu carrinho. E uso um pouco do meu dinheiro para comprar uma roupa para a noite de hoje. Ela me leva a um shopping normal, onde os preços são altos, mas não tão altos a ponto de me dar a sensação de estar usando um salário inteiro para ir à boate. Na mansão Royal, faço o cabelo e a maquiagem dela e minha, criando visuais dramáticos de balada.

— Estou gata — declara Valerie enquanto se examina no espelho. — Vou tirar uma selfie para Tam.

— Eu posso tirar para você.

Ela me entrega o celular, e tiro algumas fotos, que ela manda na mesma hora para o namorado. Os dois parecem ter um relacionamento ótimo, apesar de ele não ter aparecido uma semana atrás, como tinha prometido. Mas Val não pareceu ficar muito chateada.

— Como vocês conseguem? — Penso em Reed na faculdade e me pergunto se conseguiria aguentar o fato de ele estar perto de tantas meninas mais velhas e bonitas.

Valerie tira uma foto minha antes de responder.

— Eu tenho que confiar nele. E envio um monte de fotos.

— *Nudes*?

— É. Fotos safadas também, a maioria do queixo para baixo... só por garantia. — Ela faz uma careta. — Não que eu não confie nele, mas, sei lá, alguém pode roubar o celular dele.

— Certo. — Eu hesito. — Tam foi seu primeiro?

— Você está me julgando? — pergunta ela com curiosidade.

— Não, de jeito nenhum! — Balanço as mãos no ar. — Eu não posso julgar ninguém.

Ela olha para mim sem acreditar.

— Espera. Você nunca transou?

Eu baixo a cabeça e admito:

— Não, nunca.

— Nunca? — Ela recua. — Uau. Estou repensando seu relacionamento com Reed, porque não tem como aquele cara ficar na seca.

— E-e-eu... — eu gaguejo, sem encontrar palavras.

Ela bate a mão na boca.

— Eu não quis dizer isso. Se ele estiver com você, garanto que não está transando por aí. Quando ele estava saindo com Abby, nunca o vi com outra garota.

— Ah, tá. — Sinto-me meio entorpecida. Nunca me ocorreu que ele pudesse estar transando com outras pessoas. Será que é por isso que ele não está me pressionando?

Valerie aperta meu ombro.

— Foi um comentário idiota. Eu não quis dizer nada com isso. De verdade. Tentei ser engraçadinha e saiu errado. Me perdoa?

— Claro. — Eu a abraço, mas, no fundo da minha mente, a dúvida já se instalou.

Alguns minutos depois, saímos do quarto com nossos vestidos mínimos, saltos e cabelão. Easton está saindo de seu quarto na mesma hora e dá um longo assovio.

— Aonde vocês duas vão?

— Ao Moonglow. Vai ter outro *open bar* — eu explico.

Ele ergue uma sobrancelha.

— Contou para Reed?

— Não. Devia? — Eu não vi Reed desde de manhã.

— Tá bom. Até mais tarde — diz Easton, e desce a escada correndo.

— Mais tarde onde? — eu grito.

— Onde você acha? — Ele ri. — Se eu contar para Reed que você está usando um band-aid e vai dançar na gaiola, você vai ter um Royal de cabeça quente nas mãos.

— Então acho que é uma resposta positiva de que Reed e Easton vão estar lá hoje — conclui Val.

Não faço tentativa nenhuma de esconder o sorriso satisfeito.

Valerie e eu somos levadas para as gaiolas quase antes até de conseguirmos entrar. Acho que lembram de nós. Damos um show durante duas músicas, e ouço meu nome ser chamado. Olho para baixo pelas barras e vejo Easton com as mãos ao redor da boca, gritando meu nome.

Quando consegue minha atenção, ele aponta para o bar. Sigo o braço dele até Reed, que está encostado no balcão na mesma pose daquela primeira noite em que Valerie e eu dançamos aqui. Só que, desta vez, ele não desaparece.

Ele espera.

Ele espera que eu desça da gaiola.

Ele espera que eu atravesse o salão.

Ele espera que eu chegue a ele.

O tempo todo, os olhos ardentes acompanham cada passo que me leva mais para perto.

Paro a uma mão de distância.

— Em que você está pensando? — pergunto com voz rouca.

Ele olha diretamente para o meu peito e para as minhas pernas, expostas na saia curta, preta e justa.

— Você sabe exatamente em que estou pensando. — Ele inspira fundo. — Mas, como estamos em público, só posso *pensar*.

Coloco a mão no ombro dele, e esse cara que não gosta de demonstrações públicas de afeto a segura e leva até a boca. O hálito quente toca minha palma e, com um puxão, ele me leva para perto.

— Você está deixando metade dos caras aqui loucos — diz ele, com o rosto nos meus cabelos.

— Só metade? — brinco.

— A outra metade está apaixonada por Easton — ele me informa. Ele enfia a mão pelos meus cabelos e desce até a lombar. Um novo puxão me leva para o meio das pernas dele. Nós dois inspiramos fundo quando fazemos contato.

— Quer dançar? — consigo grunhir.

Ele vira a bebida que estava tomando, bate com o copo vazio no bar e segura minha mão.

— Vamos.

Na pista de dança, nos encostamos um no outro. Uma das coxas fortes se aloja entre as minhas pernas, e ele dobra os joelhos, de forma que fico praticamente montada nele. Ele passa os dedos pela pele recém-exposta da parte de trás da minha coxa.

Passo os braços pelo pescoço dele e me solto, confiando nele.

— Eu quase explodi na cueca vendo você dançar — sussurra ele no meu ouvido.

— Ah, é? Gostou de me ver dançando junto com a Val? — provoco. É a fantasia de todos os homens, eu acho.

— Tinha mais alguém lá com você? — Ele passa a mão pelos meus cabelos. — Só vi você.

Eu quase me derreto em uma poça de gosma.

— Continue falando assim e talvez você tenha sorte.

A respiração dele falha, e os dedos apertam minha pele.

— Quer sair daqui?

Quente, ansiosa e desesperada por ele, faço que sim, vulnerável.

— Vou procurar Easton e avisar que estamos indo embora. — Ele aperta minha mão e se inclina para roçar minha têmpora com os lábios. Esse beijo inocente me acende.

— Vou ao bar buscar um copo d'água. — Estou morrendo de sede.

— Tudo bem, volto em um segundo.

Reed é engolido pela multidão enquanto vou na direção oposta e tento chamar um barman. Val ainda está na gaiola, dançando sem parar.

Um cara bonito, de cabelo castanho desgrenhado, para na minha frente. Está de camisa de botão com as mangas enroladas e uma bermuda xadrez. Parece vagamente familiar, e me pergunto se estuda na Astor.

— Ella Royal, certo? — pergunta ele.

Desisti de tentar fazer as pessoas me chamarem pelo meu sobrenome de verdade. Estou com uma nota de dez entre os dedos, e uma das atendentes do bar faz sinal para mim com a ponta do queixo.

— Água — digo com movimentos labiais. A garota assente, e eu coloco a gorjeta no pote. É dinheiro demais por um copo de água, mas estou com sede, e acho que essa é a maneira mais rápida de ser servida. — Sim, sou a Ella. Você é da Astor Park?

— Scott Gastonburg. — Ele apoia um cotovelo na bancada. — Posso fazer uma pergunta?

— Claro. — Pego o copo da mão da atendente e grito meu agradecimento.

— Eu só queria saber se você começou com os gêmeos e está subindo a escada dos Royal ou se está só pulando de galho em galho.

Eu me viro tão rápido que derramo água por toda a mão.

— Vai se foder.

Ele levanta as mãos.

— Estou mais do que disposto, gata, mas meu sobrenome não é Royal.

Resisto à vontade de jogar todo o conteúdo do copo na cara do babaca.

— Vai para o inferno.

Bato com o copo na bancada do bar, me viro e esbarro em Reed.

Ele dá uma olhada no meu rosto e na expressão insolente do cara de bermuda xadrez e percebe na mesma hora o que está acontecendo.

Ele aperta os olhos e me empurra para trás dele.

— O que você disse para ela? — pergunta ele.

— Não é nada. — Eu puxo o braço de Reed. — Nada. Vamos.

Scott não tem instintos de autopreservação ou bebeu demais e está corajoso, porque sorri e diz:

— Ellie aqui se ofereceu para dar para mim, mas lembrei a ela que não sou um Royal. Não sou nem primo, mas, ei, estou disposto a dar um jeito nela quando ela terminar com vocês todos.

O punho de Reed voa tão rápido que não tenho oportunidade de reagir. Quando percebo o que está acontecendo, Scott está no chão e Reed está dando socos nele. Mesmo com a batida pesada da música, consigo ouvir o som das pancadas.

— Reed! Reed! Para! — eu grito e puxo os ombros dele, mas ele está concentrado demais em rearrumar as feições de Scott. Outras pessoas tentam me ajudar, se bem que acho que algumas estão adorando ver a briga.

Finalmente, três seguranças abrem caminho na multidão e puxam Reed, deixando Scott deitado no chão, com sangue escorrendo das narinas e um olho inchado e fechado.

— Você vai ter que ir embora — diz um dos seguranças de camiseta preta.

— Tudo bem. — Reed se solta da mão do segurança e segura meu pulso. Sei o que ele quer antes mesmo de ele abrir a boca.

— Vou chamar Easton — digo para ele.

Reed assente. Aponta para um dos seguranças, um louro que parece comer esteroides no café da manhã e criancinhas no jantar.

— Você, fique com ela. Se acontecer alguma *outra* coisa com ela — ele enfatiza o "outra" —, este lugar vai ser fechado e transformado em parquinho de criança antes do fim do dia de amanhã.

Não espero os seguranças e Reed entrarem em acordo. Está na hora de Reed sair daqui. Ele está cheio de adrenalina, e vejo que precisa sair do bar antes que a vontade de entrar em outra briga tome conta dele.

— Easton está perto dos banheiros — grita Reed enquanto os seguranças o acompanham até a porta. Perdi Val de vista, mas tenho que encontrar Easton.

Enquanto me afasto, ouço sussurros. As pessoas que viram a briga começaram a fofocar.

— O que aconteceu?

— Acho que acabamos de ver a proclamação de outro decreto Royal. Quem disser qualquer coisa ruim sobre Ella Royal vai ter que se alimentar por canudinho durante seis meses.

— Ela deve ser incrível na cama — alguém comenta.

— Não tem sexo como o das vagabundas — diz outra voz. — Essas putas deixam você fazer qualquer coisa.

Meus ouvidos queimam, e fico tentada a repetir as ações violentas de Reed em cada uma dessas caras arrogantes, mas não posso parar porque vejo Easton andando para o corredor dos banheiros.

Abro caminho na multidão, mas Easton não entra no banheiro masculino. Ele continua andando para a porta de saída.

— Com licença — murmuro enquanto desvio da fila de garotas esperando para usar o banheiro feminino e passo por um casal se pegando em um canto não muito escuro. — Easton — eu chamo, mas ele não para. Sei que me ouviu, porque vejo um movimento quase imperceptível de seu corpo. Mas ele só segue em frente.

Corro pelo corredor e saio pela porta vários segundos depois dele. Paro na mesma hora.

Ele está no beco dos fundos com dois caras, e não parece que eles só saíram para fumar.

Ah, não. Em que será que Easton se meteu?

Os dois caras têm cabelos castanho-escuros, puxados para trás. Estão usando camisetas brancas e calças jeans baixas, e aposto que, se eles se virassem, eu conseguiria ver as cuecas. Não que eu queira. Tem uma corrente de metal pendurada nos passadores de cinto de um deles.

— Volte para dentro, Ella. — A voz de Easton soa mais dura e fria do que em qualquer outra ocasião anterior.

— Espera aí — diz o cara com a corrente. — Você pode pagar sua dívida com ela, se quiser. — Ele bota a mão na virilha. — Me empresta a piranha por uma semana e vamos estar quites.

Minha vida antes dos Royal era cheia de baixarias, e sei muito bem reconhecer uma extorsão.

O jogo de futebol americano de segunda-feira volta à minha mente.

— Quanto? — pergunto ao cara de corrente.

— Ella... — começa Easton.

Eu o interrompo.

— Quanto ele deve?

— Oito mil.

Quase desmaio, mas, ao meu lado, Easton tenta desmerecer o valor, como se oito mil fosse um troquinho qualquer.

— Vou ter o dinheiro na semana que vem. Vocês só precisam esperar tranquilos.

Se fosse um troquinho qualquer, ele não estaria aqui, atrás do bar, sendo ameaçado, e o cara da corrente sabe disso.

— Ah, tá. Vocês, ricos, vivem de crédito, mas não comigo. Não deixo os nomes dos falidos nos meus livros por mais de uma semana. Eu tenho que pagar minhas contas. Portanto, arrume o dinheiro se não quiser ser o recadinho da semana para todos os seus amigos babacas de que Tony Loreno não aceita apostas de qualquer um.

Easton empertiga os ombros e ajusta a postura. Merda. Ele está se preparando para brigar, e os caras já perceberam.

Tony enfia a mão no bolso, e o medo toma conta do meu peito.

— Parem. — Enfio a mão no bolso para pegar minha chave. — Eu tenho seu dinheiro. Espere aqui.

— Que porra é essa, Ella? — grita Easton.

Ninguém espera. Todos me seguem até meu carro.

Capítulo 33

Quando aperto o botão do chaveiro eletrônico para abrir o porta-malas, observo o estacionamento em busca do Range Rover de Reed. Não o encontro em lugar nenhum, o que deve querer dizer que ele estacionou em uma das vagas do outro lado do prédio.

Meu estômago se enche de alívio, porque Reed dar de cara com esse showzinho seria a pior coisa que poderia acontecer agora. Ele já deu uma surra em um cara hoje, e sei que nem hesitaria em fazer isso de novo, principalmente para apoiar o irmão.

— É melhor você não estar pegando uma arma aí dentro — sibila Tony, atrás de mim.

Reviro os olhos.

— Ah, é, cara, eu guardo um arsenal de rifles no porta-malas do meu carro. Relaxa.

Levanto o quadrado de feltro que cobre o compartimento do estepe e pego um saco plástico que guardei embaixo do macaco. Tenho uma sensação pesada no peito quando tiro a pilha de dinheiro da bolsa e conto oito mil dólares.

Easton não diz nada, mas fica me olhando com a testa franzida. Franze ainda mais quando coloco as notas na mão de Tony.

— Pronto. Vocês estão quites agora. Foi um prazer fazer negócio com você — digo com sarcasmo.

Com um sorrisinho debochado, Tony fica parado contando o dinheiro. Conta de novo. Quando começa a contar uma terceira vez, Easton rosna.

— Está tudo aí, babaca. Saia daqui.

— Se cuide, Royal — avisa Tony. — Eu ainda posso usar você como exemplo só porque estou com vontade.

Mas nós todos sabemos que ele não vai fazer isso. Uma surra só atrairia atenção para nós e para os "negócios" dele.

— Ah, e pode fazer suas apostas em outro lugar de agora em diante — diz Tony friamente. — Seu dinheiro não serve mais para mim. Estou cansado da sua cara feia.

Os dois caras saem andando, Tony guarda o dinheiro no bolso de trás, e, sim, consigo ver a cueca dele acima da cintura da calça caída.

Quando eles vão embora, eu me viro para Easton.

— Qual é o seu *problema*? Por que você faria negócios com gente sinistra assim?

Ele só dá de ombros.

Meu sangue é tomado de adrenalina enquanto olho para ele sem acreditar. Nós podíamos ter ficado feridos. Tony podia tê-lo matado. E ele está ali, como se estivesse cagando para tudo. O canto da boca está até erguido, como se ele estivesse tentando não rir.

— Você acha engraçado? — eu grito. — Quase ser assassinado te deixa de pau duro, é?

Ele finalmente fala.

— Ella...

— Não, cala a boca. Não quero ouvir agora. — Enfio a mão na bolsa e pego o celular, envio uma mensagem de texto e aviso Reed que Easton vai voltar comigo e que é para nos encontrarmos em casa.

Ainda estou com o saco plástico na outra mão, e o jogo no porta-malas, tentando não pensar no quanto está vazio. Oito mil a menos, somados a trezentos das minhas compra com Val hoje. Até Callum me dar a mesada de dez mil do próximo mês, só tenho mil e setecentos dólares no meu fundo de fuga.

Eu não estava planejando fugir, ainda mais depois de todas as mudanças positivas na minha vida, mas agora estou tentada a pegar o dinheiro e ir.

— Ella... — começa Easton mais uma vez.

Levanto a mão.

— Agora, não. Tenho que encontrar Val. — Ligo para o número dela e torço para que escute dentro da boate.

Felizmente, ela atende.

— Ei, está tudo bem?

Eu olho de cara feia para Easton.

— Agora está. Você pode nos encontrar do lado de fora, no carro? Não vão nos deixar entrar de novo.

— Estou indo.

— Ella — tenta Easton de novo.

— Não estou com humor.

Ele fecha a boca e esperamos em um silêncio tenso que Val apareça. Quando ela chega, obrigo Easton a se sentar na traseira apertada. Val abre a boca para protestar, mas decide sabiamente que não adianta.

O caminho até a casa dela é percorrido em silêncio.

— Me liga amanhã? — diz ela quando sai. Easton a segue para fora do carro.

— Ligo, e desculpa por hoje.

Ela me dá um sorriso misericordioso.

— Merdas acontecem, lindinha. Não é nada demais.

— Boa noite, Val.

Ela balança os dedos e desaparece na mansão Carrington. Silenciosamente, Easton se senta no banco do passageiro. Seguro o volante com muita força e me obrigo a me concentrar na direção, mas é difícil segurar os impulsos de bater no cara ao meu lado.

Cinco minutos depois de deixarmos Val, minha respiração finalmente se firma, e então ouço a voz de Easton.

— Desculpa.

Tem arrependimento genuíno no tom dele, e me viro para olhá-lo.

— É bom que seja sincero.

Ele hesita.

— Por que você tem dinheiro escondido no carro?

— Porque sim. — É uma resposta idiota, mas é tudo o que ele vai arrancar de mim. Estou irritada demais para oferecer qualquer outra explicação.

Mas Easton prova que me conhece melhor do que eu penso.

— Meu pai deu para você, não foi? Foi assim que convenceu você a vir morar com a gente, e agora você deixa escondido para o caso de precisar fugir da cidade.

Trinco os dentes.

— Ella.

Dou um pulo quando sua mão quente cobre a minha, e a cabeça dele se apoia no meu ombro. O cabelo macio faz cócegas na minha pele, e me obrigo a não passar uma mão reconfortante nele. Ele não merece consolo hoje.

— Você não pode ir embora — sussurra ele, a respiração soprando no meu pescoço. — Não quero que você vá.

Ele beija meu ombro, mas não tem nada de sexual no gesto. Nada de romântico no jeito como a mão dele aperta meus dedos.

— Seu lugar é com a gente. Você é a melhor coisa que já aconteceu com esta família.

Sou tomada de surpresa. Tudo bem. Uau.

— Você é nossa — murmura Easton. — Desculpa por hoje, Ella, de verdade. Por favor... não fica com raiva de mim.

Minha raiva derrete. Ele fala como um garotinho perdido, e não consigo me impedir de acariciar o cabelo dele agora.

— Não estou com raiva. Mas, caramba, Easton, as apostas precisam parar. Eu posso não estar presente para salvar você da próxima vez.

— Eu sei. — Ele dá um grunhido. — Você não tinha que ter me salvado hoje. Prometo que vou pagar até o último centavo. Eu... — Ele levanta a cabeça e dá um beijo na minha bochecha. — Obrigado por fazer isso. Estou sendo sincero.

Suspirando, volto a olhar a rua.

— De nada.

Em casa, Reed já está esperando na entrada. Ele olha de mim para Easton com desconfiança, mas entro em casa antes que ele possa perguntar o que aconteceu. Easton pode contar. Estou cansada demais para reviver tudo.

Entro no quarto, tiro o vestido e coloco a camiseta larga que uso para dormir. Vou ao banheiro para tirar a maquiagem e escovar os dentes. São só dez horas, mas aquela cena com Tony me deixou exausta, então apago a luz e me deito na cama.

Passa um bom tempo até que Reed entre no meu quarto. Uma hora, pelo menos, o que me diz que Easton e ele devem ter tido uma longa conversa.

— Você salvou a pele do meu irmão hoje. — A voz rouca me encontra na escuridão, e o colchão balança quando ele desliza para o meu lado.

Não resisto quando ele passa os braços fortes ao redor do meu corpo e me vira, para que minha cabeça fique apoiada no seu peito nu.

— Obrigado — diz ele, e parece tão tocado que me mexo com desconforto.

— Eu só paguei a dívida dele. Não foi nada de mais — respondo, minimizando meu papel nos eventos de hoje.

— O caralho. É uma coisa importante. — Ele acaricia a base da minha coluna. — Easton me contou que você tinha o dinheiro no carro. Você não precisava dar para o agenciador, mas estou muito grato que tenha dado. Comi o cu do Easton hoje por ter se metido com aquele cara. O outro agenciador dele é sério, mas Loreno sempre é roubada.

— Com sorte, ele vai parar de fazer apostas depois desta noite. — Mas não estou convencida disso. Easton se alimenta da emoção que consegue nas apostas ou bebendo ou trepando com todo mundo que conseguir. Ele é assim.

Reed me puxa para cima dele, e nós dois rimos quando os lençóis ficam emaranhados entre nossas pernas. Ele os chuta, puxa minha cabeça e me beija. Faz carícias por cima da camiseta enquanto sua língua procura a minha, depois diz:

— Você está com raiva de eu ter dado porrada naquele babaca hoje?

Estou distraída demais pelas mãos dele para entender a pergunta.

— Você bateu no Tony?

— Não, aquele babaca do Scott. — As feições de Reed ficam rígidas. — Ninguém pode falar com você assim. Não vou deixar.

Reed Royal, meu matador de dragões pessoal. Dou um sorriso e me inclino para beijá-lo de novo.

— Talvez isso diga alguma coisa sobre mim, mas acho sexy quando você banca o homem das cavernas comigo.

Ele dá um sorriso.

— É só você mandar que posso bater na sua cabeça com uma clava e arrastar você até uma caverna.

Caio na gargalhada.

— Ah, isso é *tão* romântico.

— Nunca falei que eu era bom de romance. — A voz dele fica rouca. — Mas sou bom em outras coisas.

E é mesmo. Paramos de falar e nossos lábios se encontram novamente. Ficamos deitados nos beijando, enquanto as mãos dele percorrem o meu corpo. Quando seus dedos deslizam para dentro de mim, esqueço a boate e o agenciador de apostas e o pedido de Easton para que eu nunca vá embora. Esqueço até meu nome.

Reed é a única coisa que existe. Aqui, agora, ele é o centro do meu universo.

O fim de semana passa rapidamente. Callum volta para casa no sábado de manhã, e Reed e eu somos obrigados a nos esconder e ficar de amassos na casa da piscina. Na noite de sábado, Valerie e eu saímos para jantar, e finalmente conto para ela sobre todas as coisas sórdidas que faço com Reed Royal. Ela fica empolgada, mas observa que ainda não estamos fazendo a coisa mais sórdida de todas, depois fica no meu pé por eu ser pudica.

Mas não me importo com o ritmo lento que Reed determinou. Parte de mim está preparada para atravessar o obstáculo final, mas ele fica segurando, quase como se tivesse medo de ir até lá. Não sei por que teria, considerando que ficamos um em cima do outro de outras formas diariamente.

Na segunda-feira, Reed me leva para o trabalho, e, para minha consternação, o dia passa rápido, no meu turno e na escola. Hoje é a leitura do testamento, e, por mais que eu implore ao meu relógio para ir mais devagar, o sinal da última aula toca antes de eu estar pronta. Desço os degraus da frente da Astor Park na direção do sedã que me espera.

Callum não fala muito, e Durand nos leva até a cidade, mas, quando chegamos ao prédio brilhante que abriga o escritório de direito Grier, Gray e Devereaux, ele se vira para mim com um sorriso encorajador.

— A coisa pode ficar feia lá dentro — avisa ele. — Mas saiba que Dinah ladra, mas não morde. Quase sempre, pelo menos.

Eu não vejo a viúva de Steve desde o nosso primeiro encontro na cobertura dela, e não estou ansiosa para revê-la. Aparentemente, nem ela, porque faz cara de desprezo assim que Callum e eu entramos no escritório chique.

Sou apresentada a quatro advogados e levada a um sofá confortável. Callum está prestes a se sentar ao meu lado quando um dos advogados se mexe e uma figura familiar aparece atrás dele.

— O que você está fazendo aqui? — diz Callum com rispidez. — Eu mandei especificamente que você não viesse.

Brooke não se deixa afetar pelo tom dele.

— Estou aqui para apoiar minha amiga.

Dinah para ao lado dela, e as duas mulheres dão os braços. Elas poderiam ser irmãs, com o cabelo comprido e louro e as feições delicadas. Percebo de repente que não sei nada sobre as histórias delas e que devia ter perguntado a Callum sobre isso muito tempo atrás, porque obviamente as duas são muito íntimas.

Se estamos escolhendo lados, parece que Brooke e eu estamos em cantos opostos. Sou fiel aos Royal. Pelo desdém nos olhos de Brooke, ela sabe disso. Acho que pensou que eu ficaria do lado dela. Que ela, Dinah e eu nos juntaríamos contra os machos maus da família Royal, e eu agora as estou traindo.

— Eu pedi que ela viesse — diz Dinah friamente. — Agora, vamos começar. Temos reserva para jantar cedo no Pierre's.

Estamos prestes a nos sentar para ouvir o testamento do marido morto dela e ela está preocupada com uma reserva de jantar? Essa mulher é bizarra mesmo.

Outro homem vem em nossa direção.

— Sou James Dake. O advogado da senhora O'Halloran. — Ele estica o braço para comprimentar Callum, que olha para a mão do homem e para Dinah, sem acreditar.

Não estou familiarizada com esse tipo de coisa, mas é fácil perceber que Callum está confuso e infeliz com o fato de Dinah ter levado Brooke e um outro advogado.

Callum se senta com relutância no sofá, enquanto Brooke e Dinah se sentam em outro à nossa frente. Os advogados se sentam em várias cadeiras, enquanto o que está atrás da mesa, o Grier de Grier, Gray e Devereaux, mexe em alguns papéis e limpa a garganta.

— Esse é o testamento final de Steven George O'Halloran — começa ele.

O advogado de cabelo grisalho solta um monte de falação sobre heranças deixadas para várias pessoas das quais nunca ouvi o nome antes, dinheiro deixado em juízo para algumas instituições de caridade e uma coisa chamada usufruto e retenção vitalícia de propriedade sendo concedida a ela. O advogado de Dinah franze a testa ao ouvir isso, então não deve ser bom para Dinah. Tem também presentes substanciais para os garotos de Callum, e o advogado tosse antes de ler a frase, "caso Callum tenha esgotado a fortuna em bebidas e louras antes de eu bater as botas".

Callum só sorri.

"E, para qualquer descendente legal que sobreviva à minha morte, eu deixo…"

Estou ocupada demais tentando entender o que é "descendente legal" para me concentrar no resto da frase de Grier, então dou um pulo de surpresa quando Dinah solta um grito ultrajado.

— *O quê*? Não! Não vou tolerar isso!

Eu me inclino na direção de Callum em busca de uma explicação sobre o que o advogado falou, e fico perplexa com a resposta. Aparentemente, *eu* sou a descendente legal. Steve me deixou metade da fortuna dele, algo em torno de… Acho que vou desmaiar quando Callum me diz o valor. Puta merda. O pai que eu nunca conheci não me deixou milhões. Não me deixou dezenas de milhões.

Ele me deixou *centenas de milhões*.

Vou desmaiar. De verdade.

— E um quarto da empresa — acrescenta Callum. — As ações serão transferidas para o seu nome quando você fizer vinte e um anos.

Do outro lado da sala, Dinah fica de pé, se equilibrando nos saltos incrivelmente altos enquanto se vira para olhar com raiva para os advogados.

— Ele era *meu* marido! Tudo o que ele tinha é meu, e me recuso a dividir com essa pirralha da sarjeta que pode nem ser filha dele!

— O teste de DNA… — Callum começa a dizer com irritação.

— O *seu* teste de DNA! — grita ela. — E todos sabemos quanto você se esforça para proteger seu precioso Steve! — Ela se vira para os advogados de novo. — Exijo outro teste, conduzido por gente *minha*.

Grier assente.

— Ficaríamos felizes em executar esse pedido. Seu marido deixou várias amostras de DNA, que estão guardadas em um laboratório particular em Raleigh. Eu mesmo cuidei da papelada.

O advogado de Dinah fala de forma tranquilizadora.

— Vamos pegar uma amostra para comparação da senhorita Harper antes de irmos embora. Posso supervisionar o processo.

Os adultos ficam conversando e se bicando, enquanto continuo sentada em silêncio perplexo. Minha mente falha toda vez que penso nas palavras "centenas de milhões". É mais dinheiro do que eu poderia sonhar, e parte de mim sente culpa por herdar isso. Eu não conheci Steve. Não mereço metade do dinheiro dele.

Callum repara na minha expressão abalada e aperta minha mão, enquanto Brooke curva os lábios em desprezo. Ignoro as ondas de hostilidade vindas na minha direção e me concentro em inspirar e expirar.

Eu não conheci Steve. Ele não me conheceu. Mas, enquanto estou aqui sentada, lutando contra o meu choque, percebo de repente que ele me amava. Ou, pelo menos, *queria* me amar.

E meu coração dói por eu nunca ter tido a chance de amá-lo também.

Capítulo 34

Horas depois da leitura do testamento, ainda estou entorpecida. Ainda estou chocada. Ainda estou triste. Não sei o que fazer com o nó no meu estômago, então fico encolhida na cama e tento fazer com que minha mente fique vazia.

Não me permito pensar em Steve O'Halloran e no fato de que nunca vou conhecê-lo. Não *de verdade*.

Não penso nas ameaças de Dinah enquanto Callum e eu estávamos saindo do escritório, nem nas palavras de raiva que Brooke disse para Callum quando ele se recusou a jantar com ela para que eles pudessem "conversar". Acho que ela quer voltar com ele. Não estou surpresa.

Depois de um tempo, Reed entra no meu quarto. Tranca a porta, se deita comigo na cama e me puxa para seus braços.

— Papai mandou te dar espaço. Então, dei duas horas. Mas elas já passaram. Conversa comigo, gata.

Escondo o rosto no pescoço dele.

— Não estou com vontade de conversar.

— O que aconteceu com os advogados? Papai não quis dizer nada.

Ele está determinado a me fazer falar, droga. Resmungando, eu me sento e encaro os olhos preocupados.

— Estou multimilionária — digo de repente. — Não uma milionária qualquer, uma multimilionária. Estou surtando agorinha mesmo.

Os lábios dele tremem.

— Estou falando sério! O que vou fazer com aquele dinheiro todo? — choramingo.

— Investir. Doar para caridade. Gastar. — Reed me puxa para perto de novo. — Você pode fazer o que quiser.

— Eu... não mereço. — A resposta boba sai antes que eu possa impedi-la, e, de repente, coloco todas as minhas emoções para fora. Conto sobre a leitura do testamento, sobre a reação de Dinah e minha percepção de que Steve realmente me considerava filha dele, apesar de não ter me conhecido.

Reed não fala nada durante meu discurso longo, e percebo que era isso que eu queria dele. Não preciso de conselhos e garantias, só preciso de alguém que me escute.

Quando finalmente faço silêncio, ele faz uma coisa ainda melhor: me dá um beijo longo e profundo, e a força do corpo dele encostado no meu afasta a ansiedade do meu peito.

Seus lábios percorrem meu pescoço, meu maxilar, minhas bochechas. Cada beijo me deixa mais e mais apaixonada por ele. É um sentimento apavorante, que se aloja na minha garganta e desperta em mim uma vontade de fugir. Eu nunca amei ninguém. Amei minha mãe, mas não é a mesma coisa. O que estou sentindo agora é... algo que me consome inteira. É quente e doloroso e poderoso e está em toda parte, inundando meu coração, pulsando pelo meu sangue.

Reed Royal está dentro de mim. Figurativamente, mas, ah, Deus, preciso que seja literalmente também. Eu preciso dele e vou tê-lo, e minhas mãos estão desesperadas quando chegam ao zíper dele.

— Ella — grunhe ele, interceptando minhas mãos. — Não.

— Sim — sussurro nos lábios dele. — Eu quero.

— Callum está em casa.

O lembrete é como um jato de água fria na minha cara. O pai dele pode bater na minha porta a qualquer segundo, e provavelmente vai fazer isso mesmo, porque sei que Callum sentiu quanto eu estava chateada quando chegamos em casa.

Falo um palavrão com frustração.

— Você tem razão. Nós não podemos.

Reed me beija de novo, só um roçar leve de lábios antes de ele sair da cama.

— Você vai ficar bem? Easton e eu tínhamos combinado de sair para tomar cerveja com os caras do time hoje, mas posso cancelar se você precisar que eu fique.

— Não, tudo bem. Vá. Ainda estou digerindo essa história de dinheiro e acho que não vou ser boa companhia hoje.

— Volto em duas horas — promete ele. — Podemos ver um filme se você ainda estiver acordada.

Depois que ele sai, eu me encolho e acabo dormindo por duas horas, o que vai interferir totalmente nos meus horários de sono. Acordo com o celular tocando e levo um susto quando vejo o número de Gideon na tela. Tenho gravados os números de todos os irmãos, mas é a primeira vez que Gideon me liga.

Atendo o telefone ainda grogue.

— Alô. O que houve?

— Está em casa? — responde ele, lacônico.

Fico tensa na mesma hora. São só três palavras, mas ouço alguma coisa na voz dele que me assusta. Ele está zangado.

— Estou, por quê?

— Estou a cinco minutos...

Está? Em uma segunda-feira? Gideon nunca vem para casa durante a semana.

— Podemos dar uma volta de carro? Preciso falar com você.

Minhas sobrancelhas se franzem.

— Por que a gente não pode conversar aqui?

— Porque não quero que ninguém nos escute.

Eu me sento na cama, mas ainda não estou à vontade com o pedido dele. Não que eu ache que ele vá me assassinar na beira da estrada ou algo assim, mas me pedir para dar uma volta de carro é estranho, principalmente vindo de Gideon.

— É sobre a Savannah, tá? — murmura ele. — E quero que fique entre nós.

Relaxo um pouco, mas continuo confusa. É a primeira vez que Gideon menciona Savannah para mim. Só sei sobre a história deles por causa de Easton. Mas não posso negar que estou insanamente curiosa.

— Encontro você lá fora — digo.

O carro enorme está me esperando na porta de casa quando desço os degraus. Entro no banco do passageiro, e Gideon sai dirigindo sem dizer nada. Seu perfil parece de pedra, e os ombros estão rígidos. E ele não fala nada até parar em uma praça cinco minutos depois e desligar o motor.

— Você está transando com Reed?

Minha boca se abre e meu coração dispara, porque a expressão furiosa no rosto dele é inesperada.

— Há. Eu... Não — gaguejo. É verdade.

— Mas vocês estão juntos — insiste Gideon. — Vocês estão ficando?

— Por que você está me perguntando isso?

— Estou tentando descobrir o tamanho do controle de danos que vou ter que fazer.

Controle de danos? De que ele está falando?

— Nós não devíamos estar falando sobre a Savannah? — pergunto, inquieta.

— Isso tem a ver com a Savannah. E com você. E com Reed. — Ele parece estar respirando com dificuldade. — O que quer que esteja fazendo, você precisa parar. Agora, Ella. Você tem que terminar tudo.

Minha pulsação fica ainda mais errática.

— Por quê?

— Porque nada de bom vai resultar disso.

Ele passa a mão pelos cabelos, o que faz a cabeça se inclinar um pouco para trás e deixa em evidência a marca vermelha no pescoço dele. Parece um chupão.

— Reed é todo errado — diz Gideon com voz rouca. — É tão errado quanto eu, e, olha, você é uma menina legal. Tem outros garotos na Astor... Reed vai para a faculdade em pouco tempo...

As palavras de Gideon saem de qualquer jeito, uma série de frases desconectadas que não consigo interpretar.

— Eu sei que Reed é cheio de problemas — começo a dizer.

— Você não faz ideia. Não mesmo — interrompe ele. — Reed e eu e meu pai, nós temos uma coisa em comum. Nós destruímos a vida das mulheres. Levamos as mulheres até penhascos e as empurramos. Você é uma pessoa decente, Ella. Mas, se ficar aqui e continuar com Reed, eu... — Ele para de falar, a respiração pesada.

— Você o quê?

Os nós dos dedos dele ficam brancos enquanto ele aperta ainda mais o volante, mas ele não oferece outra explicação.

— Você o quê, Gideon?

— Você precisa parar de perguntar e começar a ouvir — diz ele com rispidez. — Termine tudo com meu irmão. Você pode ser amiga dele, como é de Easton e dos gêmeos. Não comece um relacionamento com ele.

— Por quê?

— Que droga, você é sempre difícil assim? Estou tentando poupar você de se magoar e acabar com sua vida com um pote de comprimidos — explode ele.

Ah. O surto dele faz sentido agora. A mãe dele se matou… Ah, Deus, Savannah também tentou alguma coisa?

Reed e eu estamos com nossa situação resolvida, mas acho que Gideon não está pronto para ouvir isso. E desconfio que não vai sossegar enquanto eu não aceitar as exigências malucas dele. Bom, tudo bem. Vou concordar. Reed e eu já estamos mesmo fazendo as coisas escondido de Callum. Vai ser fácil nos esconder de Gideon também.

— Tudo bem. — Estico minha mão e apoio na dele para tranquilizá-lo. — Vou terminar tudo com Reed. Você está certo, nós estamos ficando, mas não é sério nem nada — eu minto.

Ele passa a mão pelos cabelos de novo.

— Tem certeza?

Faço que sim.

— Reed não vai ligar. E, sinceramente, se chateia você tanto assim, tenho certeza de que ele vai concordar que não vale a pena. — Aperto a mão de Gideon. — Relaxa, tá? Não quero estragar a dinâmica que está rolando na casa. Por mim, tudo bem terminar.

Gideon relaxa e a respiração sai longa.

— Tudo bem. Que bom.

Puxo a mão de volta.

— Podemos ir para casa agora? Se alguém passar e nos vir estacionados aqui, a fábrica de boatos da escola vai explodir amanhã.

Ele ri sem entusiasmo.

— Verdade.

Eu fixo o olhar na janela quando ele liga o motor e sai do estacionamento. Não conversamos na volta para casa, e ele não sai do carro quando me deixa.

— Você vai voltar para a faculdade agora? — pergunto.
— Vou.

Ele acelera, e, por algum motivo, não acredito que ele esteja voltando para a faculdade. Pelo menos, não hoje. Também estou meio assustada com a explosão dele e o pedido maluco para que eu fique longe de Reed. Falando em Reed, reparo que o carro dele está parado perto da garagem, e essa visão me enche de alívio. Ele voltou. E todos os outros veículos sumiram, inclusive o sedã, o que quer dizer que Reed e eu estaremos sozinhos.

Corro para dentro de casa e subo a escada dois degraus de cada vez. No patamar, viro à direita, na direção da ala leste, onde todas as portas estão abertas, exceto a de Reed. Os gêmeos e Easton não estão em lugar nenhum, e meu quarto também está vazio quando espio.

Nunca entrei no quarto de Reed, ele sempre vai para o meu, mas hoje não vou esperar que ele me procure. Gideon me deixou abalada, e Reed é o único que pode me ajudar a entender o comportamento estranho do irmão.

Chego à porta e levanto a mão para bater, mas dou um sorriso, porque ninguém nesta casa bate na *minha* porta. As pessoas entram como se o quarto fosse delas. Então, decido dar o troco em Reed. Por mais infantil que seja, estou torcendo para que ele esteja se masturbando, só para aprender uma lição sobre a importância de bater na porta.

Abro a porta e digo:
— Reed, eu...

As palavras morrem na minha garganta. A minha respiração para, de repente.

Capítulo 35

As roupas estão espalhadas pelo chão como uma trilha obscena de migalhas de pão. Sigo o caminho com o olhar. Tem sapatos de salto caídos de um lado. Tênis do lado. Uma camisa, um vestido – fecho os olhos, como se pudesse apagar as imagens, mas, quando os abro, está tudo igual. Coisas pretas de renda, coisas que eu nunca usaria, parecem ter sido largadas antes de a dona subir na cama.

Meu olhar sobe, passa por panturrilhas fortes, por joelhos, por um par de mãos unidas frouxamente. Sobe pelo abdome nu e musculoso, faz uma pausa em um novo arranhão no peitoral esquerdo, onde fica o coração, para e encara o olhar dele.

— Onde está Easton? — digo de repente. Minha mente rejeita a cena. Sobreponho uma história diferente da exposta à minha frente. Uma história em que entrei no quarto de Easton, e Reed, em um estupor induzido pela bebida, também entrou no quarto errado.

Mas Reed só me encara com expressão pétrea, me desafiando a questionar suas ações.

Não tem como Reed ficar sem, ouço Val sussurrar no meu ouvido.

— E os caras que vocês iam encontrar para beber? — falo, desesperada. Dou a Reed todas as oportunidades de dar um relato diferente do que vejo à minha frente. *Minta para mim, caramba!* Mas ele permanece teimosamente em silêncio.

Brooke se levanta como um espectro fantasmagórico atrás dele, e a Terra para. O tempo se prolonga enquanto ela passa a mão pela coluna de Reed, pelo ombro e para com as unhas bem-feitas sobre o peito dele.

Não há dúvidas de que está nua. Ela beija o pescoço de Reed, o tempo todo olhando para mim. E ele não se mexe. Nem um músculo.

— Reed... — O nome dele é mais do que um sussurro, um arranhar doloroso na minha garganta.

— Seu desespero é triste. — A voz de Brooke soa errada nesse quarto. — Você devia sair daqui. A não ser que... — Ela estica a perna nua e passa por cima dos quadris de Reed, ainda cobertos pelo algodão do moletom. — A não ser que queira olhar.

A dor na minha garganta fica pior ao ver ela agarrando-o e ele não fazendo o menor esforço para se afastar.

A mão dela desce pelo braço dele e, quando chega ao pulso, ele se esquiva. É uma reação leve e quase imperceptível. Observo com alarme os dedos dela deslizarem pelo abdome dele, e, antes de ela poder segurar o que eu tinha começado a achar que pertencia a mim, eu me viro abruptamente e saio.

Eu estava errada. Errada em tantas coisas que minha mente não consegue se organizar.

Quando nós vivíamos nos mudando, eu costumava achar que precisava de raízes. Quando mamãe teve seu enésimo namorado que ficava me olhando por tempo demais, eu me perguntei se precisava de uma figura paterna. Quando ficava sozinha à noite e ela estava trabalhando longas e cansativas horas como garçonete, tirando a roupa e Deus sabe mais o quê para me manter alimentada e vestida, eu desejava irmãos. Quando ela estava doente, eu rezava por dinheiro.

E agora tenho tudo isso, mas estou pior do que antes.

Corro até meu quarto e encho minha bolsa de maquiagens, minhas duas calças jeans skinny, cinco camisetas, calcinhas, a roupa de stripper do Miss Candy's e o vestido da minha mãe.

Não deixo as lágrimas virem, porque chorar não vai me tirar desse pesadelo. Preciso sair daqui.

A casa está mortalmente silenciosa. O eco das gargalhadas de Brooke quando falei que havia um homem bom e decente por aí ecoa de um lado a outro do meu crânio.

Minha imaginação conjura visões de Brooke e Reed. A boca dele na dela, os dedos dele a tocando. Do lado de fora da casa, cambaleio até um canto e vomito.

Minha boca está cheia de ácido, mas sigo em frente. Ligo o carro, engato o câmbio com mãos trêmulas e acelero. Fico esperando aquele momento de cinema em que Reed sai correndo da casa, gritando para eu voltar.

Mas não acontece.

Não tem reencontro na chuva, e a única umidade são as lágrimas que não consigo mais conter.

A voz monótona do GPS me direciona até meu destino. Desligo o motor, pego os documentos do carro e enfio no livro de Auden. Auden escreveu que, quando o garoto cai do céu depois de calamidade atrás de calamidade, ele ainda tem futuro em algum lugar, e não faz sentido ficar preso na perda. Mas será que ele sofreu isso? Teria escrito aquilo se tivesse vivido a *minha* vida?

Apoio a cabeça no volante. Meus ombros tremem por causa do choro, e meu estômago se contrai novamente. Saio correndo do carro e cambaleio com pernas trêmulas até a entrada da rodoviária.

— Você está bem, querida? — pergunta a vendedora de bilhetes, parecendo preocupada. A gentileza dela arranca mais lágrimas de mim.

— Minha avó faleceu — minto.

— Ah, sinto muito. Vai para o enterro?

Balanço a cabeça positivamente.

Ela digita no computador, as longas unhas estalando no teclado.

— Ida e volta?

— Não, só ida. Não sei se vou voltar.

A mão dela para acima das teclas.

— Tem certeza? É mais barato comprar ida e volta.

— Não tem nada para mim aqui. Nada — eu repito.

Acho que é a angústia nos meus olhos que a faz parar de fazer perguntas. Ela imprime o bilhete em silêncio. Eu pego a passagem e subo no ônibus, que não pode me levar longe o bastante, rápido o bastante.

Reed Royal me destruiu. Caí do céu e não sei se consigo me levantar. Não desta vez.

CONTINUA...

Sobre a autora

Erin Watt é cria de duas autoras campeãs de venda, reunidas pelo amor por grandes livros e pelo vício em escrever. Elas compartilham uma imaginação criativa. Seu maior amor? (Depois das famílias e dos bichos de estimação, claro.) Criar ideias divertidas e, às vezes, malucas. O maior medo? Romper. Você pode fazer contato com elas pela conta de e-mail compartilhada: authorerinwatt@gmail.com.

**Acreditamos
nos livros**

Este livro foi composto em Adobe Garamond Pro e impresso pela Gráfica Geográfica para a Editora Planeta do Brasil em agosto de 2022.